D0683384

Arrowood

Pour Anita, John et Maya

1

Sud de Londres, 1895

Ce matin-là, je notai dès mon arrivée que le patron était d'humeur orageuse. Son visage était livide, ses yeux gonflés, et ses cheveux, ou ce qu'il en restait sur son crâne couturé de cicatrices, se hérissaient au-dessus d'une oreille alors qu'ils étaient plaqués par le gras sur l'autre. Ce n'était pas beau à voir, croyez-moi. Je me suis attardé sur le seuil au cas où l'envie lui prendrait encore de me lancer la bouilloire à la figure. Même à cette distance, je pouvais sentir les relents du gin de la veille dans son haleine fétide.

— Ce satané Sherlock Holmes ! cria-t-il en tapant du poing sur la console. On ne peut faire un pas dans cette ville sans entendre parler de lui.

— Je vois, monsieur, dis-je de mon ton le plus complaisant.

Je surveillais ses mains qui s'agitaient dans tous les sens, ayant appris à mes dépens qu'une tasse, un crayon, un bout de charbon pouvaient à tout moment et sans crier gare devenir un projectile dont je serais la cible.

— Si l'on nous confiait ses affaires, nous vivrions aussi à Belgravia, Barnett, s'insurgea-t-il, le visage cramoisi. Nous aurions une suite permanente au Savoy !

Il s'effondra dans le fauteuil comme si toutes ses forces l'avaient abandonné d'un coup. Sur la table, je découvris ce qui avait provoqué sa colère : l'illustré *The Strand*, ouvert sur la dernière aventure du Dr Watson. Craignant qu'il ne suive mon regard, je portai mon attention sur le feu.

— Je vais préparer le thé, dis-je. Avons-nous un rendez-vous prévu aujourd'hui ?

Les paupières closes, il acquiesça d'un geste las.

— Une dame doit venir à midi.

— Très bien, monsieur.

Il se frotta les tempes.

— Donnez-moi un peu de laudanum, Barnett. Dépêchez-vous.

Je pris le flacon sur l'étagère et vaporisai la teinture sur son crâne. Il gémit et me repoussa d'un geste en grimaçant comme si j'étais en train de lui percer un furoncle.

— Je suis malade, grogna-t-il. Dites-lui que je suis souffrant. Demandez-lui de revenir demain.

— William, dis-je en ramassant les assiettes et les feuilles de papier qui jonchaient la table. Aucun cas ne s'est présenté depuis cinq semaines. J'ai un loyer à payer. Je serai bientôt obligé de travailler comme cocher avec Sidney si je n'apporte pas un peu d'argent à la maison, et vous savez à quel point les chevaux me font horreur.

— Vous êtes poltron, Barnett, grommela-t-il en s'enfonçant encore plus dans son fauteuil.

— Je vais mettre de l'ordre dans la pièce, monsieur, rétorquai-je. Et nous recevrons cette dame à midi.

Il ne répondit pas.

Midi sonnait lorsque Albert frappa à la porte.

— Une dame vous demande, dit-il de son habituel ton lugubre.

Je le suivis le long du couloir jusqu'à la pâtisserie au-devant de l'appartement du patron. Devant le comptoir se tenait une jeune femme qui portait un bonnet et une jupe à crinoline. Elle avait le teint clair et délicat, pourtant les poignets de son veston étaient élimés et sales et une dent ébréchée gâtait la beauté de son visage en amande. Elle m'offrit un sourire triste et fugace et me suivit jusqu'à l'appartement du patron.

Je le vis fléchir dès qu'elle entra dans la pièce. Il cilla plusieurs fois et se leva d'un bond avant de s'incliner avec respect sur la main fatiguée qu'elle lui tendait.

— Madame.

Il lui indiqua le meilleur fauteuil — propre et près de la fenêtre — et la lumière éclaira la beauté de la jeune femme. Elle lança un regard rapide sur les piles de vieux journaux entassés le long des murs, dont certaines étaient aussi hautes qu'un homme.

— Que puis-je pour vous ?

— Il s'agit de mon frère, monsieur Arrowood, dit-elle.

Son accent ne laissait place à aucun doute, elle venait du continent.

— Il a disparu. On m'a dit que vous pourriez le retrouver.

— Êtes-vous française, mademoiselle ? demanda-t-il, dos à la cheminée.

— En effet.

Il me lança un regard en coin ; une veine palpitait sur sa tempe épaisse et rougic. La chose s'annonçait mal. Deux ans plus tôt, à Dieppe, un juge avait mal supporté notre curiosité envers son beau-frère et nous avait fait jeter en prison. Une semaine de pain rassis et de bouillon froid avait eu raison de l'admiration que le patron éprouvait pour ce pays, et, pour couronner le tout, le client avait refusé de nous payer. Depuis lors, le patron avait une dent contre les Français.

— M. Arrowood et moi-même vouons beaucoup d'admiration aux gens de votre pays, mademoiselle, dis-je avant qu'il ait eu le temps de la froisser.

Arrowood me foudroya du regard et demanda :

— Où avez-vous entendu parler de moi ?

— Un ami m'a donné votre nom. Vous êtes détective privé, n'est-ce pas ?

— Le meilleur de Londres, dis-je en espérant que la flatterie parviendrait à apaiser le chef.

— Oh ! fit-elle. Je croyais que Sherlock Holmes...

Il se raidit de nouveau.

— On dit que c'est un génie, continua-t-elle. Le plus grand détective du monde.

— Alors peut-être devriez-vous faire appel à lui, mademoiselle, rétorqua le patron.

— Je ne peux pas me le permettre.

— Je ne suis donc qu'un pis-aller ?

— Je ne voulais pas vous offenser, monsieur, répondit-elle en remarquant enfin ses façons brusques.

— Laissez-moi vous dire quelque chose, mademoiselle...

— Cousture. Mlle Caroline Cousture.

— Les apparences sont parfois trompeuses, mademoiselle Cousture. Holmes est célèbre car son assistant écrit des histoires et les vend. C'est un détective avec un chroniqueur à sa botte. Mais qu'en est-il des cas dont nous n'entendons jamais parler ? Ceux qui ne sont pas publiés ? Et ceux où des gens meurent à cause des erreurs grossières de M. Holmes ?

— Des morts, monsieur ? demanda-t-elle.

— Avez-vous entendu parler de l'affaire Openshaw, mademoiselle ?

La jeune femme secoua la tête.

— Le cas des Cinq Pépins d'orange ?

De nouveau, elle nia.

— Un jeune homme envoyé à la mort par le Grand Détective. Du haut du pont de Waterloo. Et ce n'est pas le seul. Vous devez être au courant, pour le cas des Hommes Dansants ? Tous les journaux en ont parlé.

— Non, monsieur.

— M. Hilton Cubitt ?

— Je ne lis pas les journaux.

— Mort aussi. Tué par balle, et son épouse a failli être elle aussi assassinée. Non, non, Holmes est loin d'être parfait. Saviez-vous, mademoiselle, qu'il possède une fortune privée ? Eh bien, j'ai entendu qu'il refuse autant de cas qu'il en accepte. Pourquoi cela, d'après vous ? Pourquoi, peut-on se demander, un détective refuserait-il autant de requêtes ? Je vous en prie, n'en concluez pas que je suis jaloux. Je ne le suis pas. Je le plains. Pourquoi ? Parce qu'il travaille par déduction. Il recueille des petits indices et en tire de grandes conclusions. Souvent erronées, à mon humble avis.

Il leva les mains au ciel.

— Voilà, c'est dit. Bien sûr, il est célèbre, mais je crains qu'il ne comprenne rien aux gens. Avec Holmes, il est toujours question d'indices : une empreinte de pas, un reste fortuit de cendre sur une table, une argile d'un type particulier sur un bateau. Et les cas où il n'y a pas d'indices ? Ils sont plus communs que vous ne le pensez, mademoiselle Cousture. Il s'agit alors des gens. De lire les gens.

Ce disant, il montra d'un geste sa petite collection de livres de psychologie de l'esprit.

— Je fonde mon travail sur les émotions, pas sur des déductions. Pourquoi cela ? Parce que je *vois* les gens. Je lis dans leur esprit. Je sens la vérité grâce à mon flair.

Il parlait en la dévisageant, et je remarquai qu'elle avait rougi. Elle fixa le sol devant elle.

— Et parfois, l'odeur de la vérité est si forte qu'elle se faufile en moi comme un ver, continua-t-il. Je connais les gens. Je les connais si bien que c'en est douloureux. C'est ainsi que je résous mes cas. Mon portrait n'apparaît pas dans le *Daily News*, je vous l'accorde. Je n'ai pas de gouvernante ni d'appartement sur Baker Street, et encore moins un frère au gouvernement, mais si je choisis d'accepter votre cas — ce que je ne peux garantir tant que je n'aurai pas entendu ce que vous avez à nous dire —, si je choisis de l'accepter, alors vous pourrez vous en remettre entièrement à moi, et à mon assistant.

Je le regardai avec une admiration non feinte : lorsqu'il

prenait son élan, le patron devenait magistral. De plus, ce qu'il venait de dire était vrai : ses émotions étaient à la fois sa force et sa faiblesse. C'était la raison pour laquelle il avait besoin de moi plus qu'il ne le pensait parfois.

— Je suis désolée, dit Mlle Cousture. Je ne voulais pas vous offenser. Je ne connais rien à ces affaires de détectives. Tout ce que je sais c'est ce qu'on dit de M. Holmes. Je vous prie de m'excuser, monsieur.

Il acquiesça avec un petit grognement et s'assit enfin dans son fauteuil près du feu.

— Racontez-nous tout sans rien omettre. Qui est votre frère et pourquoi avez-vous besoin de le retrouver ?

Elle joignit les mains sur sa jupe et se redressa.

— Nous sommes originaires de Rouen, monsieur. Je suis venue ici il y a deux ans pour travailler. Je suis photographe. Dans mon pays, c'est assez mal vu, aussi, mon oncle m'a aidée à trouver un travail ici, à Great Dover Street. Il est marchand d'art. Mon frère travaillait comme pâtissier en France, mais il a eu quelques ennuis.

— Des ennuis ? demanda le patron. Quelle sorte d'ennuis ?

Elle hésita.

— Si vous ne me dites pas tout, je ne peux pas vous aider.

— Il a été accusé de voler dans la boutique.

— Et c'était la vérité ?

— Je le crains, oui.

Elle le regarda humblement, puis son regard croisa le mien. Je dois avouer que, bien que marié depuis quinze ans avec la femme la plus sensée de tout Walworth, ce regard éveilla quelque chose en moi qui n'avait pas été titillé depuis longtemps. Cette jeune femme était décidément d'une grande beauté.

— Continuez, dit-il.

— Il a dû quitter Rouen précipitamment, et il est venu me rejoindre ici. Il a trouvé un travail dans une rôtisserie. Et voilà qu'il y a quatre jours, il revient du travail, terrifié.

Il m'a demandé de l'argent pour retourner en France, mais n'a pas voulu me dire pourquoi. Je ne l'avais jamais vu dans un tel état.

Elle marqua une pause pour reprendre son souffle et se tapota les yeux avec un mouchoir jauni.

— J'ai refusé. Il ne faut pas qu'il regagne Rouen. S'il y retourne, il lui arrivera malheur. Je ne peux pas le permettre.

Elle hésita encore, une larme perla au coin de son œil.

— Je dois dire aussi que je voudrais qu'il reste à Londres, auprès de moi. C'est une ville très solitaire pour une étrangère, monsieur. Et dangereuse, pour une femme.

— Prenez un instant, mademoiselle, fit mon employeur galamment.

Il se pencha en avant ; son ventre rond frôlait ses genoux.

— Il était très en colère quand il est parti, poursuivit-elle. Je ne l'ai pas revu depuis. Il n'est pas allé travailler non plus.

À présent, les larmes coulaient abondamment sur ses joues.

— Où peut-il bien passer ses nuits ?

— Allons, ma chère petite, fit le patron. Vous n'avez pas besoin de nous. Votre frère se cache, tout simplement. Il reviendra vers vous quand il se sentira en sécurité.

Elle garda le mouchoir contre ses yeux jusqu'à ce qu'elle ait repris contenance. Elle se moucha.

— Je peux vous payer, si c'est ce qui vous inquiète, dit-elle finalement en tirant une petite bourse de son manteau d'où elle sortit quelques guinées. Regardez.

— Rangez cela, mademoiselle. Si votre frère était effrayé à ce point, il est probablement déjà en France à l'heure qu'il est.

— Non, monsieur. Le lendemain, quand je suis rentrée de mon travail, ma pendule avait disparu, et aussi ma deuxième paire de chaussures et une chemise que j'ai achetée cet hiver. La logeuse m'a dit qu'il était venu dans l'après-midi.

— Voilà ! Il les a vendus pour payer son passage.

— Non, monsieur. Ses papiers, ses vêtements, ils sont

encore dans ma chambre. Et sans passeport, il ne peut pas prendre le bateau. Il lui est arrivé malheur.

Elle avait remis les pièces dans la bourse et en sortit quelques billets.

— S'il vous plaît, monsieur Arrowood. Il est tout ce que j'ai au monde. Je n'ai personne pour m'aider.

Le patron regarda les deux billets de cinq livres qu'elle venait de déplier : ça faisait un bon bout de temps que nous n'avions pas vu de billets de banque dans cette pièce.

— Pourquoi ne pas aller voir la police ?

— Ils me répéteront ce que vous venez de dire. Je vous en supplie, monsieur Arrowod.

— Mademoiselle Cousture, je pourrais prendre votre argent, et je suis certain qu'il y a de nombreux détectives à Londres qui ne se gêneraient pas pour le faire. Mais j'ai pour principe de ne jamais accepter d'honoraires si je pense qu'il ne s'agit pas d'une véritable affaire, et encore moins lorsque cela vient de quelqu'un qui n'en a pas beaucoup. Je ne veux pas vous offenser, mais je suis certain que cet argent, vous l'avez économisé avec peine ou bien que vous l'avez emprunté. Votre frère doit être avec une femme quelque part. Attendez encore quelques jours. S'il n'est pas réapparu, revenez nous voir, et nous aviserons.

Les joues pâles de la jeune femme rougirent. Elle avança vers le pare-feu et mit les billets au-dessus des charbons ardents.

— Si vous refusez d'enquêter pour moi, je jette l'argent au feu, dit-elle âprement.

— Je vous en prie, soyez raisonnable, mademoiselle !

— Je n'ai que faire de l'argent. Et j'imagine que vous le préférez dans votre poche que dans votre cheminée ?

Le chef gémit, les yeux fixés sur les billets. Il s'assit sur le bord de la chaise.

— Je vais le faire ! s'écria-t-elle d'un ton désespéré en approchant la main des flammes.

— Arrêtez ! s'écria-t-il, incapable d'en supporter davantage.

— Vous acceptez ?

Il soupira.

— Oui, oui. J'imagine.

— Et vous garderez mon nom secret ?

— Si tel est votre souhait.

— Nous prenons vingt shillings par jour, mademoi-selle Cousture, dis-je. Cinq jours d'avance dans le cas de personnes disparues.

Le patron se tourna pour bourrer de nouveau sa pipe. Bien qu'il fût le plus souvent à court d'argent, il n'était jamais à l'aise pour le recevoir : il était difficile pour quelqu'un de sa classe d'admettre qu'il puisse en avoir besoin.

Une fois la transaction conclue, il porta de nouveau son attention sur nous.

— Bien, vous devez nous donner tous les détails, fit-il en tirant sur sa pipe. Quel âge a votre frère, quelle est son apparence. Avez-vous une photographie ?

— Il a vingt-trois ans. Il n'est pas aussi grand que vous, monsieur, dit-elle en me regardant. Il est entre vous et M. Arrowood. Ses cheveux sont de la couleur du blé et il a une cicatrice sur l'oreille, de ce côté. Je n'ai pas de portrait de lui, j'en suis désolée. Mais il n'y a pas beaucoup de gens à Londres qui ont notre accent.

— Où travaillait-il ?

— Au Barrel of Beef, monsieur.

Mon sang ne fit qu'un tour. Les billets que je tenais encore tièdes à la main me parurent aussi froids que le marbre. Les yeux rivés sur le feu, le patron retira la pipe de sa bouche et secoua lentement la tête sans rien dire.

Mlle Cousture plissa le front.

— Que se passe-t-il, monsieur ?

Je lui tendis l'argent.

— Reprenez-le, mademoiselle, dis-je. Nous ne pouvons accepter votre affaire.

— Mais pourquoi ? Vous venez de dire le contraire.

J'attendis que le patron réponde, mais de sa bouche ne sortit qu'un gémissement sourd. Il prit le tisonnier et remua les charbons. Mlle Cousture nous regarda tour à tour.

— Quel est le problème ?

— Nous avons déjà eu maille à partir avec The Barrel of Beef, dis-je finalement. Le patron, Stanley Cream, vous avez probablement entendu parler de lui ?

Elle acquiesça.

— Il était lié à l'une de nos enquêtes il y a quelques années. L'affaire a très mal tourné. Nous bénéficiions alors de l'aide d'un certain John Spindle. Un honnête homme. Les hommes de Cream l'ont battu à mort sans que nous puissions faire quoi que ce soit. Cream nous a promis le même sort si jamais nos routes venaient à se croiser de nouveau.

Elle me regarda sans rien dire.

— C'est l'un des hommes les plus dangereux de ce côté-ci de la Tamise.

— Vous êtes en train de me dire que vous avez peur, dit-elle, amère.

Le chef fit volte-face. Son visage avait rougi à cause de la chaleur des flammes.

— Nous allons nous occuper de ce cas, mademoiselle, déclara-t-il. Je ne reviens jamais sur ma parole.

Je serrai les dents. Si le frère de Mlle Cousture avait fourré son nez dans les affaires du Barrel, il y avait de grandes chances pour qu'il coure effectivement un grand danger. Voire qu'il soit déjà mort. Soudain, le métier de cocher me sembla le plus enviable de Londres.

Mlle Cousture partie, le chef se laissa tomber lourdement sur son fauteuil. Il alluma sa pipe et contempla le feu d'un air pensif.

— Cette femme ment, déclara-t-il finalement.

2

Nous étions sur le point de finir la tourte et les pommes de terre que j'avais achetées pour le dîner lorsque la porte du couloir s'ouvrit. Sur le seuil, un sac de voyage dans une main, l'étui d'un tuba dans l'autre, se tenait une dame d'âge moyen. De gris et de noir vêtue, elle avait la noble allure de ceux qui ont beaucoup voyagé. Le patron fut frappé de stupeur. Je bondis sur mes pieds pour saluer l'inconnue en essuyant mes doigts graisseux sur l'arrière de mon pantalon.

Elle répondit d'un bref signe de tête et se tourna vers le patron. Ils se regardèrent un long moment, lui avec une expression de culpabilité surprise, elle, toute en autorité vertueuse.

— Ettie, dit-il enfin lorsqu'il parvint à avaler ce qu'il avait dans la bouche. Qu'est-ce… Tu es…

— J'arrive à point, on dirait, dit-elle en balayant de son regard auguste les flacons de pilules et les bouteilles de bière, les cendres autour de la cheminée, les piles de livres et de journaux. Isabel n'est pas revenue, à ce que je vois.

Le patron pinça ses lèvres charnues et secoua la tête.

Elle se tourna vers moi.

— Et vous êtes ?

— Barnett, madame. L'assistant de M. Arrowood.

— Enchantée de faire votre connaissance, Barnett.

Je lui souris, et elle fronça les sourcils.

Le patron se rassit en chassant les miettes du revers de son veston d'intérieur.

— Je te croyais en Afghanistan, Ettie.

— Il y a suffisamment de bonnes œuvres à accomplir parmi les pauvres de cette ville. J'ai rejoint une mission à Bermondsey.

— Quoi, ici ? s'écria-t-il.

— Je compte séjourner avec toi. Et maintenant, si tu veux bien m'indiquer où je peux dormir…

— Dormir ?

Le patron, ahuri, me lança un regard en coin.

— Mais… Il y a certainement des chambres pour les infirmières, n'est-ce pas ?

— Dorénavant je suis au service de Dieu, mon frère. Ce qui n'est pas une mauvaise chose, à en juger par l'état de cette pièce. Ces piles de papier, pour commencer, représentent un véritable danger.

Elle aperçut le petit escalier à l'angle de la pièce.

— Ah, nous y voilà. Nul besoin de m'accompagner.

Elle posa son tuba par terre et se dirigea vers les marches. Je préparai le thé pour le patron qui fixait la fenêtre comme s'il attendait l'arrivée de la mort. Je sortis de ma poche une barre de caramel et lui en offris un morceau, qu'il mit avidement dans sa bouche.

— Pourquoi disiez-vous tout à l'heure que Mlle Cousture ment ?

— Vous devez regarder de plus près, Barnett, dit-il, aux prises avec le caramel. Au cours de notre conversation, elle n'a détourné le regard qu'une seule fois. Elle a rougi, aussi. Et c'était à un moment très précis, lorsque je disais que je peux voir dans l'âme des gens, que je flaire toujours la vérité. Vous n'avez pas remarqué ?

— Vous l'avez fait exprès ?

Il secoua la tête.

— C'est une bonne astuce, fit-il. Je pense que je m'en resservirai.

— Vous croyez ? D'où je viens, on ment comme on respire.

— C'est le cas partout, Barnett.

— Je veux dire, les gens ne rougissent pas quand on les accuse de mensonge.

— Justement, je ne l'avais pas accusée. C'est ça, la beauté de l'astuce. Je ne parlais que de moi-même.

Le bonbon lui donnait du fil à retordre, et un petit filet de salive apparut au coin de ses lèvres. Il s'essuya du revers de la main.

— À propos de quoi mentait-elle, alors ?

Il leva un doigt pour me faire signe de patienter tandis qu'il grimaçait pour déloger un bout de caramel d'une de ses molaires.

— Ça, je l'ignore, dit-il enfin. Je dois rester à la maison cet après-midi afin d'essayer de comprendre ce que manigance ma sœur. Je suis navré, Barnett, vous devez aller seul au Barrel of Beef.

L'idée ne me disait rien qui vaille.

— Nous pourrions peut-être attendre que vous soyez disponible, suggérai-je.

— Nul besoin d'y entrer. Surveillez la rue jusqu'à ce qu'un employé sorte, un plongeur ou une servante par exemple, quelqu'un qui ne refuserait pas un peu de monnaie. Essayez d'en savoir plus sans prendre des risques. Surtout, évitez d'être vu par les hommes de Cream.

J'acquiesçai.

— Je suis très sérieux, Barnett. Je doute qu'ils vous laissent une deuxième chance.

— Je n'ai pas la moindre intention de les approcher, répondis-je sombrement. J'aimerais mieux ne pas y aller du tout.

— Soyez prudent, conclut-il. Revenez quand vous aurez appris quelque chose.

Je me disposais à partir quand il leva les yeux vers l'étage : on y entendait des bruits de meubles qu'on déplace.

*
* *

Le Barrel of Beef était un immeuble de quatre étages à l'angle de Waterloo Road. Le soir, les chalands étaient essentiellement de jeunes hommes qui arrivaient en fiacre depuis l'autre rive à la recherche d'un peu d'animation après la sortie des théâtres et des réunions politiques. Au rez-de-chaussée se trouvait un pub, l'un des plus grands de Southwark, avec, au-dessus, deux étages de salons privés. Ces salons étaient le plus souvent réservés par des clubs gastronomiques, et les soirs d'été, lorsque les fenêtres étaient ouvertes et que des musiciens jouaient, on avait l'impression quand on passait dans la rue d'entendre le grondement de la mer. Au quatrième étage se trouvaient les tables de jeu, qui étaient les plus sélectes. Tout ceci était la façade respectable du Barrel of Beef. À l'arrière, au bout d'une ruelle mal famée, fréquentée par les clochards et les filles, était tapie The Skirt of Beef, une gargote infâme tellement sombre et enfumée que l'on commençait à larmoyer sitôt qu'on en franchissait la porte.

C'était un mois de juillet aussi frais que le début du printemps. Je me postai sur le trottoir d'en face en maudissant la bise, calé comme une péripatéticienne dans l'embrasure d'une porte, près du chariot d'un vendeur de pommes de terre chaudes à la casquette rabattue sur le front. Je ne savais que trop bien ce que les hommes de Cream feraient s'ils me trouvaient de nouveau en train de rôder dans les parages. J'attendis jusqu'à ce que les jeunes gens repartent avec leurs fiacres et que la rue se calme. Bientôt sortirent quelques serveuses avec leurs robes grossières et sombres, qui partirent vers l'est, du côté de Marshalsea. Quatre serveurs suivirent, puis deux cuistots. Enfin, le type de vieux bonhomme que je cherchais. Il portait un pardessus en loques et des bottes trop grandes pour lui. Il dévala la rue en trébuchant, comme s'il avait un besoin naturel à satisfaire de toute urgence. Je le suivis par les rues mal éclairées sans prendre la peine de me cacher : il n'avait aucune raison de soupçonner que quelqu'un pouvait s'intéresser à lui. Il ne tarda pas à s'engouffrer dans le White Eagle, un *gin palace* sur Friar Street, le seul endroit où l'on servait encore à boire à cette heure avancée.

Je m'attardai à l'extérieur jusqu'à ce qu'il eût un verre à la main. J'entrai alors et m'approchai du bar, tout près de lui.

— Vous désirez ? demanda le serveur.

— Une Porter.

Je descendis la moitié de la pinte d'un trait ; j'avais une soif de chameau. Le bonhomme éclusa son gin et soupira. Ses doigts étaient plissés et rougis.

— Des soucis ? demandai-je.

— Peux plus boire ce truc, moi, grogna-t-il en désignant d'un geste ma chope. Ça m'fait pisser comme un cheval, vous avez pas idée. J'aimais pourtant bien m'en envoyer quelques-unes dans l'temps, croyez-moi.

Assis sur un tabouret, derrière un panneau de verre, se trouvait un homme que j'avais déjà vu devant le Barrel. Il portait un costume noir usé jusqu'à la corde, et n'avait plus un poil sur le caillou. Son affaire de vente d'allumettes souffrait de l'habitude qu'il avait d'exploser en une rafale de soubresauts et gesticulations inopinés qui effrayaient quiconque s'en approchait. Il était pour le moment occupé à grommeler dans sa barbe, les yeux rivés sur une pinte de gin, une main agrippée sur le poignet opposé comme pour en contenir les mouvements.

— La danse de Saint-Guy, murmura le vieil homme à mon intention. Un démon possède ses membres et refuse de partir, à c'qu'on dit.

Je compatis avec lui à propos de ses soucis avec la bière, ce qui nous mena aux tracas de la vieillesse, sujet dont il avait beaucoup à dire. Je lui offris alors un verre qu'il accepta sans se faire prier, et lui demandai comment il gagnait sa vie.

— Je suis chef d'arrière-cuisine, répondit-il. Vous connaissez le Barrel of Beef, je suppose.

— Bien sûr. Une bonne maison, ma foi. Une très bonne maison.

Il redressa son dos fatigué et releva la tête fièrement.

— Oh que oui. Je connais aussi M. Cream, le patron. Vous le connaissez, vous ? Moi, j'connais tout le monde, là-bas. Il m'a donné, c'était à la Noël, il m'a donné une bouteille de brandy. Il vient juste vers moi comme je m'en allais et il me dit : « Ernest, c'est pour vous, pour tout c'que vous avez fait pour moi cette année », et il me la donne. Rien que pour moi. Une bouteille de brandy. Un bon patron, M. Cream, vous le connaissez, vous ?

— Je sais juste qu'il est le propriétaire du Barrel, c'est tout.

— C'était une sacrée bonne bouteille, le meilleur brandy qu'on puisse trouver. Il avait le goût de l'or, ou d'la soie, ou quelque chose comme ça.

Il prit une gorgée de gin et secoua la tête. Ses yeux étaient jaunis et larmoyants, et le peu de dents qui lui restaient, disjointes et noires.

— J'y travaille depuis dix ans, à peu près, et il a jamais eu à se plaindre de moi. Oh que non. M. Cream me traite bien. Je peux manger les restes à la fin de la journée, tout ce que je veux, tant que j'en prends pas pour chez moi. Tout ce qu'ils ne vont pas garder. Steak, rognons, huîtres, ragoût de mouton. J'ai presque pas besoin de dépenser mes sous pour casser la croûte. Je les garde pour les plaisirs de la vie, ah ça, oui.

Il finit son verre avec une quinte de toux. Je lui en payai un autre. Derrière nous, une gourgandine fanée se chamaillait avec deux hommes en tablier marron. L'un tenta de l'enlacer, elle le repoussa sans façons. Ernest la regarda un instant avec une pointe de regret.

— C'est pas pareil avec les autres, hein, continua-t-il. Il n'y a que moi qui ai le droit parce que je suis le plus vieil employé. Une côte de bœuf, un bout de haddock. Des tripes, s'il n'y a rien d'autre. Je mange comme un lord, m'sieur. C'est une bonne place. J'ai une chambre pas loin d'ici. Vous savez, la boulangerie ? La boulangerie de Penarven ? J'habite au-dessus.

— Figurez-vous que je connais un gars qui travaille avec vous, dis-je. Un dénommé Thierry, un Français. Il est le frère d'une dame de ma connaissance. Vous voyez ?

— Terry, vous voulez dire ? Pâtissier ? Il ne travaille plus avec nous. Depuis la semaine dernière. Parti ou mis à la porte. Me demandez pas pourquoi.

Il alluma sa pipe et toussa de nouveau.

— En fait, j'essaye de le retrouver, continuai-je lorsqu'il s'arrêta. Vous ne savez pas où est-ce qu'il pourrait être ?

— Demandez à la sœur, non ?

Je pris un ton complice.

— C'est elle qui le cherche, monsieur, et… j'ai un certain intérêt à l'aider, si vous voyez ce que je veux dire.

Il éclata de rire. Je lui assenai une claque dans le dos ; il n'apprécia pas, et prit un air soupçonneux.

— Drôle de coïncidence, hein ? Que vous soyez venu me causer, comme ça.

— Je vous ai suivi.

Il mit un petit moment à comprendre ce que cela impliquait.

— C'est comme ça qu'ça s'passe, hein, croassa-t-il enfin.

— Eh oui, mon bon Ernest. Vous savez où je peux le trouver ?

Il se gratouilla le menton, l'air songeur.

— Les huîtres ici sont bonnes.

J'appelai la fille au comptoir pour lui en commander un bol.

— Tout ce que je peux dire, c'est qu'il était assez ami avec une serveuse, une certaine Martha. Il n'y avait pas besoin d'être bien malin pour le voir, dit-il alors. Ils partaient ensemble, parfois. Faut lui demander à elle. Rouquine, cheveux bouclés, vous ne pouvez pas la manquer. Une bien jolie fille, si les catholiques ne vous rebutent pas.

— Est-ce qu'il avait des ennuis ?

Il finit son verre d'un trait et chancela soudain, s'agrippant au comptoir pour reprendre contenance.

— Je ne fourre pas mon nez dans les affaires des autres. On peut vite se retrouver dans de sales draps, avec tout ce qui se passe là-bas.

Les huîtres arrivèrent, il les regarda en fronçant les sourcils.

— Qu'est-ce qui se passe ?

— C'est juste qu'elles descendent mieux avec un p'tit quelque chose pour pousser, répondit-il en reniflant.

Je commandai un autre gin et attendis qu'il ait mangé pour demander de nouveau si Thierry avait des ennuis.

— Tout ce que je sais, c'est qu'il a disparu le lendemain du jour où l'Américain est passé. Un type très grand. Je me rappelle parce que j'l'ai entendu crier sur M. Cream, et là-bas personne ne gueule sur le patron. Personne. Après ça, Terry n'est plus venu.

— Pourquoi le type criait-il ?

— Pas entendu, fit-il en laissant tomber la dernière coquille par terre.

— Vous savez qui c'était, l'Américain ?

— Jamais vu avant.

— Vous avez sûrement entendu quelque chose ?

— Je parle à personne et personne me parle. Je fais mon travail et je rentre chez moi. C'est la seule façon de s'en sortir. C'est le conseil que je donnerai à mes gosses, si j'en ai un jour.

Il éclata de rire et appela la serveuse.

— Hé, Jeannie. T'as entendu ? J'ai dit que c'est le conseil que je donnerai à mes gosses si un jour j'en avais.

— Très drôle, Ernest, rétorqua-t-elle. Dommage que ton petit oiseau sache plus voler !

Il se rembrunit sous le rire gras d'un serveur et d'un cocher qui se tenaient à l'autre bout du comptoir.

— Je pourrais te donner le nom de plus d'une petite qui te dira que mon oiseau est tout ce qu'il y a de plus vaillant, merci beaucoup.

Mais la fille ne l'écoutait plus ; elle discutait avec le cocher. Le vieil homme les fixa, puis tâta les poches de son pardessus. Ses poignets étaient maigres comme des manches à balai, ses joues flasques et mal rasées tremblotaient.

— J'ai mon compte, moi.

— Vous pourriez m'aider à le trouver, Ernest ? demandai-je en l'accompagnant dans la rue. Je vous payerai bien.

— Trouvez un autre pantin, m'sieur, balbutia-t-il dans le froid de la nuit. Je ne veux pas finir en pâture pour les poissons du fleuve. Pas moi.

Puis, avec un regard amer vers la serveuse qui s'amusait à l'intérieur avec le cocher, il tourna les talons et s'éloigna dans la rue sombre.

3

Le salon du patron était métamorphosé. Plus une seule miette sur le plancher soigneusement balayé, plus d'assiettes ni de bouteilles sur les tables, les plaids étaient lissés, les coussins redressés. Seules restaient les piles de journaux le long des murs. Installé dans son fauteuil, coiffé et vêtu d'une chemise empesée, le patron me semblait aussi mal à l'aise qu'un cochon avec un haut-de-forme. Il avait dans les mains le livre scandaleux qui l'occupait depuis quelques mois : *L'Expression des émotions chez l'homme et les animaux,* du célèbre M. Darwin. Quelques années auparavant, Mme Barnett s'était insurgée contre ce monsieur sous prétexte qu'il suggérait, ou c'est ce qu'elle disait, qu'elle et ses sœurs étaient les filles d'un grand singe et non pas les nobles créations de Notre Seigneur. Elle n'avait jamais lu ces livres-là, bien entendu, mais des membres de sa paroisse rejetaient férocement l'idée que le bon Dieu n'ait pas créé la femme à partir d'une côte et l'homme à partir de la poussière de la terre. Le patron, qui à ma connaissance ne s'était pas encore forgé une opinion sur le sujet, avait entrepris d'étudier avec attention ledit ouvrage et en parlait à tous ceux qui daignaient l'écouter. Il semblait persuadé que le texte décelait des secrets qui l'aideraient à déjouer les illusions auxquelles notre métier nous confrontait si souvent. Je ne pus que remarquer aussi, encore une fois, une des histoires de Watson ouverte sur la petite table à côté du fauteuil.

— J'ai attendu toute la matinée de vos nouvelles, Barnett, fit-il. J'ai pris le petit déjeuner il y a des heures.

— Je ne suis rentré chez moi qu'au milieu de la nuit.

— Elle m'a obligé à me lever de bonne heure parce qu'elle voulait changer le lit, ou je ne sais quoi, continua-t-il d'un air résigné. Au point du jour, presque. Mais qu'avez-vous appris ?

Dès que j'eus fini de lui raconter les nouvelles, il me fit envoyer chercher le garçon de café afin qu'il mette la main sur Neddy. Neddy était un jeune garçon dont le patron s'était pris d'affection quelques années plus tôt lorsqu'il avait emménagé avec sa famille dans une chambre en bas de la rue. Le père était mort depuis belle lurette, et la mère, une blanchisseuse très négligente. Elle ne gagnait pas de quoi nourrir ses enfants, c'était à peine si elle arrivait à payer le loyer, et Neddy vendait des muffins dans les rues afin de subvenir aux besoins de sa mère et de ses deux petites sœurs. Il avait neuf ou dix ans, peut-être onze.

Le gamin arriva peu de temps après, le panier de petits pains sous le bras. Il aurait eu besoin d'une bonne coupe de cheveux, et sa veste claire était déchirée à l'épaule.

— Il t'en reste encore, mon garçon ? demanda le patron.

— Deux seulement, m'sieur, dit Neddy en ouvrant le torchon. Les deux derniers.

Le noir profond de la crasse au bout de ses petits doigts avait de quoi vous décontenancer, et l'on devinait la vermine qui grouillait sous sa casquette marron. Pauvre enfant qui ne connaissait pas l'insouciance !

Le patron prit les muffins avec un grognement.

— Avez-vous mangé, Barnett ? demanda-t-il en s'attaquant au premier petit pain.

La bouche pleine, il donna ses instructions à Neddy. Le garçon devrait attendre devant le Beef que cette fille, Martha, ait fini son service, afin de la suivre ensuite jusque chez elle pour nous ramener l'adresse. Le patron lui fit promettre d'être très prudent et de ne parler à personne.

— J'ai compris, m'sieur, répondit gravement le petit.

Le patron enfourna la dernière bouchée de muffin et sourit.

— Brave garçon ! Mais regardez-moi ce museau sale, fit-il en se tournant vers moi avec un clin d'œil. Qu'en dites-vous, Barnett ?

— Je n'ai pas le museau sale ! protesta Neddy.

— Ton visage est une ode à la crasse, mon garçon. Tiens, regarde-toi dans la glace.

Neddy lança une œillade rageuse au miroir sur le mur.

— C'est pas vrai !

Le patron et moi éclatâmes de rire et il serra le gosse dans ses bras.

— Tu peux y aller, petit, fit-il en le lâchant.

— Vous n'allez pas le payer pour ces muffins ? demandai-je.

— Bien sûr que je vais le payer ! s'emporta le patron en rougissant.

Il sortit une pièce de son veston et la mit dans le panier de Neddy.

— Je paie toujours, non ?

Le garçon et moi échangeâmes un sourire.

Une fois que Neddy fut parti et que le patron eut épousseté les miettes de son veston, je dis :

— Elle a fait du beau travail dans cette pièce, monsieur.

— Hum, grommela-t-il avec un regard morose. Je dois dire que j'ai peu d'espoir que cette affaire se règle de façon heureuse. Je redoute ce qui pourrait advenir du jeune Français s'il s'est mis en travers de la route de Cream.

— Je redoute ce qui pourrait advenir de nous s'ils apprennent que nous fourrons de nouveau le nez dans leurs affaires.

— Nous devons être prudents, Barnett. Ils ne doivent pas l'apprendre.

— Nous ne pourrions pas lui rendre son argent, à Mlle Cousture ? demandai-je.

— J'ai donné ma parole. Maintenant, je vais faire un petit somme. Revenez demain à la première heure. Nous avons du pain sur la planche.

Le lendemain, quand j'arrivai, Neddy était déjà passé donner l'adresse. La pension où Martha demeurait se trouvait tout près de Bermondsey Street. Vingt minutes plus tard, nous étions devant. C'était un taudis : la peinture de la porte, autrefois blanche, était bistrée et écaillée, toutes les fenêtres de la façade étaient embuées, une fumée noire et poisseuse s'échappait de la cheminée. On entendit des cris à l'intérieur. Le patron se recroquevilla. C'était un gentleman qui détestait la violence, d'où qu'elle vienne.

La femme qui nous ouvrit n'apprécia pas d'avoir été dérangée.

— Deuxième étage, rouspéta-t-elle en tournant aussitôt les talons vers sa cuisine. Au fond du couloir.

Martha était aussi belle que l'avait laissé imaginer le vieil homme. Elle vint à la porte enveloppée de deux vieux manteaux, les yeux encore pleins de sommeil.

— Je vous connais ? demanda-t-elle.

Le patron retint son souffle : elle ressemblait à Isabel, son épouse, en plus jeune et plus élancée. Mais les boucles cuivrées étaient les mêmes et elle possédait aussi de grands yeux verts et un nez retroussé. En revanche, son accent traînant typiquement irlandais était différent des tonalités chantantes de la région de Fens que Isabel avait gardées.

— Madame, répondit le patron d'une voix tremblante, j'espère que vous nous excuserez pour le dérangement. Nous aimerions discuter avec vous un instant.

Par la porte entrebâillée, j'aperçus un lit dans un coin, un miroir de main sur une table minuscule, deux robes accrochées à une patère, quelques journaux empilés sur un meuble à tiroirs.

— C'est pour quoi ? demanda-t-elle.

— Nous cherchons Thierry, mademoiselle, répondit le patron.

— Qui ?

— Votre ami du Barrel of Beef.

— Je ne connais pas de Thierry.

— Si, vous le connaissez. Nous savons que c'est un ami à vous, Martha.

Elle croisa les bras.

— Qu'est-ce que vous lui voulez ?

— Sa sœur nous a chargés de le retrouver, dit le patron. Elle craint qu'il n'ait des ennuis.

— Je ne crois pas, monsieur, fit-elle en commençant à refermer la porte.

Je parvins à mettre ma botte contre le chambranle juste à temps. Elle fixa mon pied, puis, comprenant que nous ne bougerions pas de sitôt, poussa un long soupir.

— Nous voulons juste savoir où il est, dis-je. Nous voulons l'aider, c'est tout.

— Je ne sais pas où il est, monsieur. Il ne travaille plus là-bas.

— Quand l'avez-vous vu pour la dernière fois ?

Une porte claqua à l'étage et des pas lourds se firent entendre dans l'escalier vétuste. Martha recula prestement et ferma la porte. Un grand type au menton proéminent descendit. Le temps de le reconnaître, il était trop tard pour dissimuler mon visage. Il traînait déjà au Barrel of Beef quatre ans auparavant, lorsque nous travaillions sur l'affaire Betsy. Je n'avais jamais su quel était son travail, il était juste là, tout le temps, toujours aux aguets.

Il nous décocha en passant un regard sombre puis dévala les marches. Quand la lourde porte d'entrée claqua, Martha réapparut.

— Je ne peux pas vous parler ici, murmura-t-elle. Tout le monde travaille au Beef. Retrouvez-moi plus tard.

Elle tendit l'oreille, son regard vert fixé sur l'escalier. Un homme commença à chanter dans une chambre voisine.

— Devant St George-le-Martyr, continua-t-elle. À 6 heures.

Avec un regard inquiet vers l'étage, elle ferma la porte.

J'avais atteint le premier palier quand je m'aperçus que le patron n'était pas avec moi. Il fixait la porte de Martha, plongé dans ses pensées. Je l'appelai ; il sursauta légèrement et vint me rejoindre.

Une fois dans la rue, je brisai le silence.

— Elle ressemble un peu à...

— Oui, Barnett, coupa-t-il. Oui, elle lui ressemble.

Il ne desserra pas les mâchoires sur le chemin du retour.

Ils étaient mariés depuis peu lorsque j'avais rencontré M. Arrowood. Mme Barnett s'était toujours demandé comment une beauté pareille avait pu épouser un homme aussi laid, mais d'après ce que j'avais pu observer, ils s'entendaient à la perfection. C'était un ménage heureux. Il gagnait alors correctement sa vie comme journaliste pour *Lloyd's Weekly*, Isabel était fort gentille et prévenante ; ils recevaient souvent, des gens fort intéressants. J'avais connu le patron au tribunal, où je débutais comme clerc d'avoué, et l'avais aidé à plusieurs reprises à obtenir des informations pour ses articles. Il m'invitait souvent chez lui pour un bol de soupe ou un ragoût de mouton. Mais par la suite, le journal fut vendu à un nouveau propriétaire qui avait mis un cousin à la place du patron et l'avait flanqué à la porte avec seulement les yeux pour pleurer.

M. Arrowood commençait alors à être connu pour son habileté à révéler des vérités que d'autres auraient préféré taire, et bientôt un gentleman de sa connaissance lui proposa de se charger d'un petit problème personnel concernant son épouse et un autre homme. Ce jeune homme le recommanda ensuite à un ami qui lui aussi avait un problème personnel du même acabit, et c'est ainsi que le patron entama sa carrière de détective. Un an plus tard à peu près, je m'étais trouvé moi aussi sans travail après avoir perdu mon sang-froid devant un certain magistrat dont le malin plaisir était de coffrer de jeunes voyous qui, au lieu d'un séjour dans une prison pour adultes, auraient eu davantage besoin d'un coup de main. Je m'étais retrouvé à la rue sans même une poignée de main ou une montre à gousset, et lorsque le patron avait appris ce qui m'était arrivé, il m'avait fait appeler. Après s'être entretenu avec Mme Barnett, il m'avait offert une place d'assistant pour le cas qui l'occupait alors. C'était le cas Betsy, une affaire de bigamie, mon baptême du feu, où un enfant avait perdu une jambe, et un homme innocent, la vie. Le patron s'en tenait pour responsable, à juste titre. Il s'était enfermé dans ses appartements pendant quasiment deux mois, et n'en ressortit que lorsqu'il n'eut plus un sou. Nous acceptâmes une autre affaire, mais chacun pouvait voir qu'il buvait trop. Depuis lors, nous vivions d'expédients, toujours à court d'argent. L'affaire Betsy nous hantait comme une malédiction, mais ce que nous avions traversé ensemble me liait à lui comme à un frère.

Isabel supporta l'excès d'alcool et le manque d'argent pendant trois ans, mais un jour, en rentrant chez lui, le patron trouva l'armoire vide et un mot sur la table. Il n'avait plus eu de nouvelles de sa femme depuis. Il avait écrit à ses frères, à ses cousins, à ses tantes, mais personne n'avait voulu lui révéler sa cachette. Un jour, je lui avais suggéré d'utiliser ses dons de détective pour la retrouver, mais il avait secoué la tête tristement. Il m'avait dit, ce jour-là, que perdre Isabel était sa punition pour la mort du jeune homme, et qu'il devait l'endurer aussi longtemps que Dieu ou Satan le voudraient. Je fus surpris de l'entendre parler de la sorte car il n'était pas croyant, mais depuis le départ de Isabel, il était malheureux comme les pierres, et qui sait ce qui se passe dans l'esprit d'un homme qui a le cœur brisé et qui ressasse ses fautes nuit après nuit. Depuis le jour où elle était partie, il attendait son retour.

4

Nous étions en retard. C'était un après-midi sordide, il y avait de la pluie et du vent, de la boue dans les rues. À cette heure-là, St George's Circus fourmillait de monde ; le patron, qui portait des chaussures trop serrées, avançait en boitillant avec force grondements et soupirs. Ces chaussures, il les avait achetées usées et bon marché à la blanchisseuse, mais il s'en était plaint dès le lendemain parce qu'elles serraient par trop ses pieds enflés. La blanchisseuse n'avait rien voulu savoir et le patron, qui regardait à la dépense, s'était résigné à les porter jusqu'à ce que le cuir se fende ou qu'un talon se détache. Ce qui prenait plus de temps qu'il ne l'avait espéré.

Lorsque finalement nous arrivâmes vers l'église, nous pûmes voir que notre Martha s'y trouvait déjà, la tête couverte par la capuche de sa pèlerine noire. Elle se tenait à la grille, juste sous le porche. Son regard qui balayait sans cesse la rue trahissait son angoisse. Le patron me pinça le bras et pressa le pas. Une foule se massait devant une cuisine populaire ; comme on s'y frayait un chemin, un homme courtaud nous dépassa en jouant des coudes et s'éloigna, sa redingote flottant derrière lui, son chapeau repoussé à l'arrière de son crâne.

Le patron jura et rouspéta car un charbonnier venait de laisse tomber un sac juste à nos pieds. C'est alors qu'un cri se fit entendre un peu plus loin devant nous.

Devant la grille de l'église, une femme avec un bébé dans

les bras regardait affolée autour d'elle, alors que l'homme râblé détalait vers le fleuve.

— C'est l'Éventreur ! hurla-t-elle.

— Appelez un docteur ! lança quelqu'un d'autre.

Nous nous précipitions déjà, le patron et moi, vers l'église, en même temps que les badauds qui voulaient voir ce qui s'était passé. Nous fendîmes la foule et trouvâmes Martha, recroquevillée par terre, ses cheveux étalés sur les dalles mouillées comme une traînée de bronze fondu.

Le patron poussa un gémissement et tomba à genoux à côté d'elle.

— Coursez-le, Barnett ! ordonna-t-il en même temps qu'il soulevait la tête de Martha.

Je m'élançai derrière l'homme en esquivant les petits groupes de gens. Il dévalait la rue loin devant moi, et je voyais ses jambes arquées se déplacer à toute vitesse. Il arriva à un carrefour et, au moment où il empruntait Union Street, je pus le voir de profil : des cheveux noirs huileux qui lui collaient au front, un nez très crochu. J'atteignis le même point un instant plus tard, mais fus bloqué par une cohue de personnes et de chevaux. Je ne le voyais plus. Je continuai ma course, cherchant sa silhouette noire dans la foule, mais à chaque pas ma route était barrée par des chariots, des omnibus, des vendeurs ambulants.

Je courus en suivant mon instinct jusqu'à ce que j'aperçoive un bout de manteau noir disparaître à l'angle d'une rue transversale. Je me faufilai entre les véhicules jusqu'au croisement. Devant moi, un croque-mort frappait à une porte. Il n'y avait personne d'autre dans cette petite allée. Hors d'haleine, je rebroussai chemin vers Union Street sans savoir quelle direction prendre. C'était inutile. Je l'avais perdu.

Il y avait toujours foule devant l'église. Un gentleman faisait les cent pas en secouant la tête. Le patron était toujours à genoux, la tête de Martha reposant sur ses cuisses. Le teint de la jeune femme était livide, le bout de sa langue pointait à la commissure de ses lèvres pâles. Sous la capeline noire, le blanc de sa blouse de serveuse était devenu d'un rouge sombre et visqueux.

Je m'agenouillai pour vérifier son pouls, mais au regard peiné du patron, à la façon dont il secouait la tête, je compris qu'elle était morte.

C'est alors qu'un constable arriva.

— Qu'est-ce qui s'est passé ici ? demanda-t-il, sa voix couvrant le brouhaha de la foule.

— Cette jeune femme a été tuée, dit le gentleman. À l'instant. Ce monsieur, là, a coursé le coupable.

— Il est parti vers Union Street, dis-je en me relevant. Je l'ai perdu dans la foule.

— Est-ce une prostituée ? demanda le policier.

— Quelle importance ? répondit le gentleman. Elle est morte, pour l'amour de Dieu. Assassinée.

— Je demandais à cause de l'Éventreur, monsieur. Il ne tuait que des prostituées.

— Ce n'était pas une prostituée, aboya le patron, le visage empourpré de rage. C'était une serveuse.

— Quelqu'un a vu ce qui s'est passé ? demanda le constable.

— J'ai tout vu, déclara d'un air fat la femme avec le bébé. J'étais là, juste là, à côté de la grille, et il est arrivé et a poignardé la fille à travers son manteau, comme ça. Un, deux, trois ! Comme ça, pauvre enfant ! Puis il est parti. C'était un étranger, je crois, il avait l'allure d'un étranger. Un Juif. J'ai cru qu'il allait s'en prendre à moi aussi, mais il a fui, comme ils ont dit.

Le constable acquiesça et s'abaissa enfin pour vérifier le pouls de Martha.

— Il n'avait pas des yeux d'humain, continua la femme. Ils brillaient comme ceux d'un loup, comme s'il voulait aussi m'étriper. La seule chose qui l'en a empêché, c'est que les gens ont accouru quand elle a crié. C'est ça qui l'a fait déguerpir. Trop tard pour elle, la pauvre petite.

Le constable se redressa.

— Quelqu'un d'autre a été témoin de l'incident ?

— Je me suis retourné quand je l'ai entendue crier, dit le gentleman. J'ai vu le bougre s'enfuir. D'où j'étais, il m'a semblé Irlandais, mais je ne peux pas l'affirmer avec certitude.

— Vous étiez avec elle, monsieur ? fit l'agent en se tournant vers le patron.

— Il est arrivé bien après, intervint la femme.

— Je l'ai vue servir au Barrel of Beef. Mais je ne la connais pas.

Le patron avait parlé d'une voix grise, plate. L'agent demanda alors à la femme et au gentleman de décrire l'inconnu. Tous deux s'accordaient à dire qu'il s'agissait d'un étranger, mais ne parvenaient pas à s'entendre sur ses origines, juives pour l'une, irlandaises pour l'autre. Ensuite, ce fut à mon tour d'être interrogé par le policier.

Après avoir envoyé un jeune garçon au commissariat pour faire venir le médecin légiste, il nous congédia.

— Qu'allons-nous faire, maintenant ? demandai-je comme nous rentrions d'un pas traînant.

Le patron lâcha un juron comme s'il ne m'avait pas entendu.

— Maudit soit Cream ! Qu'il crève en enfer ! s'écria-t-il. Assassin sans scrupule !

— Nous ne savons pas de manière sûre qu'il est derrière ce meurtre, objectai-je.

Il donna de grands coups de canne sur le trottoir, avec une expression d'immense chagrin.

— Nous avons mené cette fille à la mort. L'homme du Barrel nous a vus à la pension. C'est comme si nous l'avions tuée de nos propres mains.

— Nous ne pouvions pas savoir qu'ils travaillaient tous au Beef.

— Nom de Dieu, Barnett. Le cauchemar recommence. Quelle malédiction que ce satané Cream !

— Peut-être devrions-nous laisser la police s'en charger, suggérai-je.

— Cet imbécile de Petleigh ne trouvera jamais l'assassin.

Il jeta un œil vers l'église et, après qu'on eut tourné le coin de la rue, il me montra un petit mouchoir entortillé.

— Elle l'avait dans la main, dit-il. Je suis sûr que c'était pour nous.

Il ouvrit le mouchoir. À l'intérieur se trouvait une balle de cuivre.

5

Plus tard ce même jour, nous allâmes à Great Dover Street, où l'enfilade des boutiques de chapeliers, cordonniers et marchands de modes était déjà éclairée pour le commerce du soir ; au bout de la rue se trouvait un cafetier, la brise portait l'odeur suave des grains que l'on torréfiait. Il n'y avait qu'un studio de photographe, nommé The Fontaine. Derrière le comptoir, un homme dont les cheveux frôlaient le col râpé d'une veste en velours vert montait un cadre, un petit marteau à la main et un clou entre les lèvres.

— Bonsoir, messieurs, dit-il avec un sourire chafouin. Que puis-je pour vous ? Désirez-vous vous faire tirer le portrait ?

— Nous cherchons Mlle Cousture, répondit le patron en regardant les photographies accrochées aux murs. Est-elle ici présentement ?

— Elle est occupée, fit-il d'un air dédaigneux. Je suis M. Fontaine, le propriétaire. Souhaitez-vous prendre rendez-vous pour un portrait ?

— Avez-vous pris ceux-ci ? demanda le patron sans cesser d'observer les photographies. Ils sont très bons.

— Oui, c'est mon travail, en effet. Je pourrais en faire un superbe de vous, monsieur, si je puis me permettre. Vous avez un profil remarquable.

— Vous croyez ? fit le patron en lissant ses cheveux et en bombant torse. Je songe depuis quelque temps à en commander un. Je pense que ma sœur apprécierait de l'accrocher au-dessus de la cheminée.

Je ne pus que sourire à l'idée d'un tel cadeau.

— Nous pouvons fixer rendez-vous dès maintenant, monsieur. Que diriez-vous de lundi matin ? À 11 heures ?

— Oui… oh. Attendez. À la réflexion, je préfère attendre que mon nouveau costume soit fini. Mais serait-il tout de même possible de parler avec Mlle Cousture ? Il s'agit d'une affaire privée.

Le photographe nous toisa un petit instant.

— C'est important, monsieur Fontaine, insistai-je en sentant ma patience me quitter. Est-ce qu'elle est ici ?

Avec un soupir théâtral, il secoua ses cheveux ternes et disparut derrière le rideau au fond de la boutique, d'où sortit Mlle Cousture un instant plus tard.

— Bonjour, monsieur Arrowood, dit-elle.

Elle portait une jupe noire taille haute et une blouse blanche dont elle avait retroussé les manches ; ses cheveux étaient ramassés en un chignon haut. Elle m'accorda un petit hochement de tête.

— Monsieur Barnett.

M. Fontaine se planta derrière elle, les bras croisés. D'un coup d'œil, elle nous indiqua de ne pas parler devant lui. Un silence s'ensuivit tandis qu'elle fixait ses bottines, le rouge aux joues.

— Cela vous ennuierait-il de nous accorder un instant avec Mlle Cousture, monsieur ? demanda enfin le patron.

Je remarquai alors que sa cravate était rabattue sur son épaule à cause du vent et la lui remis en place. Il me jeta un coup d'œil agacé.

— Vous êtes ici chez moi, monsieur, fit Fontaine avec un reniflement. C'est mon studio.

Il se frotta le nez avec brusquerie.

— Le nom sur l'enseigne est le mien, pas celui de cette demoiselle. Si vous avez quelque chose à dire, allez-y.

— Dans ce cas, pourriez-vous sortir avec nous un instant, mademoiselle ?

— Bordel de Dieu, Eric ! s'exclama-t-elle. Juste un instant, veux-tu ?

Ce juron, sorti de la bouche d'une si jolie femme, nous cloua sur place. Le visage renfrogné, Fontaine disparut derrière le rideau. Nous entendîmes ses pas furibonds résonner dans l'escalier.

Le patron tira une chaise de derrière le comptoir et s'assit avec une grimace pour frotter ses pieds à l'agonie. Il marqua un long silence avant de parler.

— Nous avons besoin de vous poser encore quelques questions, mademoiselle, déclara-t-il finalement.

— Bien sûr. Mais je vous ai déjà dit tout ce que je sais.

— Il nous faut savoir quels étaient les problèmes de votre frère, dit-il, un sourire peiné sur son visage rougeaud. La moindre chose qu'il ait pu vous confier. Je vous en prie, soyez sincère avec nous.

— Mais bien entendu.

— Connaissiez-vous une certaine Martha ?

Elle secoua la tête.

— C'était sa bonne amie. Vous ne le saviez pas ?

— Jamais entendu ce nom.

— Eh bien, mademoiselle Cousture, j'ai le regret de vous annoncer qu'elle a été assassinée cet après-midi.

La surprise d'abord, puis la tristesse, apparurent successivement sur son visage. Prenant appui sur le comptoir, elle s'assit lentement sur un tabouret.

— Nous avions rendez-vous avec elle mais quelqu'un est arrivé avant nous, expliqua le patron.

Elle hocha lentement la tête.

— Nous avons aussi appris qu'il y avait eu du grabuge au Barrel juste avant la disparition de votre frère, et qu'un Américain était impliqué. Thierry vous en a parlé ?

— Un Américain ? fit-elle d'un ton déçu. Non, jamais. Vous connaissez son nom ?

— Non. Tout ce que nous savons, c'est que le jour de la disparition de votre frère, il y a eu une dispute à laquelle cet Américain a pris part. Mais nous ne sommes même pas certains que cela ait un rapport avec votre frère. Je vous en prie, essayez de vous souvenir : s'est-il passé quelque chose avant qu'il ne disparaisse ? Était-il différent ?

— Quand il est venu pour me demander de l'argent, oui. Je vous l'ai dit, il était effrayé.

Elle marqua une pause pour nous regarder tour à tour, le patron et moi.

— Vous croyez qu'il est mort, c'est ça ?

Le patron lui prit la main doucement.

— Il est trop tôt pour penser à ça, mademoiselle.

Elle allait répondre lorsque M. Fontaine revint dans la boutique. De toute évidence, il ne se laisserait pas congédier une deuxième fois.

Nous retournâmes vers Waterloo ; l'air était calme et le brouillard était tombé.

— Barnett, fit le patron, pensif. Avez-vous noté quelque chose d'étonnant dans ce qui vient de se passer ?

Je réfléchis un court instant en essayant de deviner ce qu'il avait remarqué, lui.

— Je ne saurais pas dire, avouai-je finalement.

— Voyons, imaginez que Mme Barnett soit partie sans rien prendre avec elle, ni vêtements ni papiers. Vous engagez un détective, qui, deux jours plus tard, vous rend visite. Vous êtes, bien entendu, mort d'inquiétude.

— Oui, monsieur.

— Quelle serait votre première question, dans ce cas ?

— Je suppose que je lui demanderais s'il l'a retrouvée.

— Exactement, Barnett, fit-il, le visage tendu. Exactement.

*
* *

Le patron retourna chez lui pour réfléchir aux derniers événements tandis que je m'en allai au White Eagle. Je commandais un bol d'huîtres suivi d'un ragoût de mouton, que j'arrosais avec une chope de brune, puis une deuxième. La nuit était animée, et je n'étais pas mécontent d'observer dans mon coin mes concitoyens batifoler sous le grand miroir qui occupait le plafond. Un peu plus tard, le vendeur d'allumettes traversa la salle de sa démarche triste, le visage figé en un rictus au cas où il serait en proie à une de ses gesticulations convulsives, et alla se tapir à sa place habituelle derrière le panneau de verre.

Les lieux commençaient à se vider lorsque Ernest arriva clopin-clopant et s'installa au même endroit que la fois précédente. Il commanda un gin qu'il éclusa, voûté sur le comptoir, en un rien de temps. Il portait les mêmes frusques que la dernière fois et ne semblait voir personne d'autre que la serveuse, qui lâcha le verre devant lui comme s'il avait insulté sa mère.

— Content de vous revoir, mon ami, dis-je en posant un verre plein devant lui. Venez-vous asseoir à ma table. Un peu de compagnie serait la bienvenue.

Il leva vers moi des yeux confus, regarda le gin, me regarda de nouveau. Un petit filet de sang barrait la seule dent du haut qu'il lui restait.

— Eh ? marmonna-t-il.

— Nous nous sommes rencontrés l'autre soir, Ernest. Ici même. Il y a deux jours.

Il mit un certain temps à me remettre, puis il se redressa en se souvenant de mon visage, mais aussi de ses soupçons.

— J'ai pas de sous, déclara-t-il avant d'avaler la liqueur d'une traite.

— Allons, venez. Je vais commander quelques huîtres.

— Qu'est-ce que vous m'voulez ?

Le cocher contait fleurette à la serveuse, accoudé à l'angle du bar. Je parlai à mi-voix.

— Je veux quelques renseignements, c'est tout.

— Je sais rien, grommela Ernest en secouant la tête. J'aurais pas dû vous parler pour commencer.

Il s'écarta. Je vis, de l'autre côté du panneau de verre, un bras s'agiter brusquement, j'entendis un grognement irrité. Un groupe de jeunes hommes aux visages et mains noircis de suie s'approcha pour voir ce qui se passait, et ils éclatèrent de rire en voyant le pauvre vendeur d'allumettes qui tentait de retenir ses gesticulations. Un glapissement échappa encore au pauvre homme et suscita un nouveau rugissement moqueur de la meute.

— Laissez-moi vous offrir un autre verre, Ernest.

Je fis signe à la serveuse et, avant qu'il ait pu refuser, je glissai entre ses doigts décharnés une bonne tasse de gin.

— Allons nous asseoir. Quelque chose me dit que vos pieds ont besoin de se reposer, vous avez travaillé dur.

Il me suivit docilement jusqu'à la table.

— Vous avez déjà vu la sœur de Thierry au Beef ? demandai-je une fois que nous fûmes installés. Un beau brin de fille, brune ? Française, naturellement.

Il renifla bruyamment avant de prendre une longue gorgée de gin.

— Jamais vue. Jamais vu d'autre fille que Martha avec lui.

— Et l'Américain ? Qu'avez-vous entendu sur lui ?

— Vous disiez quoi, des huîtres ? fit-il en croisant les bras sur son manteau mité.

Je commandai à boire et à manger. Il s'enfourna une bonne moitié du plat et survécut à une quinte d'éructations avant que je réitère ma question.

— M. Cream a beaucoup de relations d'affaires, répondit-il. Ça va et ça vient. Certains visages, je reconnais, mais celui-là, je ne l'avais jamais vu. Chauve, avec une touffe de cheveux noirs sur le crâne et une barbe noire. Des yeux bleus qui vous transpercent. Je leur ai apporté du café et c'était comme s'il voyait à travers moi. Il y avait un Irlandais avec lui. Je l'avais déjà vu au Barrel, celui-là. Un petit gars avec une grosse voix. Des cheveux jaunes et raides. Il lui manquait une oreille. Pas beau à voir.

— Et vous ne savez pas quelles affaires ils avaient à traiter, je présume.

— Ils causent dans le bureau, pas dans l'arrière-cuisine.

— J'ai besoin de savoir qui étaient les amis du Français, Ernest. Avec qui il parlait. Vous connaissez leurs noms ?

— Je vous ai déjà dit, la dernière fois. Martha. Allez lui parler.

— J'ai besoin d'autres noms.

— Je vous l'ai déjà dit ! répéta-t-il, échauffé par le gin. Demandez à Martha. Si quelqu'un sait quelque chose, c'est elle.

Je me penchai vers lui.

— Elle est morte, Ern. On l'a tuée cet après-midi sur le chemin du travail.

Il resta bouche bée et me fixa de ses yeux aqueux. Comme si son esprit aviné ne parvenait pas à assimiler ce que je venais de dire.

— Vous entendez ? Elle a été assassinée. C'est pourquoi j'ai besoin d'autres noms. Je ne peux plus lui parler.

La peur s'empara de lui : il avala ce qu'il restait de gin en clignant fébrilement des yeux. J'en commandai un autre, mais lorsqu'on nous servit, il refusa.

— Je dois partir, monsieur, dit-il d'une voix étranglée. Je n'ai rien à dire.

Il essaya de se relever, et je l'attrapai par le poignet.

— Un nom, Ern. Juste un nom. Quelqu'un à qui Thierry aurait pu parler ? Qui travaillait à ses côtés, peut-être ? Avec qui passait-il le plus de temps au Beef ?

— Harry, je suppose, fit-il en parlant très vite et en jetant des regards de tous côtés. Vous pouvez essayer Harry. Un des jeunes cuistots. Ils travaillaient dans la même partie de la cuisine.

— Et comment est-il, ce Harry ?

— Très maigre. Maigre à faire peur, qu'il est, et ses sourcils sont très foncés alors qu'il est blond. Vous pouvez pas l'rater.

Je relâchai sa main.

— Merci, Ernest.

Il se releva et se faufila dehors en un clin d'œil. Comme je partais à mon tour, je sentis un regard sur moi et je me retournai. Le vendeur d'allumettes avait passé sa tête chauve sur un côté du panneau de verre, et il me dévisageait avec curiosité. Ses épaules tressaillirent et il se rencogna dans son trou avec un reniflement.

6

Le lendemain, je trouvai le patron seul dans le petit salon. La peau de son visage brillait d'une drôle de façon, comme s'il avait été briqué par une servante consciencieuse.

— Elle est sortie, déclara-t-il dès que j'eus franchi le seuil. Elle est allée à une réunion d'organisation avec les autres.

— Une réunion ? Qu'est-ce qu'elle doit organiser ?

— Ils vont visiter les nécessiteux. Alors, dites-moi ce que vous avez appris hier soir.

Je lui parlai du jeune cuistot, Harry. Puisque ni lui ni moi ne souhaitions pointer notre nez au Barrel of Beef, il fit venir Neddy et le chargea de porter un message. Signée par « M. Locksher » l'alias habituel du patron, la missive promettait une récompense d'un shilling pour « un petit travail très rapide ». Harry devait, s'il était intéressé, se présenter le soir même au café de Mme Willows sur Blackfriars Road. « Votre ami de l'autre côté de la Manche a évoqué votre nom » était la seule explication fournie. Neddy reçut ordre d'aller directement dans les cuisines, de ne donner le message à personne d'autre qu'au dénommé Harry et de ne révéler à personne qui l'envoyait. Nous lui demandâmes aussi d'ouvrir les yeux pour repérer le blond squelettique aux sourcils foncés. Il partit dare-dare.

Le patron bourra sa pipe, et, une fois qu'il l'eut allumée, me regarda tristement.

— Que pensez-vous de la mort de cette fille, Barnett ? Croyez-vous que l'Éventreur rôde à nouveau ?

— Cela ne me paraît guère plausible.

— En effet. Ce meurtre n'est pas l'œuvre de Jack, il tuait toujours de la même façon, toujours dans des endroits isolés. Et il aimait charcuter les corps, ce qui demande un certain temps.

J'attendis. À sa façon de regarder en l'air, je savais qu'il n'avait pas encore fini.

— Je n'ai pas cessé de penser à notre homme, continua-t-il. D'abord, sa précision. Il court vers l'église, assène trois coups mortels et s'enfuit dans la foule en songeant à récupérer l'arme du crime et sans laisser le moindre indice. Il est rapide et soigneux, nous pouvons donc admettre que ce n'était pas un crime passionnel. Son mobile n'était pas non plus le vol. Un voleur ne s'attaquerait pas à une fille pauvre en pleine journée, encore moins dans un lieu aussi fréquenté.

— Car il n'aurait pas le temps de fouiller ses poches.

— Exactement.

Il tira sur sa pipe, pensif.

— Et ses vêtements. Il portait un manteau d'hiver, alors que c'est l'été. Un manteau beaucoup trop grand pour lui. Cela veut dire que c'est un homme sans moyens, ou bien qu'il s'était déguisé. Dites-moi, quand vous le poursuiviez, s'est-il retourné ?

— Pas une seule fois. Je ne l'ai pas quitté des yeux jusqu'à ce qu'il me sème. Je n'ai aperçu son visage que lorsqu'il a tourné à l'angle d'une rue.

— Il n'a pas tourné la tête pour voir si on le suivait ? À aucun moment ?

Je secouai la tête.

— Dites-moi, Barnett. Si vous poignardiez quelqu'un en pleine rue et que vous vous enfuyiez ensuite, qu'éprouveriez-vous ?

— J'en aurais les sangs tournés, je suppose. J'aurais peur de me faire prendre.

— Oui, évidemment, et alors, vous chercheriez à savoir si l'on vous poursuit, n'est-ce pas ?

— À coup sûr.

— Vous ne pourriez pas vous empêcher de regarder constamment par-dessus votre épaule. Votre peur vous y pousserait et vous ne sauriez pas l'éviter. Notre homme n'est pas comme vous. Il est habitué à maîtriser ses émotions. Qui est-il, alors ? Un tueur à gages ? Un officier de police ?

— Un soldat ?

Il hocha la tête et posa sa pipe dans le cendrier avant de se relever.

— C'est un début. Allons rendre visite à Lewis. Je préfère ne pas être présent quand Ettie reviendra à la charge pour organiser ma vie. Je vous conseille aussi de l'éviter si vous ne voulez pas qu'elle s'attaque à la vôtre.

Lewis Schwartz était le propriétaire d'une sombre boutique d'armes pas loin du Southwark Bridge. C'était chez lui que les gens apportaient les pistolets et fusils qu'ils voulaient vendre et chez lui aussi qu'ils venaient lorsqu'ils avaient besoin d'acheter de quoi se protéger. Ce n'était pas le genre de commerce où j'aurais été à l'aise : je n'imaginais que trop bien le type de scélérats qui devait transiter dans cette boutique, mais Lewis était aussi indifférent aux dangers du métier qu'au salpêtre qui suintait, comme un pus jaune, des briques de son échoppe. C'était un homme ventripotent, manchot, et dont les cheveux gris et sales retombaient sur le col tout aussi gris et sale de sa chemise. Lewis était un vieil ami du patron, qui avait l'habitude, à l'époque où il travaillait pour la presse, de s'adresser à lui pour obtenir des renseignements. Il continuait à nous aider de temps en temps dans nos enquêtes. Le patron prenait toujours chez le traiteur une livre de mouton ou de bœuf, ou un bout de foie, qu'il posait sur la petite table graisseuse. Le plus souvent, je me tenais à l'écart lors de nos visites, et je ne dérogeai pas à la règle ce jour-là, en songeant aux maladies dont on trouverait sans doute les traces dans la main noircie par la poudre de notre ami. Lewis se mit à manger, lentement, en ne mâchant que d'un côté de la bouche.

— Vos dents vous font souffrir ? demandai-je.

— J'en ai une qui ne me laisse pas en paix. C'est abominable.

— Laisse-moi voir, demanda le patron.

Lewis rejeta la tête en arrière et ouvrit la bouche. Le patron grimaça.

— Elle est noire. Tu devrais la faire arracher.

— Il faut que je prenne mon courage à deux mains.

— Le plus tôt sera le mieux, dit le patron.

Ce ne fut qu'après que Lewis eut tout mangé et essuyé chacun de ses cinq doigts sur son pantalon que le patron repêcha dans la poche de son gilet la balle en cuivre.

— Une idée de qui pourrait utiliser ce type de munition, Lewis ?

Lewis chaussa ses lunettes et examina la balle à la lumière de la lampe.

— Joli, murmura-t-il en manipulant la douille. C'est un .303. Sans fumée. Mais où as-tu déniché ça, William ?

— C'est une jeune fille mourante qui me l'a donnée. Une innocente, assassinée sous nos yeux. Nous avons la ferme intention de trouver qui l'a tuée. Tu sais quelle arme correspond à ce calibre ?

— Le nouveau fusil à répétition Lee-Enfield, répondit Lewis en lui rendant le projectile. Ce sont des fusils de l'armée, mais très peu de régiments en sont dotés pour l'instant. Ce n'est pas une arme de chasse. Elle a dû l'avoir par un soldat. Est-ce qu'elle avait un ami ?

— Il n'était pas militaire.

— Alors par un autre homme. C'était une cocotte, William ?

— Ce n'était pas une prostituée, bon Dieu de bois !
s'insurgea le patron.

Lewis le regarda, interloqué.

— Mais qu'est-ce qui te fâche comme ça ? Tu la connaissais ?

— J'en ai assez que tout le monde pense que c'était une
fille ! Elle travaillait au Barrel of Beef.

— C'est peut-être un client qui la lui a donnée, intervins-je en comprenant que la ressemblance entre Martha
et Isabel empêchait le patron d'imaginer que la serveuse
ait pu ne pas être aussi pure que sa femme.

— Mais pourquoi un client irait donner une balle à une
serveuse ? demanda Lewis en fronçant le nez. Un pourboire,
ça se comprend. Mais une balle ?

Le patron se releva en secouant la tête.

— C'est exactement ce que nous devons trouver.

Nous étions déjà sur le pas de la porte lorsque nous entendîmes une allumette s'enflammer. Nous nous retournâmes.
Assis sur la chaise au fond de la boutique, entouré de boîtes
de munition et de poires à poudre, Lewis tirait sur sa pipe
pour l'allumer.

— Un de ces jours, tu vas te faire sauter en l'air, l'avertit
le patron. Je te le dis depuis des années. Mais tu n'en fais
qu'à ta tête.

Lewis le chassa d'un geste.

— Si je commençais à me soucier de choses comme ça,
je ferais mieux de fermer boutique pour aller vendre des
patates chaudes dans les rues. Tu devrais voir certains des
personnages à qui j'ai affaire. Une étincelle, et boum, ils
exploseraient eux-mêmes. Ça, ce n'est rien.

Plus tard dans la nuit, nous attendions au café Willows. Je
regardais dans la rue les gens de la nuit chanceler et brailler
dans le flot de boue sous la pluie brunâtre, les chevaux
avancer au pas, tête baissée et las. Minuit sonna, le nouveau
jour naquit dans l'ombre de l'autre côté des carreaux bleus.

Le patron dévorait la presse avec son avidité coutumière. Il était en train de lire *Punch* et s'était réservé *Lloyd's Weekly* et la *Pall Mall Gazette* sous les genoux. À la table voisine, un croque-mort émacié mangeait un cornet de bulots et reluquait Arrowood en espérant avoir la chance de lire quelque chose avant la fin de son repas. Mais le patron prenait son temps, il lisait chaque colonne, chaque page, et, juste quand il semblait avoir fini, il revenait à la première page et continuait à étudier chaque mot.

— Regardez-moi ça, Barnett, dit-il en me montrant une illustration.

Le dessin montrait un grand paysan irlandais qui levait un couteau sur un gentleman anglais à l'air effaré. La légende disait : « Le Frankenstein irlandais ».

— Ils publient de nouveau ces dessins. Vous voyez ce qu'ils font ? Les Irlandais ont des têtes de singe couvertes de poils et on fait passer le colon anglais pour un pauvre homme impuissant et démuni. Seigneur, cela ne changera donc jamais ? Comment ne voient-ils pas que c'est nous qui avons commencé ?

— Je suppose qu'ils ne veulent pas le voir, monsieur.

Le croque-mort toussota en désignant le journal d'un geste. Le patron alluma sa pipe, puis, sans un mot, lui passa le journal avant de tirer la *Gazette* de sous sa jambe.

Enfin, la porte s'ouvrit. C'était notre homme. Il resta sur le pas de la porte ; ses longs bras maigrichons dépassaient d'un manteau marron trop long pour son buste mais trop court pour ses membres. Une casquette en drap gris enfoncée jusqu'aux oreilles cachait tant bien que mal ses cheveux filasse. Il regarda le croque-mort, la tenancière qui se tenait à la porte de la cuisine et, finalement, nous. Il bougea de façon à peine perceptible, les sourcils foncés.

— Monsieur Harry, fis-je en me levant. Je vous présente M. Locksher. Asseyez-vous, je vous prie. Voulez-vous un café ?

Il acquiesça et prit un tabouret.

— Alors, ce travail ? demanda-t-il.

— Nous avons un petit paquet pour votre ami Thierry, dit le patron tout bas en se penchant vers lui. Seulement, nous ne savons pas où le trouver.

Harry se releva.

— Vous avez parlé d'un travail. C'est pas du travail, ça.

— Nous sommes prêts à payer pour l'information.

Il nous regarda tour à tour en se mordillant la lèvre.

— Non, fit-il en tournant les talons.

Je le retins.

— Lâchez, dit-il, le visage crispé.

Je pouvais sentir ses os sous son manteau. Il avait le teint blafard, le bord de ses paupières était rouge, sa mâchoire aiguisée comme celle d'une tête de mort. Je le fis se rasseoir sans effort. Même s'il était plus grand que moi de quelques pouces, il avait moins de force qu'un moineau.

Le croque-mort se leva précipitamment, fourra le cornet de bulots dans sa poche et partit. Mme Willows apporta le café comme si de rien n'était.

— Soyez gentil, murmura-t-elle.

— Nous avons l'intention d'être très gentils avec ce gentleman, Rena, assura le patron.

— Je ne sais rien, fit Harry. Je le jure. Je ne peux pas vous aider. Ça fait plusieurs jours qu'il est parti. Rentré au pays, sûrement. C'est tout ce que je vois.

Il me regarda.

— C'est tout ce que je peux dire, m'sieur.

— Vous êtes très maigre, pour un cuisinier, observa le patron.

— Je ne suis que commis, je ne fais qu'éplucher des légumes. Et nettoyer le poisson.

Sans crier gare, le patron se pencha sur lui et plongea une main dans la poche du manteau de Harry, et, avant que celui-ci puisse réagir, lâcha sur la table un paquet taché de graisse.

— C'est du pudding, fit Harry, sur la défensive. Un demi-pudding.

— Et là ? demanda le patron en montrant d'un geste son autre poche. Qu'est-ce que tu as, là-dedans ?

— Quelques patates. Un bout d'os de jambon. Ils allaient les jeter.

— J'en doute, dis-je en regardant dans sa poche. Tout est encore bon. Même si c'était en train de se gâter, ils auraient pu le servir au Skirt ou le vendre à ceux qui traînent dans l'allée.

— Ne me dénoncez pas, m'sieur. S'il vous plaît. Je rendrai tout. Je peux pas perdre mon travail maintenant.

— Pas d'affolement, le tranquillisa le patron. Nous ne sommes pas en bons termes avec votre employeur.

— Pourquoi êtes-vous si maigre ? demandai-je. Vous êtes malade ?

— Si avoir six gosses est une maladie. Et l'un n'a que deux mois.

— Mais vous avez un travail régulier. Votre femme est encore de ce monde ?

L'homme acquiesça, le regard vers la fenêtre, tandis qu'un élégant tilbury passait devant le café.

— Elle ne vous nourrit pas ?

— Je peux pas vous aider, murmura-t-il d'une voix craintive.

— Nous avons l'intention de vous donner le shilling promis, dit le patron d'un ton rassurant. Nous sommes des détectives et nous travaillons pour la famille de M. Thierry. Ils sont inquiets car il a disparu.

Harry continuait à fixer la rue, sans se décider à nous faire confiance.

— Nous ne pouvions pas aller au Beef car M. Cream

ne nous compte pas parmi ses amis. C'est pour ça que nous avons envoyé le petit.

Harry réfléchit un instant avant de se lever de nouveau.

— Je ne peux pas vous aider. Terry est parti, c'est tout. J'ai pas eu de ses nouvelles depuis et, même si je savais quelque chose, je sais pas si je vous le dirais. Je veux pas me mêler des affaires des autres.

Il ne partit pas pour autant. Le patron, concentré, le considéra en silence.

— Nous étions là quand Martha a été poignardée, Harry. Elle avait rendez-vous avec nous. Je suis resté avec elle jusqu'à ce que le constable arrive.

Le cuisinier se figea, les yeux soudain remplis de larmes. Je posai la main sur son bras comme il se rasseyait, et il accepta mon aide.

— Nous croyons que sa mort a un rapport avec la disparition de Thierry, continua le patron. Nous allons trouver le coupable, mais nous avons besoin d'informations.

— Vous étiez là ?

— Elle nous avait demandé de la rejoindre devant l'église. Elle voulait nous dire quelque chose.

Tout d'un coup, Harry se mit à parler très vite, tout bas, penché sur la table, sans doute pour éviter que Mme Willows l'entende.

— Il se passait quelque chose au Beef, dit-il. Quelque chose de plus gros que d'habitude. Je saurais pas dire quoi, mais il y avait une bande qui entrait et sortait comme dans un moulin. M. Cream a demandé à Terry de livrer un paquet pour lui. Je lui ai dit de pas y aller, mais on peut pas dire non à M. Cream. Pas si on veut garder son travail, on peut pas. L'autre jour, ils arrivent, ils étaient deux, ils sont entrés comme ça dans le bureau de M. Cream et ont commencé à tout casser. On entendait tout de la cuisine. Et pas un homme de M. Cream pour les arrêter. Ni M. Piser, ni Long

Lenny, ni Boots. Ils sont tous restés près du bar de l'entrée,
y avait pas de trou de souris assez petit pour les cacher.

— Qui étaient ces deux hommes ?

Harry secoua la tête.

— C'était des Américains ?

— Et Irlandais, mais c'est tout ce que je sais. C'était
secret. Ils entrent et montent à l'étage comme ça, même
pas bonjour, comme s'ils étaient les patrons.

— Allons, Harry, l'encouragea le patron. Cherchez bien.
Vous avez dû entendre quelque chose sur eux.

— J'ai entendu dire que c'était des cambrioleurs. Vous
savez que M. Cream est un receleur, hein ? Y paraît qu'ils
dévalisaient les grandes maisons à Bloomsbury, dans ces
coins-là. Autour de Hyde Park aussi, et les ambassades et
tout, qu'ils allaient chez les ministres, même. Bijoux et
argenterie. Vous voyez, des machins faciles à transporter.
C'est là que M. Cream intervient. C'est le bruit qui court,
mais c'est tout. J'ai pas entendu de noms.

— Et pourquoi ont-ils fracassé le bureau de M. Cream ?

Il haussa les épaules.

— Pour plein de raisons. Il les a peut-être roulés dans
la farine. Ou il a glissé un mot aux cognes. Ou il n'a pas
tenu une promesse. Allez savoir.

— Et qu'est-ce que Martha viendrait faire là-dedans ?

— Rien, que je sache. Sauf que M. Piser avait un faible
pour elle. C'est la seule connexion que je vois. Mais elle en
pinçait pour Terry. M. Piser a pas apprécié.

— Est-ce qu'ils se sont disputés ?

— M. Piser ne se dispute jamais avec personne. Il cause
pas assez pour ça.

— Pourquoi pensez-vous qu'elle a été assassinée, Harry ?

Il vida le verre de café et se redressa.

— Probablement à cause du rendez-vous avec vous, dit-il,
en regardant le patron bien en face. C'est ce que je dirais.

On aurait dit qu'il lui avait assené un coup de massue.

Pourtant, le patron le savait déjà aussi bien que moi, et ce dès qu'il avait vu la fille étendue devant l'église. Elle avait été assassinée à cause de nous, aussi sûr que le soleil se lève à l'est.

— Et les amis de Thierry ? demandai-je. Vous en connaissez ?

— Je ne le connais que de la cuisine. Je ne sais pas ce qu'il fait en dehors.

— Vous n'avez jamais parlé de sa vie à lui ?

— Je sais qu'il aimait sortir boire, mais je sais pas avec qui. J'ai jamais un sou pour aller prendre un verre.

— Où allait-il ? Vous a-t-il parlé d'un pub en particulier ?

— Désolé, m'sieur. Je me rappelle pas.

Je lui donnai alors son shilling et un bout de papier avec l'adresse du patron.

— Si jamais vous entendez quelque chose.

— Oui, m'sieur, fit-il en se relevant.

Il pointa du doigt le petit paquet.

— Je peux le prendre ?

— Bien sûr. Prenez tout.

— Et vous direz à personne que vous avez parlé avec moi, hein ?

— Vous avez notre parole, déclara le patron. Mais dites-moi encore une chose, Harry. Depuis quand portez-vous le fardeau d'une épouse qui boit ?

Harry le regarda bouche bée.

— Elle...

Il parut incapable de finir sa phrase.

— Vous la supportez, jusqu'à présent ? ajouta le patron avant de laisser s'écouler un silence que je me gardai bien de remplir.

Finalement, Harry craqua.

— Comment savez-vous ? Qui vous l'a dit ? Qui vous a raconté ça ?

— Personne ne m'a rien dit, mon ami. Je l'ai vu en vous.

— Ce n'est pas facile, m'sieur. Je dors pas, avec les petiots. Mais je travaille toute la journée, elle n'a personne qui la mate. Et la vieille d'à côté la pousse sur la mauvaise pente.

Le patron se leva et lui prit la main.

— On nous envoie ces malheurs pour nous mettre à l'épreuve. Vous avez la force de les surmonter, Harry, j'en suis certain, mais vous devez vous nourrir, vous aussi. Vous êtes trop faible pour veiller en bon père sur vos enfants. Vous devez manger plus.

— Oui, m'sieur, fit Harry, honteux, le regard bas.

— Merci pour votre aide.

Nous attendîmes qu'il quitte le café pour enfiler nos manteaux. Mme Willows avait fini de passer le balai et éteint les lumières.

Dans la rue, la pluie avait cessé, mais le fond de l'air était frais. Un policier faisait sa ronde sur le trottoir d'en face.

— Comment avez-vous su que sa femme buvait ? demandai-je.

— Je l'ai senti, Barnett.

— Allons, dites-moi. Comment avez-vous su ?

— Quels sont les gages d'un cuisiner comme lui, d'après vous ? Trente, quarante shillings par mois ? C'est assez pour nourrir une famille et payer un toit sans s'affamer lui-même. Pourtant il vole de la nourriture au risque de perdre ce travail dont il a éperdument besoin. Ce qui veut dire que l'argent s'en va ailleurs. Il n'a pas lui-même de quoi se payer un verre, il nous l'a dit. Donc, où passe l'argent ?

— Il y a d'autres possibilités, dis-je. Il pourrait avoir des dettes de jeu.

— Il est trop raisonnable pour ça. Il s'est montré d'une extrême prudence avant de se décider à parler. Cela nous dit qu'il n'est pas joueur. Avez-vous observé, cependant, qu'il a détourné les yeux lorsque je lui ai demandé si sa femme était de ce monde ? Ou qu'il a changé de sujet lorsque j'ai voulu savoir si elle lui faisait à manger ?

— Elle aurait pu être grabataire, avoir un autre souci.

— Il nous aurait alors dit qu'elle était malade. La maladie n'est pas honteuse, la moitié de Londres est valétudinaire. La boisson, c'était une supposition, j'avoue. Mais cette ville se noie dans l'alcool. C'était une conjecture plus que raisonnable.

— Vous avez eu de la chance.

Il éclata de rire.

— Je suis un homme chanceux, Barnett. Sous certains aspects.

Le jour se levait. Nous passâmes devant l'hospice, où des corps s'entassaient enveloppés dans des loques ; à la station de fiacres, un vieillard ramassait du fumier à la pelle.

Le patron laissa de nouveau échapper un rire creux, dont l'éclat retentit dans la rue silencieuse comme un coup de fouet.

7

L e lendemain matin, à mon arrivée chez le patron, je trouvai Ettie en proie à une formidable colère.
— Vous êtes allé courir les tavernes avec lui ? demanda-t-elle. Il n'a pas dormi ici !

— Non, Ettie, je n'étais pas avec lui.

J'avais l'impression que la pièce avait doublé de volume et je mis un certain temps avant de m'apercevoir que les piles de journaux avaient disparu.

— Il est allé voir une femme ? C'est cela ?

— Nous avions un rendez-vous en rapport avec l'affaire qui nous occupe. Je l'ai quitté à l'angle d'Union Street, à cinq minutes d'ici. Il m'a dit qu'il rentrait.

— Est-ce bien vrai ? demanda-t-elle d'un ton sévère.

— C'est la vérité, Ettie.

Elle me fixa un bon moment, les narines vibrant comme si, à l'instar de son frère, elle se fiait à son instinct pour jauger les gens.

— Je vois, fit-elle enfin. Il s'est peut-être fait étrangler. Cela lui apprendra.

Je secouai la tête.

— Il y a un endroit où il se rend lorsqu'il est retourné. C'est son oasis nocturne, selon lui. Il doit s'y trouver.

Ettie leva les yeux au ciel avec un soupir.

— Et qu'est-ce qui l'a troublé, cette fois-ci ?

— Il se blâme pour la mort de la jeune serveuse. L'homme que nous avons questionné hier soir pense aussi que c'est de la faute du patron. Je crois cependant que votre frère ne serait pas aussi abattu si la jeune femme ne lui avait pas rappelé Isabel. Vous savez, il l'a tenue contre lui jusqu'à ce que le légiste arrive, pour ne pas la laisser sur le sol mouillé. Il a failli éclater en sanglots devant la foule.

— Et est-ce qu'il a recommencé à boire, comme après le départ d'Isabel ?

— Pas de façon répétée. De temps en temps, voilà tout.

Elle secoua la tête d'un geste exaspéré.

— Cette ville se noie dans la boisson. Les bouteilles et les pichets sont les suppôts de Satan, Norman. Les pauvres sont à leur botte, d'après le révérend Hebden. Les ouvriers boivent le pain de leurs enfants, se battent pour un oui ou pour un non et finissent devant le juge. Les femmes crient et se bagarrent. Elles perdent leurs maris et se retrouvent sur le trottoir. L'Éventreur était un fléau de Dieu, car Il réprouve l'ivrognerie, n'en doutez pas. Et voilà que maintenant on trouve à chaque coin de rue du gin chinois bon marché ! Et des honnêtes hommes comme mon frère tombent dans ce piège dans des moments de vulnérabilité. Vous ne buvez pas vous-même, j'espère ?

— Avec modération.

Elle acquiesça et s'abaissa pour ramasser une plume sur le plancher.

— Nous avons un combat à mener, Norman. Je suis d'accord avec le révérend Hebden. Cette ville est un monstre qui broie ses enfants les plus nécessiteux. Avez-vous lu l'enquête sociale de Charles Booth ?

— Non, madame.

— C'est une chronique effarante de la misère qui règne ici. Nous nous occupons actuellement d'un cloaque de misérables logements dénommé Cutler's Court. En avez-vous entendu parler ?

Je niai. Debout au centre de la pièce, nous nous faisions face. Droite comme un piquet, les bras croisés devant la poitrine, elle parla d'un ton grave :

— Quelque quatre cents personnes vivant dans vingt maisons exiguës, avec un abattoir de chaque côté. Dix âmes par chambre. Une seule fontaine pour l'eau et deux latrines. Pouvez-vous imaginer cela ? Où que l'on pose le regard, des piles de coquilles d'huîtres et des os.

J'imaginais, et même plus que ça. J'avais vécu moi-même dans un endroit semblable moins de vingt ans auparavant. Je connaissais bien cette ville. Je connaissais ses démons et tous ses pièges.

— Les commerces les plus sales entourent ces quartiers, continua-t-elle. Les déchets des abattoirs s'écoulent dans une fosse qui traverse le centre de la cour. C'est là qu'ils vident leurs pots de chambre. La puanteur est une insulte au Christ, Norman. Ces habitations appartiennent, toutes, à un propriétaire qui refuse d'installer plus de sanitaires. Un seul propriétaire. Mais nous allons prendre les choses en main.

À cette diatribe passionnée, je compris pour la première fois quel feu animait son esprit. Je sentis que je la connaissais un peu mieux désormais. Elle attendit de ma part une réponse tout aussi enflammée, mais je ne pouvais lui donner satisfaction. Ma vie dans ces quartiers appartenait au passé, mais je n'aurais pu parler de leurs habitants comme s'ils m'étaient complètement étrangers.

— Que faites-vous au juste ?

— Nous faisons campagne pour améliorer les conditions de vie. Nous aidons les gens. Nous prions ensemble pour que le Seigneur nous guide. Il y a un programme que notre organisation mène dans toute la ville : nous enseignons les principes de l'hygiène, organisons des rencontres de prière et fournissons des médicaments. Le Comité des dames patronnesses pour la protection des jeunes filles travaille avec nous. Vous les connaissez ?

— J'ai vu certains de ses membres en ville.

— J'ignorais l'étendue du problème avant ma venue. Vous savez que William et moi, nous avons grandi...

Elle hésita, rougit légèrement.

— C'est-à-dire que notre père avait des moyens.

— Oui, je le savais, Ettie.

— Bien sûr. Enfin, la moitié des gens de cette cour font commerce de leurs corps. Dans certaines familles, les mères et les filles gagnent leur vie de cette façon. Nous essayons d'aider les plus jeunes. Il y a des maisons d'accueil où elles peuvent se rendre et apprendre un métier honnête. Nous essayons de les sauver avant qu'il ne soit trop tard.

— C'est une noble cause, Ettie.

— Ce n'est pas facile. Les hommes n'aiment pas que l'on essaie de mettre leurs femmes sur le droit chemin et cela provoque parfois du grabuge, mais les pauvres sont notre fardeau et notre responsabilité. Ainsi le dit la Bible, Norman. La guerre se livre ici même, une guerre qui sévit dans nos rues et nos faubourgs.

Son émotion accélérait les mouvements de sa poitrine sous le corsage noir de sa robe. Son front était rouge et je ne fus pas mécontent qu'elle se taise pour reprendre son souffle. Je ne voulais pas continuer à parler des gens des taudis, parce que ces gens étaient les miens, parce que toutes ces mauvaises choses qu'ils faisaient, soit je les avais faites moi-même, soit je les avais regardé faire, soit je les avais encouragées. Je savais déjà tout ce qu'elle me décrivait, je l'avais appris de l'autre côté de la barrière.

— Mais à présent, je suis inquiète pour mon frère. Vous savez où il se trouve, vous disiez ?

— Ne vous inquiétez pas. Je vais le ramener.

— Que Dieu vous bénisse, fit-elle en se dirigeant vers l'escalier. Et dites-lui d'apporter quelques muffins. Chauds, je vous prie. Demandez-lui de payer le prix qu'il faut.

*

Il n'y avait plus qu'un client tardif au Hog ce matin-là, un grand lascar avec un poignard à la taille et les cheveux en catogan comme un pirate. Il ronflait sur un banc près du feu, la bouche ouverte. Derrière le comptoir, une grosse femme rinçait des verres dans un seau en zinc. L'endroit puait le tabac froid et la bière renversée collait comme du vernis frais sur le sol en pierre. Attablé au fond, le dos à la porte, le patron semblait amarré à la bouteille de bière entre ses mains. Je le secouai par l'épaule. Il protesta avec un grognement.

— Votre sœur m'a chargé de vous ramener chez vous, dis-je.

Il entrouvrit à grand-peine les yeux et me regarda avant de laisser tomber lourdement sa tête sur la table. Je passai le bras sous ses aisselles pour le soulever. Il était lourd. Plus lourd à chaque fois.

La femme claqua la langue, lasse, en me voyant tituber sous ce poids mort. Le patron avança mollement un pied, puis l'autre ; il s'essuya la bouche, paupières entrouvertes, et il éructa à mon oreille. Mais au moins il marchait.

— Enchanté d'avoir fait ta connaissance, Hambla, grommela-t-il à l'intention du marin qui continuait à ronfler sur le banc en bois.

— Vous voudriez pas le prendre avec vous, des fois ? s'esclaffa la femme.

Le patron se tourna et esquissa une révérence à son intention.

— Au plaisir, princesse.

— J'espère que vous ne comptez pas partir sans donner à Betts la couronne que vous lui devez, monsieur Arrowood. Elle m'a fait promettre que je vous la demanderai.

— Ah, bafouilla-t-il en fouillant dans la poche de son gilet. Bien sûr. Oui.

Des pièces de monnaie roulèrent sur le sol. Je les ramassai, donnai son dû à la femme et glissai le reste dans la poche du patron.

Sans se détacher de moi, il s'inclina encore une fois. En sortant dans la rue, il porta la main à ses yeux avec un grognement, ébloui par la lumière.

— Portez-moi, Barnett.

— Avancez.

— Je souffre, Barnett.

— Moi aussi, et je n'ai rien fait pour mériter ça.

Nous avançâmes en zigzag par les rues populeuses. Lorsque nous arrivâmes, Ettie reprisait une chaussette dans le fauteuil préféré du patron. Son regard se fit amer.

— Avez-vous besoin d'aide pour le monter ?

— Je vais bien, ma chère sœur, grommela-t-il en se tenant enfin debout sans mon soutien. Les marches, Barnett.

Ce ne fut pas aisé de le hisser dans l'escalier étroit mais nous parvînmes tant bien que mal à l'étage, où il se laissa choir sur le lit, hors d'haleine, les mains sur les tempes. J'avais moi-même du mal à reprendre mon souffle.

— Barnett, maugréa-t-il comme je m'en allais. Nolan est-il sorti de prison ?

— La semaine dernière.

— Passez le voir.

C'était précisément ce que j'avais décidé de faire la veille, lorsque j'avais deviné que le patron irait se carapater au Hog, mais je ne le lui dis pas. Ce n'était pas dans nos façons.

— Approchez-moi le pot de chambre, murmura-t-il.

— Débrouillez-vous, répondis-je, un pied déjà dans l'escalier.

Je n'avais pas fini ma descente que je l'entendis se mettre à ronfler.

Ettie me regarda d'un air désespéré.

— Un instant, Norman, dit-elle en me voyant me diriger vers la porte. Avez-vous pris les muffins que je vous avais demandés ?

— Je suis désolé. J'avais les bras trop chargés.

— Certes, certes.

Elle eut une moue dépitée : elle était aussi gourmande que son frère.

— Vous devriez proposer à Mme Barnett d'assister à l'une de nos réunions, dit-elle. Le révérend Hebden est toujours à la recherche de nouvelles recrues. Elle trouverait l'expérience enrichissante, j'en suis sûre. Je vous indiquerai la date.

— Merci, Ettie.

Un bruit provenant de son ventre se fit entendre, et le rouge lui monta aux joues.

— C'est entendu, alors, fit-elle en reprenant son labeur.

Nous fîmes semblant tous deux de ne pas avoir entendu l'indiscret borborygme.

Nolan occupait deux chambres dans une pension de Cable Street. Notre amitié remontait à mon époque à Berdmondsey. Il avait toujours bibeloté en marge de la loi et nous nous adressions à lui pour savoir ce qui se passait dans la partie irlandaise de la ville. Il venait de sortir de prison, après avoir écopé de quatorze mois pour le vol d'un manteau à un Chinois sur Mile End Road, et avait repris le cours de sa vie, recelant des pendulettes réveil et cuisinant pour les bonnes femmes de Whitechapel.

— Tu n'as pas l'air bien vaillant, fit-il comme nous nous installions devant la table.

Il avait envoyé sa femme, Mary, sa mère et deux cousines dans l'autre pièce, pour me parler seul à seul. La chambre était froide alors qu'il faisait beau dehors, car un bâtiment à moins de cinq yards empêchait la lumière d'entrer par la petite fenêtre.

Nolan portait des besicles en très mauvais état dont une des branches était un crayon mâchouillé qui tenait avec un bout de ficelle.

— Excuse si je ne suis pas venu te voir au trou, vieille branche, dis-je. J'ai horreur des délinquants.

— Tu es tout pardonné. Et comment va le père Arrowood ?

— Il paie cher sa nuit au Hog.

Il rit en se frappant la cuisse.

— Il n'a jamais tenu l'alcool. C'est une petite nature. Quand on a un mauvais estomac... Alors, mon vieux, qu'est-ce qui t'amène ?

— As-tu entendu parler d'une bande d'Irlandais, ou d'Américains ? Qui vident les maisons des rupins du West End ?

Il alla vérifier que la porte était bien fermée. Lorsqu'il se rassit, son sourire avait disparu.

— À votre place, je ne me mêlerais pas de ça. Vous deux feriez mieux de ne pas poser de question sur ces gens-là.

— C'est en rapport avec une affaire.

— Ça se peut bien, mais vous jouez avec le feu. Gardez vos distances.

— Le patron ne voudra rien savoir. Une fille a été tuée. Il en fait une affaire personnelle. Il semble que la bande a un lien avec...

— N'en dis pas plus, aboya-t-il, si fort que les lunettes tombèrent par terre. C'est des Fenians. Tu te rappelles, les révolutionnaires irlandais ?

J'acquiesçai. Qui, dans notre pays, aurait pu les oublier ? Dix années auparavant, ils avaient semé la panique dans la ville en faisant exploser des bombes dans tous les quartiers. La presse publiait chaque jour des articles sur des cibles potentielles et les attentats déjoués par la police. Ils avaient posé des bombes dans les chemins de fer métropolitains, sous le London Bridge, même au Parlement. Les gens étaient tellement effrayés qu'ils avaient cessé de prendre le train. Le patron lui-même avait publié une série d'articles à propos des séditieux et des Irlandais d'Amérique qui se trouvaient derrière ces actions. Ces hommes-là avaient amené la lutte pour l'Irlande au cœur de l'Angleterre et quiconque avait traversé cette période s'en souvenait.

— Je croyais qu'ils avaient abandonné.

— La plupart l'ont fait, mais il en reste une poignée bien décidée à avoir gain de cause. Pour eux, il n'y a qu'une seule façon de se faire entendre des Anglais, et c'est la guerre. On dit qu'ils sont derrière ces fric-fracs dans les beaux quartiers. Je n'en sais pas plus.

— Tu as des noms ?

— J'ai entendu parler d'un certain Paddler Bill. C'était un des Invincibles, qu'on dit. Tu te rappelles ?

— Les assassins ?

— C'est ça. Lui a réussi à s'enfuir, son nom n'a même pas été prononcé au procès. Grand, roux — pas que je l'aie vu en personne. Ils disent qu'il a juré de venger ses compagnons exécutés, que c'est pour ça qu'il continue à se battre. À ce que j'ai entendu, son frère avait renseigné les Anglais. Il l'a tué. Dans une usine de bonbons. Bouilli dans du caramel.

— Dieu du ciel, Nolan, dis-je avec un frisson. Je n'aime pas cette affaire.

— Mieux vaut ne pas les énerver, répondit-il. Tenez-vous à l'écart.

Je songeai un instant au moyen de persuader le patron que l'affaire était trop dangereuse pour nous. Mais je savais que c'était peine perdue : il ne revenait jamais sur une parole donnée.

— Mais pourquoi ces cambriolages ? demandai-je finalement. Qu'est-ce que ça a à voir avec leur cause ?

— Pour l'argent, c'est évident. Une guerre, ça coûte des sous.

— Et tu n'as pas d'autres noms à me donner ?

— Je ne sais rien des autres. Et te fatigue pas, je n'irai pas me renseigner pour vous. Ces gens n'ont pas peur de jeter un homme ligoté dans le fleuve, et j'invente rien.

— Je ne te demanderais pas si ce n'était pas important, Nolan.

Il secoua la tête, les mains fourrées dans les poches. Un chat sortit de derrière le poêle et vint se frotter contre sa jambe. Il le chassa d'un coup de pied.

— Mary est irlandaise, non ? demandai-je.

— Elle est née ici. Ses parents, ils sont arrivés après la famine, mais ils ne savent rien de ces Fenians. Ce sont presque tous des Américains.

— Qu'est-ce qu'elle pense d'eux ?

— C'est sa cousine Kate qui va aux réunions sur la réforme agraire. Mais toute la famille est pour l'indépendance de l'Irlande. Comme son père, avant qu'il claque.

— Comment pourraient-ils penser autrement, puisqu'ils vivent avec toi ?

Dès qu'il en avait l'occasion, Nolan me rebattait les oreilles avec la question de la souveraineté. Il avait fui son pays et la faim vingt ans plus tôt ; son frère, resté là-bas, avait été emprisonné à Tralee pour avoir soutenu la résistance des fermiers qui se faisaient expulser de leurs terres. Plus je l'écoutais, plus j'avais honte des exactions commises par mon pays. Le patron était d'accord avec lui sur ce sujet, ce qui avait fait grandir l'estime qu'ils éprouvaient l'un pour l'autre.

— Ici, on nous voit comme des ordures, dit Nolan. Alors qu'il y a de nombreux Irlandais dans cette ville qui respectent la loi, mon vieux. Pas moi, c'est vrai, mais il y en a plein, et pourtant, dès qu'un crime est commis, c'est nous qu'on accuse. S'il y a du travail, c'est jamais pour nous. Mon peuple a raison de vous faire la guerre. Je soutiendrai la liberté de mon pays jusqu'à ma mort, mais les bombes, je cautionne pas. Je ne l'ai jamais fait, tu le sais.

Il croisa les bras sur la poitrine en secouant la tête gravement et je compris qu'il était prêt à discuter des affaires sérieuses. Mais à ce moment précis, la porte grinça et Mary passa la tête pour demander :

— Vous voulez boire un coup, les gars ?

Nolan souffla comme s'il avait longtemps retenu sa respiration et sourit.

— Ça te dit, une p'tite chope de bière avec moi ?

Je pris un verre avec lui et Mary, qui s'en alla ensuite chercher des buccins. Pourtant, je ne pus le persuader de m'aider dans mon enquête. Il avait peur des Fenians. Et d'habitude, Nolan n'avait peur de rien.

8

Un accident venait de se produire lorsque nous arrivâmes devant chez Fontaine ce soir-là. Un cheval
s'était effondré, mort, emportant dans sa chute
la carriole qu'il tirait. Une dame gémissait assise sur une
marche, le visage en sang, un bouquet de fleurs à la main,
tandis que le cocher essayait de dételer la voiture de l'animal
sans vie. Il y avait une petite foule amassée tout autour, on
tâtait du pied le cheval, on regardait la pauvre femme. Le
patron se pencha sur elle.

— Êtes-vous blessée, madame ? demanda-t-il en lui
offrant son mouchoir. Tenez.

Elle cessa sa complainte pour lever vers le patron ses yeux
rougis, mais, devant ce bout de tissu autrefois rouge, croûté
et taché de tabac, elle détourna le regard en reniflant.

Il empocha prestement le chiffon.

— Puis-je mander quelqu'un ? demanda-t-il.

— Ne me touchez pas, pesta-t-elle en couvrant son
visage de ses deux mains. Je n'ai pas besoin de votre aide.

Il hocha tristement la tête et tapota sa canne contre ses
bottes. Il avait l'air désemparé.

— Allons-y, monsieur, dis-je en lui prenant le bras. Le
cocher s'occupera d'elle.

Eric, qui contemplait la scène derrière la vitrine de son
studio, bondit derrière le comptoir quand nous poussâmes
la porte. Il portait une cravate à pois et une chemise à haut
col qui tirait sur le jaune. Il reconnut le patron aussitôt.

— Ah, monsieur, vous êtes revenu prendre rendez-vous

pour votre portrait. Vous m'en voyez ravi. Je ne puis vous dire combien j'apprécie la chance d'être celui qui transmettra votre noble visage à la postériorité ! Ce sont les profils comme le vôtre qui m'inspirent dans mon métier.

— Oh ! bien sûr, en effet, bafouilla le patron, étourdi par l'avalanche de flatteries.

Je n'avais jamais entendu décrire son crâne bosselé comme une betterave en de tels termes et je doutais que cela se reproduise un jour.

— Quelle date pourrait vous convenir ? demanda Fontaine. Dites-moi.

Il avait ouvert un carnet de rendez-vous et attendait, sa plume à la main.

— Voyez-vous, nous aimerions d'abord nous entretenir brièvement avec Mlle Cousture, monsieur, dit le patron. Si ce n'est pas trop abuser de votre gentillesse. Un court instant seulement.

Fontaine fit la grimace, révélant ainsi deux grandes incisives qui chevauchaient sa lèvre inférieure comme celles d'un lièvre.

— Elle n'est pas là. Elle est partie déjeuner il y a quelques heures et n'est pas revenue. Si vous la voyez, d'ailleurs, vous lui direz de ma part que je suis à deux doigts de trouver une autre assistante. Vous savez, monsieur, j'ai embauché une femme parce que je crois à l'émancipation de la gent féminine.

— C'est aussi le cas de ma sœur, répondit fermement le patron.

— Eh bien, regardez ce que je récolte.

Il s'était emporté, et le temps d'un instant, son accent avait changé. J'entendis, sans l'ombre d'un doute, la douceur caractéristique des voyelles irlandaises. Le patron me lança un coup d'œil.

— C'est tout à votre honneur, déclara-t-il. Depuis combien de temps travaille-t-elle pour vous, vous disiez ?

Fontaine redressa sa plume avec un soupir.

— Quel jour vous conviendrait, alors ?

Le patron promena son regard sur les portraits accrochés en hochant la tête.

— Vous avez un regard affûté, dit-il d'un air pénétré. Je sens un tel caractère, dans ces sujets.

— C'est mon but en tant qu'artiste, répondit Fontaine, tout aussi solennel.

Il pointa sa plume vers le portrait derrière lui, un soldat en uniforme.

— D'après moi, c'est ce que j'ai fait de mieux.

— Un véritable chef-d'œuvre, confirma le patron.

Fontaine contempla longuement le portrait.

— Vous avez vous-même un regard de connaisseur, monsieur.

— Je me demandais si vous auriez le temps maintenant pour faire mon portrait ?

— Oh ! mais oui. Il me semble. Nous avons juste le temps avant ma prochaine séance. Venez, venez.

Il invita le patron à passer derrière le rideau noir.

— Entrez, je vous prie. Un gentleman comme vous doit absolument avoir une représentation de sa noble effigie dans son entrée, ou son salon, ou bien sa bibliothèque — absolument.

Fontaine disparut lui aussi derrière le lourd rideau sans cesser de pérorer. J'attendis quelques instants avant de commencer à fouiller les tiroirs du comptoir. Ils contenaient des vis, des plaques, des lampes. Dans le dernier, je trouvai un registre comptable, qui m'apprit qu'il payait Mlle Cousture depuis janvier et non pas depuis quatre mois. Je cherchai ensuite l'adresse de cette dernière et je finis par la trouver gribouillée au dos d'un petit carnet.

Le patron revint vingt minutes plus tard, les cheveux plaqués sur les tempes, coiffés et cirés, ses moustaches taillées, la cravate nettement nouée à son cou.

— Oui, monsieur, susurrait Fontaine. Une semaine. Puis-je prendre votre adresse ?

— 59 Coin Street. Les chambres à l'arrière de la boulangerie.

— Je l'encadrerai, bien entendu, avec le même cadre simple qui entoure ce portrait que vous m'avez fait l'honneur d'apprécier. Votre sœur sera enchantée de ce portrait, j'en suis certain, dit-il en nous ouvrant la porte. Absolument certain, monsieur.

Le patron ouvrit la bouche seulement lorsque nous eûmes tourné le coin de la rue.

— Bien, c'était fort édifiant, Barnett. Il semblerait que ce n'est pas un oncle marchand d'art qui a présenté notre cliente à M. Fontaine, comme elle le dit. D'après Fontaine, c'est un pasteur qui est venu le voir — à Noël, notez bien. Ce pasteur a proposé à Fontaine de payer la jeune femme la moitié du salaire qu'il aurait dû payer quelqu'un d'autre. Elle ne connaît rien à l'art de la photographie, figurez-vous. Rien du tout. Mais, vous savez, un joli visage et la force de persuasion de l'église viennent à bout de pas mal d'obstacles.

— Sans parler de la main-d'œuvre bon marché.

— Cela aussi.

— Il n'a commencé à lui verser un salaire qu'en janvier, dis-je. C'est du moins ce qu'indique le registre.

— Je vois que vous n'avez pas chômé. Encore autre chose : Mlle Cousture a repoussé les avances de M. Fontaine, mais il n'a pas encore renoncé à la mettre dans son lit.

Je ne pus que rire.

— Je m'épate de ce que les gens vous racontent, monsieur.

— Oh ! il ne me l'a pas dit. J'ai lu en lui.

— Vous avez lu en lui ?

— Oui, Barnett. Mlle Cousture s'absente de façon aussi fréquente qu'inopinée. C'est Fontaine qui me l'a dit. Un comportement qu'on ne saurait tolérer de la part d'une employée, n'est-ce pas ? Pourtant, en dépit de son évidente irritation, il ne la renvoie pas. Pourquoi ? Comme nous le dit M. Darwin, nul besoin de chercher au-delà de la nature essentiellement animale de l'homme. Fontaine la garde parce qu'elle est belle et qu'il désire la connaître bibliquement, et qu'il pense, sans l'ombre d'un doute, que sa position lui en donne le droit. Ce n'est pas sa faute. C'est le droit du lion que de prendre la lionne que lui dicte sa sauvage fierté, et M. Fontaine, à sa façon, est un petit lion. Je pense que de nombreux commerçants ici fricotent avec leurs employées. Cette ville est une jungle de petits lions. Le fait qu'elle ne s'offre pas à lui doit lui rester en travers de la gorge. Comme s'il avait acheté un succulent gâteau qui trônerait toute la journée sur son comptoir sans qu'il puisse y toucher.

— Peut-être est-il marié.

— Oh ! Barnett, vous êtes d'une touchante candeur, quelques fois.

— Comment pouvez-vous être si sûr qu'il la désire ?

— Parce qu'elle est belle. Je l'ai trouvée désirable. Et vous aussi.

— Ce n'est pas vrai.

— Oh que si, mon ami. Je vous ai vu perdre votre contenance habituelle lorsqu'elle est venue chez moi pour la première fois. En dépit de votre dévotion envers votre remarquable épouse, vous aussi êtes tombé sous le charme.

Nous nous arrêtâmes pour laisser passer un marchand des quatre saisons qui poussait sa grosse charrette sur le trottoir et se dirigeait dans la ruelle adjacente.

— Vos déductions sont plus proches de celles de Sherlock Holmes que vous ne le croyez, répondis-je lorsque nous reprîmes notre chemin.

— Non, Barnett, je déchiffre les gens. Il déchiffre des codes secrets et des parterres de fleurs. Cet homme et moi n'avons rien en commun, et franchement, je commence à me fatiguer de vos remarques constantes à ce sujet.

Je ris dans ma barbe tandis que nous passions sous les voies ferrées.

— Pourquoi nous a-t-elle menti ? demandai-je.

— Je l'ignore. Et comme M. Fontaine n'a pas voulu nous dire où elle habite, nous devrons attendre qu'elle veuille bien revenir pour le savoir. Une tâche de plus pour vous, Barnett, demain sans faute. Priez pour qu'il ne pleuve pas.

Je lui tendis le bout de papier où j'avais noté l'adresse.

— Heureusement que j'ai trouvé ceci, monsieur.

Un sourire fendit son visage rougeaud et il me donna une claque dans le dos.

— Excellent, Barnett. Gageons qu'elle se trouve chez elle.

J'aperçus le bonhomme au moment où nous empruntâmes Broad Wall. Parfaitement ordinaire, il n'aurait jamais attiré mon œil sans ce bout de papier qui collait à la jambière de son pantalon. Je l'avais déjà remarqué plus tôt dans la journée alors que j'étais au café et m'étais demandé si une tache de mélasse ou quelque chose de la sorte le faisait tenir en place. Et il était là de nouveau, ce même bout de papier, collé au pantalon du même quidam qui marchait de l'autre côté de la rue, les yeux fixés aux fenêtres voisines.

— Prenons la prochaine à droite, voulez-vous ? proposai-je à l'approche d'une allée étroite.

— Mais pourquoi ?

— Un homme nous suit. Ne vous retournez pas. Trottoir d'en face. Taille moyenne, manteau gris.

Le patron pinça les lèvres, contrarié. Il boitait à cause de ses chaussures serrées, et était essoufflé par le poids de son propre corps.

— Je vous en prie, insistai-je. Ne regardez pas.

— J'ai compris, Barnett, j'ai compris, grogna-t-il, irrité, essayant tant bien que mal de garder les yeux fixés devant nous. Vous n'avez pas besoin de me le répéter.

— Vous étiez sur le point de vous retourner.

— Ce n'est pas vrai.

Nous tournâmes à l'angle. Les bâtiments de part et d'autre de la ruelle s'élançaient vers le ciel gris. C'étaient des ateliers et des usines, presque tous fermés pour la nuit, mais une lueur blafarde éclairait çà et là des fenêtres sales. Des gens fatigués aux mines aussi grises que leurs vêtements usés jusqu'à la corde rentraient chez eux d'un pas lourd. À nos pieds, le gravier et la boue formaient un magma infâme. Nous dépassâmes une charrette que l'on chargeait de cageots et empruntâmes une venelle encore plus étroite, et ensuite, sans jamais nous retourner, un passage encore plus sombre. Je désignai du menton un muret en brique qui faisait saillie.

— Oui, parfait, dit le patron.

Nous nous cachâmes dans l'ombre, moi à l'affût, le patron derrière moi, retenant son souffle.

L'homme arriva un instant plus tard ; il avançait vers nous d'un pas pressé.

— C'est lui, murmurai-je.

— Tenez bon.

Un craquement soudain se fit entendre derrière nous. La porte sur laquelle s'appuyait le patron s'ouvrit d'un seul coup, et une femme en guenilles apparut sur le seuil, un pot de chambre rempli à ras bord à la main. La brave dame fut quelque peu surprise de trouver devant sa porte deux gentlemen qui semblaient attendre la livraison des excréments de la maisonnée. Incapable sans doute de retenir le mouvement qu'elle devait répéter chaque jour à la même heure, elle balança le pot et le vida dans la rue.

Le patron, pris au dépourvu, fit un bond en avant, révélant ainsi sa présence à notre poursuivant. L'homme tourna aussitôt les talons et déguerpit.

— Foutredieu ! cria Arrowood alors que la moitié du contenu du pot pleuvait sur son pantalon.

Je me lançai à la poursuite de l'inconnu. Au détour de la rue, je distinguai sa silhouette, une ombre contre le mur noirâtre. Comme je gagnais du terrain, j'étais certain de l'attraper en quelques foulées. Il tourna à droite et s'enfonça dans le dédale de murs humides pour nous éloigner des lumières de Broad Wall. Une carriole qui prenait la même rue m'empêcha de continuer, le cheval de travers sur mon chemin.

— Eh, oh ! râla le livreur. Vous affolez le cheval !

J'escaladais le chariot vide pour l'enjamber.

— Cogne-fétu ! cria-t-il en faisant claquer son fouet.

La rue devant moi était déserte. Je courus jusqu'au carrefour suivant et, d'instinct, tournai à gauche vers les lumières d'une rue plus passante.

Au moment même où j'apercevais les lampadaires, je sentis mes jambes se dérober sous moi et m'écroulai de tout mon poids sur le gravier. Ma hanche avait à peine touché le sol qu'un autre coup dans le dos me terrassa. Je hurlai de douleur, capable seulement de tourner la tête pour identifier mon assaillant : il avait une barbe, des yeux brûlants rapetissés par la hargne, et brandissait une matraque. Je fixai la main armée qui se levait sur moi, l'ongle cassé et noirci de l'index, j'avais l'impression que cet ongle était en colère, qu'il était assoiffé de vengeance, et que l'homme n'était que son instrument. Je levai la main pour parer au coup, il me blessa à l'avant-bras. Je fus pris d'une nausée si soudaine que toute force abandonna mon corps. Mes tympans bourdonnaient comme les cloches de Christ Church, les larmes m'aveuglaient. Incapable de me défendre, je me roulai en boule, tout mon corps crispé, même les paupières, et attendis le prochain coup.

Qui ne vint pas. Je tendis l'oreille, n'osant pas relever la tête de peur d'être réduit en bouillie. Peu à peu, les cloches s'estompèrent, j'entendis une voix de femme dans une bâtisse toute proche et je pris mon courage à deux mains pour me relever. L'homme avait disparu.

Pas sûr de pouvoir tenir debout, je m'assis comme je le

pus et regardai de chaque côté de la ruelle pour m'assurer que ce sauvage était vraiment parti, puis, en m'agrippant au mur, je parvins à me redresser complètement.

Une femme apparut au bout de la rue, une grosse marmite dans les bras.

— Vous êtes tombé, l'ami ? demanda-t-elle.

— J'ai trébuché, m'dame, répondis-je en essayant de parler normalement. Je me suis emmêlé les pieds.

— Venez par ici, que je vous aide.

Elle posa la marmite par terre et me tendit les deux mains. Elle avait la même carrure que Mme Barnett et sa seule présence suffit à me redonner des forces.

— Vous avez croisé un homme sur votre chemin ? demandai-je. Râblé, avec une barbe noire ? Il devait courir, je pense.

— Comme un dératé, répondit-elle. Il vous a dépouillé, hein ?

— On peut dire ça comme ça.

— Bon, pas la peine d'aller voir les argousins, sauf si vous voulez perdre la moitié de votre journée.

— Vous avez vu à quoi il ressemblait ?

— Pas grande chose, il fait presque noir. De petits yeux, un air louche. Mais comme je disais, aller voir la police, c'est peine perdue.

Chaque pas que je faisais éveillait une douleur lancinante dans mon dos.

— Pourquoi ?

— Parce qu'il avait une matraque de police à la ceinture. Et c'était une ceinture de policier. Mais il ne portait pas l'uniforme, hein. Juste les bottes réglementaires.

— Vous vous y connaissez, on dirait.

— Mon homme était constable, fit-elle. Avant qu'il passe l'arme à gauche. C'était moi qui cirais ses bottes chaque jour. Vous êtes marié, vous ?

J'acquiesçai. Quand nous arrivâmes à la rue principale,

elle s'éloigna vers le pont ; une fois seul, je m'assis sur les marches de Home and Colonial pour m'accorder un moment de repos. J'avais si mal qu'il s'écoula près d'une heure avant que je trouve la force de poursuivre ma route.

9

Je retrouvai le patron chez lui, calé dans son fauteuil, une chope de bière à la main. Ettie, installée près de la fenêtre, avait une main pressée sur le front. Elle hocha brièvement la tête en guise de salut et ferma les yeux. Le patron me fit un petit signe, comme pour me dire de ne pas faire attention, et prit une longue gorgée de bière. Il devait se sentir coupable de ce qui était arrivé, mais, comme à son habitude, ne me présenta aucune excuse.

Je m'assis sur le canapé avec maintes précautions, certain que sur mon dos s'était formé un grand hématome. Le patron remarqua ma main enflée.

— Bonté divine, Barnett ! Que diable vous est-il arrivé ? Dois-je appeler le médecin ?

— Je suppose que ce sera encore sur mes deniers, n'est-ce pas ? répondis-je, plus sèchement que j'en avais l'intention.

Il prit un air blessé.

— Je n'ai que quelques bleus, ajoutai-je, plus doucement.

Je me demandais, cependant, si Ettie, puisqu'elle était infirmière, ne pourrait pas m'examiner, mais elle resta parfaitement immobile. Je n'osai pas réclamer son attention.

— Vous avez besoin de soins, insista-t-il. Je peux appeler le médecin pour qu'il vienne vous voir en même temps qu'Ettie. Nous ferons d'une pierre deux coups.

— Je n'ai pas besoin d'un médecin, rétorqua-t-elle sans ouvrir les yeux.

— Moi non plus. Quoique je ne cracherais pas sur un petit remontant.

Il me passa une petite fiole bleue.

— De la chlorodyne, dit-il. Un remède assez magique. Ça vous fera du bien.

Je pris une bonne lampée pendant que le patron me versait une chope de bière. Je lui racontai, la gorge enveloppée de l'agréable chaleur du remède, comment je m'étais fait battre comme plâtre dans la ruelle.

— Mon Dieu, Barnett. Ce cas devient de plus en plus compliqué chaque jour. Je ne cesse de me demander pourquoi Mlle Cousture voudrait nous mentir. Elle est passée pendant notre absence, figurez-vous. Il semblerait qu'elle soit soudain impatiente de savoir si nous avons fait des progrès. Mais elle n'a pas laissé d'adresse. Cela ne vous semble pas suspect ?

— Il n'y a rien dans cette affaire qui ne le soit pas.

— Et voilà qu'un constable nous suit et qu'il vous roue de coups sans pour autant chercher à vous interroger.

Ettie poussa un soupir et changea légèrement de position, une grimace sur son visage pâle.

— Qu'est-ce qui tracasse votre sœur ? murmurai-je.

— Elle est arrivée affaiblie et patraque, déclara-t-il en haussant progressivement le ton. Mais elle refuse de s'aliter. Elle reste assise là, sans rien faire.

Un petit mouvement de paupières d'Ettie trahit le fait qu'elle écoutait sans pour autant participer à la conversation.

Le patron leva les yeux au ciel et tira sur sa pipe.

— Demain, nous rendrons visite à Mlle Cousture à la première heure, avant qu'elle ne parte travailler. Nous fouillerons sa chambre pour trouver des indices.

— Vous pensez qu'elle nous le permettra ?

Il rit.

— Je suis certain que non, mais cela pourrait au moins l'inciter à nous dire la vérité.

La cloche de la boutique retentit. Non sans mal, je me levai et allai à la porte, où je trouvai l'inspecteur Petleigh.

Derrière lui se tenait le jeune policier à la voix de stentor qui était arrivé sur la scène du crime devant St George-le-Martyr. Je les conduisis jusqu'au salon où il n'y avait plus à présent que le patron. Le craquement au-dessus de nos têtes m'indiqua qu'Ettie s'était retirée.

— Ce sont ces deux hommes ? demanda Petleigh à l'agent.

— C'est bien eux, monsieur, beugla le jeune homme. Lui, et lui.

— J'en étais sûr, dit l'inspecteur. Dès que vous les avez décrits, j'ai su qu'il s'agissait d'eux.

Il lâcha un rire acrimonieux. Nous avions eu maille à partir plus d'une fois avec l'inspecteur Petleigh, parfois à bon compte, parfois pas tellement. Il n'approuvait pas notre corps de métier, mais il savait qu'il n'y avait pas assez d'agents de police pour prendre en charge tous les crimes qui étaient perpétrés dans la ville. Il n'était pas mauvais bougre, mais le patron se serait laissé hacher menu plutôt que de l'admettre.

— C'est le plus grand qui a poursuivi l'assassin, décréta l'agent. L'autre tenait la tête de la victime. Ils la connaissaient. C'est eux qui l'ont dit.

Petleigh s'assit sans que personne ne l'y ait invité et s'adressa au patron.

— Vous me décevez, William. Profondément. Je croyais que vous aviez appris la leçon. Vous aviez promis de vous en tenir aux larcins des domestiques et aux infidélités. Et voilà que je vous trouve sur la scène d'un crime.

Il tordit la pointe de ses favoris et étendit les jambes. Il portait des bottes flambant neuves, dont les semelles étaient couvertes de boue. Je remarquai que le jeune agent, qui se tenait sur le pas de la porte, le casque fourré sous le bras, ne s'était pas non plus essuyé les pieds. Je me levai pour prendre le balai dans le placard.

— Je suis heureux qu'ils aient placé un fin limier comme vous à la tête de cette affaire, fit le patron en rallumant sa pipe. Dites-moi, avez-vous capturé ce saligaud ?

— L'enquête va bon train. Il semblerait qu'il s'agisse d'un vol de rue qui a mal tourné, même si cette fille n'avait pas grand-chose sur elle. Nous ne pouvons pas exclure un retour de l'Éventreur. Le commissaire en chef suit de près notre investigation.

— De grâce, Petleigh ! s'écria le patron. Jack n'a jamais frappé en plein jour au milieu de la foule. C'est ridicule, allons.

— C'est vrai. Nous suivons plusieurs pistes. Mais nous serions plus près de la vérité si l'on ne nous cachait pas des informations précieuses.

— Puis-je vous demander quelles sont ces pistes ?

Petleigh secoua la tête avec un soupir. Un sourire attristé étira ses fines lèvres.

— Vous me prenez pour un idiot ?

— Pas du tout, inspecteur. Je vous prends pour un imbécile.

L'inspecteur se redressa et rétorqua sèchement :

— Vous savez, Arrowood, je pourrais vous faire comparaître pour entrave à l'exercice de la justice.

— Je n'ai rien fait, inspect…

— Vous travaillez sur une affaire associée à cet assassinat, l'interrompit Petleigh en haussant la voix. Je me trompe ?

— Non.

— En conséquence, vous avez des informations que vous ne nous avez pas communiquées au moment voulu. Plusieurs jours se sont à présent écoulés, suffisamment pour que le coupable nous échappe. Un magistrat pourrait en conclure que vous protégez l'assassin.

— Nous ignorons qui est l'assassin, répliqua le patron. Nous l'avons juste vu s'enfuir. Barnett l'a coursé mais l'a perdu.

— À quoi travaillez-vous maintenant ?

— Nous essayons de mettre la main sur l'ami de cette pauvre fille. Nous étions censés la retrouver devant l'église.

— C'est donc elle qui vous a embauchés.

— Non.

— Qui, alors ?

— Je ne peux pas vous le dire, répondit le patron. Notre client souhaite garder l'anonymat.

— Dites tout à l'inspecteur, aboya l'agent. Sans ça, je vous jette au cachot pour la nuit.

Petleigh leva la main pour apaiser le jeune homme.

— Nous pouvons vous aider à arrêter l'assassin, inspecteur, affirma le patron.

— Vous avez une haute estime de votre personne, Arrowood, fit Petleigh en croisant les jambes. Vous vous prenez pour qui ? Sherlock Holmes ?

Le patron ricana.

— Permettez-moi d'être tout à fait clair sur un point, reprit Petleigh. La police, c'est nous. Nous traitons des assassinats, des violences, des vols, nous avons affaire à des gens très dangereux. Vous, vous cherchez des avocats qui ont trafiqué leurs contrats, vous retrouvez des maris qui ont filé avec la bonne. Ce n'est pas à nous de vous renseigner, mais bien le contraire. Donc, encore une fois : pour qui travaillez-vous et que savez-vous de cet assassinat ?

— Je vous dirai ce que je peux si vous trouvez le nom de l'agent qui a rossé Barnett tantôt, rétorqua le patron.

Tous les regards se tournèrent vers moi.

— Il nous suivait, inspecteur, dis-je. Je me suis demandé si c'était vous qui lui en aviez donné l'ordre ?

Petleigh se tourna vers son subordonné.

— Vous étiez au courant ?

L'agent secoua la tête.

Je lui montrai mon bras tuméfié et remontai ensuite ma chemise pour exposer mon dos.

— Aïe ! fit le patron en se relevant. Sacrée ecchymose ! Ça doit faire un mal de chien, ça a la couleur du foie, Barnett. Je pense qu'il faut appeler le médecin, vraiment.

— Non, monsieur. Je ne peux pas me le permettre, dis-je en me reculottant. Inspecteur, je suis formel, c'était un policier. Vous n'avez pas répondu à ma question : c'est vous qui lui avez donné l'ordre de nous suivre ?

— Non, Norman, dit Petleigh. Je le jure. Dites-moi ce qui est arrivé.

Après avoir écouté mon récit, il demanda :

— Êtes-vous sûr qu'il s'agissait d'un officier ?

— Il portait une ceinture de policer, et il m'a frappé avec une matraque de policier.

— Je ne connais personne répondant à cette description. Et vous, agent ?

— Il y a un de nos hommes qui travaille sur Elephant and Castle qui correspond à ces traits, répondit le jeune homme. Je ne connais pas son nom, mais j'ai du mal à croire que l'un d'entre nous ait pu faire une chose pareille.

— S'il s'agit d'un officier, ce dont nous ne sommes pas encore sûrs, ne l'oublions pas, mais s'il s'agit d'un officier, souhaitez-vous porter plainte ? demanda Petleigh.

— Nous voulons son nom, intervint le patron en me regardant. C'est tout, pour le moment.

Petleigh réfléchit un instant.

— Nous mènerons l'enquête. Et maintenant, dites-moi ce que vous savez.

Le patron rendit compte des faits que nous avions recueillis, Petleigh prit des notes sans cesser à aucun moment d'essayer d'avoir en prime les noms de nos informateurs. Le patron tint bon.

— La jeune femme avait ça dans la main, dit-il en sortant la balle de la poche de son gilet.

Petleigh s'approcha de la lampe pour l'examiner, puis la reposa sur la table.

— C'est peut-être un de ses amis qui la lui a donnée. Elle a également pu la trouver quelque part. Je ne pense pas que ce soit un véritable indice.

— Vraiment ? fit le patron. Eh bien, nous nous en remettons à votre avis. Mais quelle est votre théorie ?

— Oh ! non, non, répondit Petleigh d'un ton las. C'est à vous de nous donner la vôtre, Arrowood.

Le patron se racla la gorge et se redressa sur son fauteuil.

— Pour l'instant, je dirais que le jeune Français était mêlé aux affaires dont Cream s'occupe avec les Fenians. Quelque chose a mal tourné. Soit le garçon s'est enfui, soit il a été tué. Martha a été assassinée parce qu'elle était sur le point de nous parler, ce qui veut dire que l'affaire est importante, plus que ce que nous pouvions imaginer en l'acceptant. C'est pour moi l'hypothèse la plus probable. Et vous, qu'avez-vous découvert ?

Petleigh se releva et chassa une poussière imaginaire sur son veston.

— Nous sommes arrivés aux mêmes conclusions, fit-il en examinant ses manches. À quelques détails près.

Je ne pus m'empêcher de rire, et Petleigh se renfrogna.

— Vous devez me donner le nom de vos informateurs, insista-t-il.

Je remuai ce qui restait de charbon dans la cheminée, tandis que le patron palpait ses poches à la recherche d'allumettes, sans rien dire.

— Vous me causez trop de désagrément, Arrowood, dit l'inspecteur tout en remettant son chapeau avec soin. Laissez la police faire son travail. Si Cream ou ces Fenians décidaient d'en finir avec vous, ils vous écraseraient comme… comme…

Il se tenait au milieu de la pièce, ouvrant et fermant la bouche comme un poisson, la gravité de son avertissement compromise par son incapacité à trouver une expression contondante.

— Comme une vache dont on fait des boulettes de

viande, proféra-t-il finalement. Et cela vaut pour vous aussi, Norman.

— Les boulettes de viande pour moi aussi, inspecteur ?

— Ils vous briseraient comme un biscuit.

— J'entends, monsieur.

— Je suis sérieux ! cria-t-il, furieux. Vous n'êtes pas de taille, enfin ! Les hommes de Cream sont derrière une bonne partie des meurtres commis ces dernières années, et je crains qu'il ne faille ajouter celui de cette pauvre fille à cette liste déjà longue. Vous êtes loin de connaître l'étendue de ses forfaits, Arrowood. Des gens noyés, des passages à tabac, des incendies criminels, tout ce que l'on peut imaginer de pire. Des horreurs. Ils tuent quiconque se met en travers de leur chemin et on les craint tellement qu'il nous est impossible de trouver des gens qui acceptent de témoigner contre eux. Je n'ai pas à vous rappeler l'affaire Spindle, n'est-ce pas ? Vous savez ce qu'ils ont infligé à ce pauvre homme.

Le patron acquiesça.

— Vous ne voulez pas que cela vous arrive, j'imagine ? ajouta l'inspecteur.

Le patron, pensif, fixait les flammes, les mains croisées sur le ventre.

— Vous m'enverrez ce nom, alors, Petleigh ? demanda-t-il finalement.

— Oui, je le ferai, répondit Petleigh avec un soupir. Mais laissez-nous nous occuper de l'assassinat de la serveuse. Dès que vous apprenez quelque chose, vous nous le communiquez. Envoyez-moi un message avec le petit qui vend des muffins. Ne suivez pas la piste vous-même. Je vous aurai prévenu.

Après leur départ, nous restâmes à la chaleur du feu en prenant une autre chope de bière. Le patron lâcha un rire sans joie.

— C'est toujours la même chose, déclara-t-il. Encore

et toujours la même chose, Barnett ! Cet imbécile. Il sait qu'il n'a aucune chance de résoudre ce meurtre sans nous.

— Et demain, monsieur ?

— Demain, nous irons tâter le pouls de Mlle Cousture.

10

C'est à peine si je dormis cette nuit-là malgré mon épuisement ; mon dos me faisait tellement souffrir que je ne savais plus comment me tourner, la douleur dans mon bras brûlait comme du lard sur un réchaud. Jusqu'à l'aube, je ressassai inlassablement les éléments de l'affaire, et la seule conclusion claire que j'en tirai fut que des hommes étaient prêts à nous tuer. Si cela n'avait tenu qu'à moi, j'aurais rendu son argent à Mlle Cousture dès qu'elle avait mentionné le Barrel of Beef, et à présent nous avions en plus à craindre ces redoutables Fenians. Une jeune femme avait trouvé la mort et j'avais été roué de coups. Je craignais l'issue fatale : plus nous nous impliquions dans cette affaire, plus nous risquions de ne pas en sortir vivants.

Je le dis sans ambages au patron comme nous descendions Old Kent Road, au milieu des employés qui hâtaient le pas sur le chemin du travail et des omnibus bondés de monde.

— Nous allons probablement nous faire tuer avant d'avoir résolu cette affaire, avançai-je.

— Pas si nous sommes prudents, répondit-il.

Son ton indiquait qu'il n'en était pas lui-même persuadé.

— Les Fenians doivent grandement vous inquiéter, William.

Son visage se rembrunit. Bien qu'il défende avec ferveur l'autonomie de l'Irlande, les attaques à la bombe dix ans plus tôt l'avaient terrifié. Il avait couvert pour le journal ces tragiques événements et ensuite les procès liés à la cause irlandaise : celui des Invincibles, celui des dynamiteurs de

Mansion House, celui des conspirateurs du *Dynamite Sunday*. Il avait enquêté sur le *Skirmishing Fund* et le *Triangle* et mis à jour les liens troubles entre *Clan na Gael* — le Clan des Gaëls — et Parnell. Cette sombre période l'avait transformé et il se pouvait qu'elle soit, au fond, la raison pour laquelle il avait perdu son travail. Auparavant, il était un chroniqueur intrépide qui pourchassait une histoire coûte qui coûte, et ces longues années dans la terreur l'avaient métamorphosé ; il cessa de mettre du lait dans son thé car on disait que les Fenians empoisonnaient les bidons à la strychnine ; après la découverte du complot pour faire sauter les voies ferrées métropolitaines, il n'osa plus descendre dans les tunnels, et à ce jour, il ne traversait la ville qu'en omnibus ; pendant toute une année, à l'instar de nombreux citoyens craintifs, il ne but que de l'eau que l'on acheminait en citernes depuis la campagne de peur qu'on ait infecté les réservoirs. Je n'avais jamais vu un homme aussi effrayé. Ces vicissitudes n'étaient pas étrangères au départ d'Isabel. Quelques années s'écoulèrent avant qu'il redevienne lui-même, et certaines de ces craintes lui étaient restées qui revenaient à la surface de temps en temps, mêlées à ses colères, à sa bonté et à l'écheveau de qualités qui composaient son caractère unique.

— Que diriez-vous de nous retirer de l'affaire aujourd'hui même ? proposai-je. Nous pouvons rendre son argent à la dame, nous trouverons bien autre chose. Si Cream ou les Fenians apprennent que nous sommes sur leur piste, nous finirons dans le fleuve. Sans dire qu'il faut à présent craindre aussi le policier corrompu qui m'a attaqué. Comment pouvons-nous savoir que ce que nous disons à Petleigh ne revient pas à ses oreilles ?

Il ne répondit pas ; il songeait sans doute à l'affaire Betsy et à la mort de John Spindle. L'affaire avait pourtant semblé d'une simplicité enfantine lorsque nous avions commencé à travailler dessus. Mme Betsy nous avait demandé de suivre son mari, un manutentionnaire des docks, car ses revenus avaient fortement diminué. Elle supposait qu'il perdait au jeu ; nous avions découvert qu'il entretenait une femme du côté de Pickle Herring Stairs. De l'argent vite gagné, avions-nous cru : deux jours à suivre le bonhomme le soir après son travail. Et cela aurait pu en être ainsi, sauf que le patron s'était pris d'affection pour la maîtresse de Bill Betsy et elle l'avait amadoué pour qu'il aide son cousin qui se trouvait dans une mauvaise passe. C'est ainsi que nous avions causé la mort de John Spindle. Sans le savoir, nous l'avions mis en danger. Par-dessus le marché, nous n'étions pas venus le chercher avec un fiacre comme nous l'avions promis. Nous l'avions laissé entre les mains de M. Piser et Boots, qui l'avaient tué à coups de matraque dans la soute à charbon de la pension où nous l'avions caché. Le poids de sa mort pesait lourd sur nos consciences, et jusqu'à présent, nous avions tenu notre promesse de rester à l'écart d'affaires qui risquaient de mal tourner. Pendant quatre ans, nous avions tenu parole, et pourtant ce souvenir terrible suffisait à faire de nous les hommes les plus misérables de Londres.

Le patron s'arrêta, le menton pointé en avant, ses lunettes au bout de son nez rougeaud.

— Barnett, écoutez-moi, dit-il d'un ton ferme et éloquent. Nous avons commis autrefois une erreur épouvantable, mais nous en avons tiré une douloureuse leçon. Je savais que le jour viendrait où nous devrions racheter notre faute et nous servir de ce que nous avions appris.

Il enfonça les mains dans ses poches.

— Cette affaire nous a choisis, mon ami. Ils ont tué Martha — paix à son âme —, ils l'ont tuée pour préserver leur secret. Nous devons poursuivre l'enquête pour elle. Nous ne pouvons pas les laisser s'en sortir impunément. Petleigh ne résoudra pas le cas, et vous le savez. À moins d'avoir des preuves irréfutables, la police ne peut rien faire. Elle manque d'hommes.

— Un penny pour mon bébé, monsieur ? croassa une

pauvre femme en guenilles qui arrivait à notre hauteur. Il est bien malingre, le pauvre p'tit.

Comme il lui donnait une pièce, son regard s'arrêta sur le visage de l'enfant : la morve coulait sur les lèvres, une humeur visqueuse collait ses petites paupières. Le patron tendit à la mère le beau mouchoir jaune canari apparu la veille dans la poche de poitrine de son gilet.

— Nettoyez son visage, dit-il à la femme.

Elle le dévisagea comme si elle craignait un mauvais tour. Avec un soupir d'impatience, le patron essuya lui-même le petit minois et fourra le mouchoir tout neuf dans la couverture de l'enfant.

— Ne le vendez pas, fit-il en s'éloignant. Ce n'est pas pour vous, c'est pour le bébé.

Un peu plus loin, il se tourna vers moi.

— Ce cas nous a choisis, Barnett, répéta-t-il. C'est notre chance de nous racheter.

Arrivés à la bonne adresse, nous trouvâmes une grande demeure en briques grises le long d'une large avenue bordée de maisons cossues. À côté de la porte, une plaque en cuivre était gravée d'une croix et trois lettres : CSJ. Une matrone vêtue d'une robe noire vint nous ouvrir, la tête enserrée d'un linge blanc, et nous fit comprendre sèchement qu'il était trop tôt pour recevoir des visiteurs. Elle nous demanda de revenir à une heure plus convenable, mais, face à notre opiniâtreté, elle se résigna à nous faire entrer et partit chercher Mlle Cousture.

Le parloir était une pièce lugubre avec un piano dans un coin et un grand canapé le long d'un mur. Il n'y avait pour tout ornement qu'une croix en argent avec le corps torturé du Christ ; nous prîmes place sur deux lourdes chaises près de la petite cheminée et écoutâmes les bruits domestiques à l'arrière de la maison, des rires féminins à l'étage. Cette demeure hébergeait vraisemblablement un grand nombre de femmes.

— C'est une maison fort respectable, pour une employée, commenta le patron.

— Peut-être est-ce son oncle qui lui a trouvé la place.

— Si tant est qu'elle ait un oncle.

Un bruit d'assiettes parvint à nos oreilles en même temps que des odeurs de nourriture titillaient nos narines. Je n'avais rien mangé de la journée et j'en eus l'eau à la bouche. Le ventre du patron émit un gargouillement qui me fit penser aux mugissements d'une vache en train de mettre bas.

C'est sur ces entrefaites que Mlle Cousture entra.

Nous nous levâmes comme un seul homme, sans pouvoir cacher notre ravissement devant sa silhouette qu'une robe élégante mettait en valeur ; ses cheveux brillaient même dans la pénombre et je pus sentir le parfum frais de sa peau.

Elle nous fit signe de nous rasseoir et s'installa sur une petite bergère.

— Votre sœur vous a dit que je suis passée chez vous hier ? demanda-t-elle.

— En effet, répondit le patron. Nous voulions vous donner des nouvelles.

— Mais comment m'avez-vous trouvée ? Je n'avais pas laissé d'adresse.

— Nous sommes des détectives, Mlle Cousture, répondit-il. C'est notre métier que de trouver ce type de renseignement.

— Vous avez donc des nouvelles à m'annoncer ?

— Avant de commencer, nous devons impérativement examiner votre chambre, annonça le patron en se dirigeant vers la porte.

Je l'imitai. C'était l'un de ses tours : il pensait qu'il était plus dur de refuser une action qui était déjà entamée qu'une que l'on n'a fait que suggérer.

Mlle Cousture resta assise.

— Mais pourquoi ? demanda-t-elle.

— Il pourrait y avoir des indices dans les affaires de votre frère. Des indices que seul l'œil averti d'un détective peut déceler.

— Il n'y en a pas.

— Vous voulez dire qu'il n'y a rien que vous n'ayez pas remarqué, ou qu'il n'y a pas d'affaires ?

— C'est du pareil au même.

— Permettez-moi de vous contredire, mademoiselle. Nous devons le vérifier par nous-mêmes, dit-il en tendant galamment le bras en direction du couloir. Après vous.

Elle ne bougea pas d'un pouce.

— Vous voulez retrouver votre frère, n'est-ce pas, Mlle Cousture ? demandai-je.

— Vous ne pouvez pas aller dans ma chambre. L'étage est interdit aux hommes.

— Mais votre frère y est monté.

— Non, il n'en avait pas le droit, rétorqua-t-elle d'un ton rageur. C'est une maison respectable, ici.

Le patron se rassit et la dévisagea gentiment. C'était là encore l'une de ses techniques psychologiques : un regard bienveillant au-dessus d'une bouche pincée.

La jeune femme tint bon pendant quelques secondes avant de commencer à se trouver mal à l'aise. Ses yeux se portèrent sur moi, puis sur la cheminée, puis elle perdit sa contenance.

— *Bon sang !* s'écria-t-elle en tapant de la main sur l'accoudoir. Très bien, j'avoue ! Je ne vous ai pas dit la vérité. Il n'est pas resté ici avec moi. Voilà. C'est ce que vous vouliez m'entendre dire ?

— Mais pourquoi, mademoiselle ? demanda le patron. Nous voulons vous aider.

— J'avais peur que vous ne preniez pas l'affaire au sérieux. Je savais que vous diriez qu'il était retourné en France, donc j'ai dit qu'il avait laissé ses papiers ici.

— Il n'a même pas laissé ses papiers ? s'exclama le patron.

— Je ne sais pas, fit-elle humblement.

— Et je ne sais plus si je peux vous croire, Mlle Cousture.

— Pour le reste, tout est vrai, je vous le jure, monsieur Arrowood. Tout. Je vous en prie, monsieur. Retrouvez mon frère. Je vous ai payé. Vous avez donné votre parole.

Il agrippa sa canne.

— S'il vous plaît, monsieur Arrowood, le supplia-t-elle. Je suis désolée de vous avoir menti.

— Où est-ce qu'il logeait, alors ? demandai-je. Puisqu'il n'était pas avec vous.

— Dans des hôtels bon marché, il changeait tout le temps. Je ne sais pas où il était en dernier.

— Vous connaissez ces hôtels ? Leurs noms, au moins ?

— Non, monsieur.

— Pourquoi n'habitiez-vous pas ensemble ? demanda sèchement le patron.

— Je me sens en sécurité ici. C'est un foyer pour femmes seules, un lieu convenable. Thierry ne sait pas gérer son argent, il boit. Je ne peux pas payer son loyer en plus du mien.

Elle se pencha brusquement en avant pour serrer le bras du patron.

— Je vous en prie. Vous devez continuer. Je sais qu'il est en danger, il avait peur. Je ne l'avais jamais vu comme ça.

— Il a pu retourner au pays, suggérai-je. C'est le plus raisonnable.

— Il ne serait pas parti sans me dire où il allait. Il aurait envoyé un message. Il boit, c'est vrai, mais il est loyal.

Elle lâcha le patron, qui se carra dans son siège et commença à bourrer sa pipe en lui expliquant ce que nous avions appris.

Lorsqu'il eut fini, elle nous regarda, le visage assombri par l'inquiétude.

— C'est affreux, murmura-t-elle. C'est très mauvais signe, n'est-ce pas ?

— Pouvons-nous donner votre nom à l'inspecteur Petleigh ? demanda le patron.

Elle secoua la tête.

— Très bien, nous ne dirons rien. Pourrions-nous au moins savoir pourquoi vous souhaitez rester dans l'ombre ?

Elle déglutit avec difficulté. Pour la première fois, elle semblait hésiter. Après moult froncements de sourcils et autres mimiques charmantes, elle répondit :

— C'est à cause de M. Fontaine. Il se fâcherait avec moi si je faisais venir la police à son studio.

Le patron pencha la tête.

— M. Fontaine serait contrarié, dites-vous ?

Elle hocha la tête et se mit à chuchoter.

— Il prend un certain genre de photographies, des… des femmes, vous savez ? Cela pourrait provoquer un scandale. Je ne sais pas.

— Quel type de photographies ?

— Pour les gentlemen.

— Vous voulez dire, des photographies intimes ?

— Des images érotiques, monsieur Arrowood.

Le patron cilla plusieurs fois, comme si quelque chose lui était entré dans l'œil.

— Et vous l'aidez ? demanda-t-il.

Elle ne répondit pas. La porte s'ouvrit et la matrone fit irruption dans la pièce.

— Vous devez demander à ces messieurs de partir, Caroline. Nous avons besoin de vous en cuisine.

La jeune femme se releva.

— Oui, madame. J'arrive tout de suite. Ces messieurs partaient déjà.

La matrone nous regarda d'un air peu amène et retourna dans le couloir.

— Monsieur Arrowood, dit Mlle Cousture, la main sur la poignée de la porte, le visage soucieux. Vous devez aller au Barrel of Beef et trouver ce qui s'est passé.

— Les gars de Cream nous tueront si nous osons y
mettre les pieds, dis-je.

— Vous pouvez y entrer de nuit. Quand l'établissement
est fermé.

Le patron fut aussi choqué que moi d'entendre de tels
propos.

— Vous le ferez ? demanda-t-elle.

Le patron acquiesça. Je m'éclaircis la gorge, gêné.

— Nous avons besoin d'être payés, mademoiselle.

Elle sortit sa bourse d'un pli de sa jupe.

— J'attendrai dehors, Barnett, fit le patron en se relevant.
Bonne journée à vous, mademoiselle Cousture.

11

Cette même nuit, à une heure avancée, je franchis encore une fois le seuil du White Eagle. Comme je l'espérais, j'y trouvai Ernest, avachi sur le bar, une chope de gin dans sa main noueuse.

— Nom de Dieu, grogna-t-il. Encore vous.

— Je vous paie un coup, l'ami ?

— J'suis pas votre ami, déclara-t-il en haussant le ton pour s'assurer d'être entendu. Débarrassez le plancher et fichez-moi la paix.

La serveuse se tourna vers nous, curieuse. Les trois pierreuses installées près de la fenêtre ne faisaient aucun cas de nous, mais derrière le panneau de verre le vendeur d'allumettes chercha mon regard et le soutint en dépit des tics qui agitaient la moitié gauche de son visage. Il me sourit, puis, incapable de maîtriser ses spasmes, couvrit sa joue d'une main.

Je commandai à boire.

— J'en veux pas, fit Ernest.

— Juste quelques questions. Après, je vous laisse en paix.

Je mis un shilling dans sa paume. Il me lança un regard noir avant de l'empocher.

— J'ai besoin de quelques renseignements sur Martha. Que savez-vous d'elle ?

— Rien. Elle s'entendait bien avec Terry. C'est tout. Ils prenaient du bon temps ensemble.

— C'était sa maîtresse ?

— Sais pas. Pour moi, elle se trouvait trop bien pour les

zigs qui travaillent au Beef. Elle attendait qu'un gentleman l'installe dans un endroit chic, c'est c'que j'crois. Elle attendait un bon pigeon. C'était une cocotte, voilà. Je croyais qu'elle avait trouvé un aristo à l'étage.

— Ce n'était pas une prostituée, alors ?

— Trop mijaurée pour ça.

Il prit une gorgée de gin.

— Vous l'avez vue avec un soldat ?

— Je suis en cuisine. Je vois rien de ce qui se passe en haut.

— Vous avez entendu parler d'un soldat, d'un officier ou quelque chose comme ça qui serait venu la voir ?

Il renifla, puis s'essuya le nez avec la manche de son manteau miteux.

— J'ai rien entendu.

— Il y a une porte arrière dans la cuisine ?

— Sur la cour.

— Vous avez la clé ?

— Si je l'avais, je vous la donnerais pas. De toute façon, on la ferme avec deux verrous, en haut et en bas, et même si vous aviez la clé, vous pourriez pas entrer.

Dehors, une femme beuglait alors qu'un policier lui tordait le bras dans le dos. Il la poussa sans façons tandis qu'elle tentait de s'échapper.

— Qu'est-ce que vous allez en tirer si vous entrez, vous ? demanda Ernest en plissant les yeux. Vous voulez cambrioler le Beef, c'est ça ?

— J'ai besoin que vous me rendiez un service, Ern, dis-je. Laissez une des fenêtres à l'arrière ouverte demain soir, c'est tout. Ça vous prendra une minute. Même pas.

— Pas question, dit-il en clignant frénétiquement des yeux. M. Cream a été bon pour moi et je lui rends la pareille.

— Vous pouvez gagner une demi-couronne.

— Allez au diable. Vous pourriez m'offrir cinq livres que je le ferais pas.

Il vida son verre et tourna les talons, je l'attrapai par le bras.

— Lâchez-moi ! s'exclama-t-il, à présent en colère.

— Je n'ai pas fini, camarade.

Il essaya de se libérer mais je resserrai ma prise.

— Lâchez-moi, bon sang de bonsoir ! cria-t-il en se débattant.

— Qu'est-ce qui se passe ? demanda la serveuse en s'approchant. C'est pas méchant, hein ?

Je le relâchai.

— La famille, vous savez, dis-je avec mon plus beau sourire en lissant le devant du manteau du vieillard. Tout va bien.

Ernest me jeta un regard furibond et décampa sans plus un mot.

Le lendemain matin, le patron ne cacha pas son mécontentement quand il apprit que je n'avais pas réussi à soudoyer le plongeur.

— Dites-moi ce qu'il a dit, demanda-t-il.

Je commençai à répéter ce qui s'était passé, mais je n'avais pas dit trois mots qu'un des livres de prières d'Ettie traversa l'air tiède du parloir en direction de ma tête.

— Pas hier soir ! cria-t-il. Depuis le début ! Depuis la première fois que vous l'avez rencontré ! Et je veux entendre tous les détails dont vous pourrez vous souvenir !

Je pris une longue inspiration, tâchant de me maîtriser. Je n'avais jamais pu souffrir que l'on me crie dessus, il le savait. Je lui lançai un regard furieux, et il s'affaissa dans son fauteuil.

— Je vous présente mes excuses, Barnett. J'avais promis de ne plus lancer mes impedimenta contre vous, je ne l'ai pas oublié. Ma sœur me rend marteau. C'est tout ce que je peux dire. Je ne le referai pas.

— Prenez garde à ne pas recommencer, dis-je. Plus jamais. Autrement, je vous fourrerai ce livre si loin dans le gosier que vous devrez dire vos prières par l'arrière-train.

Il cilla, pantois, puis retrouva l'usage de la parole.

— Je vous donne ma parole, Norman. Maintenant, je vous prie, racontez-moi tout. Aussi fidèlement que vous le pouvez.

Quand j'eus fait le récit minutieux de mes trois entretiens avec Ernest, il me questionna longuement à propos de chaque détail : combien de temps il mettait pour aller uriner quand il avait bu de la bière, le cadeau que Cream lui avait fait, les brocards de la serveuse sur sa virilité. Ensuite, il s'assit et fuma sa pipe dans le silence scandé par le tic-tac de la pendule sur la cheminée. Finalement, il déclara :

— J'ai un plan. Écoutez-moi bien.

Lorsque j'arrivai au White Eagle, à la même heure que la veille, le patron était déjà installé à une table près du bar avec une assiette d'huîtres devant lui et sirotait un verre de vin ; il portait son meilleur complet, ses cheveux étaient lissés et parfumés, ses ongles parfaitement propres. Ernest, accoudé au bar, reniflait comme toujours dans son vieux manteau ; le cocher tentait de débaucher la serveuse ; quelques hommes buvaient en silence, les yeux au fond de leurs chopes.

Je m'avançai et fis claquer une pièce sur le comptoir.

— Une pinte pour moi, claironnai-je, et pour mon ami, une autre tournée de ce qu'il voudra.

Le vieil homme sursauta comme si je venais de le réveiller.

— Nom de Dieu, gémit-il, pas vous ! Je ne ferai rien, je vous l'ai déjà dit. Et je ne veux pas de ce verre non plus.

Je lui payai tout de même un gin et restai à ses côtés avec ma pinte. Le gros serveur passa à côté de nous avec une caisse de bouteilles.

— Ernest ! cria le cocher à l'autre bout du bar.

— Quoi ? rouspéta celui-ci.

— Le journal parle de toi.

— Hein ?

Le cocher leva le journal et claironna :

— « Un homme tombe dans les latrines »…

La risée fut générale.

— Va te faire foutre ! pesta Ernest.

Lorsque la serveuse tourna le dos, il vida son verre et se dirigea vers la porte. Je l'attrapai par la manche, qui était molle et humide comme une serpillière.

— Vous allez me lâcher, nom de Dieu ! postillonna-t-il. Lâchez-moi la grappe !

— Juste la fenêtre, compère, murmurai-je à son oreille. Je ne demande que ça. Je saurai faire preuve de générosité, vous ne le regretterez pas.

Il tenta de toutes ses forces de se dégager, et je le serrai plus fort.

— Ouch ! cria-t-il.

— Laissez cet homme ! intervint le patron. Il ne souhaite pas vous parler, monsieur.

— Cela ne vous regarde pas, répondis-je. Retournez à votre table. Nous discutons, voilà tout.

Le patron brandit sa canne et l'abattit hargneusement sur mon poignet. Je lâchai Ernest avec un juron. Ça faisait un mal de chien : il m'avait frappé beaucoup plus fort que convenu et, en dépit de ses promesses de faire attention, avait porté le coup sur le bras que le policier avait failli me casser deux jours plus tôt.

— Voilà, monsieur ! s'exclama-t-il. Et que je ne vous reprenne pas à molester cet homme !

Je reculai comme si j'avais peur de lui en luttant pour cacher ma colère.

— Venez à ma table, dit-il courtoisement à Ernest. Venez vous asseoir avec moi jusqu'à ce que vous vous soyez remis. Vous avez été malmené.

— Merci de votre aide, monsieur, répondit le plongeur. J'apprécie l'invitation, mais j'aime mieux partir. M'éloigner de lui.

— Bien entendu, bien entendu, fit le patron en s'interposant cependant entre lui et la porte. Mais est-ce que cela vous ennuierait de rester encore un instant ? Je ne permettrai pas que cet homme vous approche. Je ne suis pas d'ici, voyez-vous, je ne reste que deux jours, et j'ai fortement besoin de conseils à propos de cette partie de la ville. J'envisage d'investir dans une affaire qui se trouve à quelques pâtés de maisons d'ici.

Il se pencha vers le vieil homme et murmura en englobant d'un geste l'assemblée :

— Ces gens-là m'ont tous l'air de pauvres nigauds, ou presque, mais je vois chez vous un homme qui a du flair. Ai-je vu juste, monsieur ?

— Eh ben, vous n'avez pas tort, je dirais. Ça fait soixante ans que j'habite et que j'travaille ici, alors on peut dire que ça m'connaît. Juste, je ne veux pas qu'il m'approche, l'autre.

— Je ferai en sorte qu'il ne vous importune plus, le rassura le patron en le conduisant à sa table. Je vous en prie, asseyez-vous avec moi. Je vous en saurai gré.

— Bon, ben, d'accord, fit Ernest en s'attablant avec lui. Je suppose que je peux faire ça.

Je buvais ma pinte en leur tournant le dos, mais une des glaces du bar me permettait de les observer. J'entendis le patron qui demandait des renseignements sur le quartier : la position dans le West End, quels hôtels avaient la meilleure réputation, à quelle distance étaient les théâtres et ce genre de choses. La serveuse passa et le patron la héla.

— La même chose pour moi et un verre de gin pour mon ami, s'il vous plaît, mademoiselle.

— Ben, je suppose qu'un autre ne peut pas faire du mal, fit Ernest.

— Je ne supporte pas de voir un homme se faire rudoyer, dit le patron. Ce n'est pas ma vision du monde. Des malotrus comme celui-là n'ont pas le droit de malmener un honnête travailleur comme vous. Je présume que vous arrivez de votre travail, je me trompe ?

— J'en sors tout juste.

— Et où travaillez-vous, monsieur ?

— Dans une rôtisserie qui s'appelle The Barrel of Beef. Sur Waterloo Road, si vous connaissez.

— Ah ! J'y suis allé, figurez-vous. Excellente maison. Il me semble que c'est le meilleur endroit pour manger dans cette partie de la ville.

— Je travaille dans la cuisine, fit Ernest entre deux gorgées de gin. Depuis dix ans à peu près.

— Dix ans ! Votre employeur doit vous apprécier.

— C'est sûr. M. Cream, qu'il s'appelle. Un homme riche, un des plus riches par ici, pour sûr.

— Je possède moi-même un hôtel à Gloucester, fanfaronna le patron. Vingt chambres. J'ai un homme comme vous là-bas, il est avec moi depuis le début. Je peux vous jurer que je renverrais tous les autres plutôt que de me passer de lui. Jamais en retard, jamais manqué un jour sauf s'il est très malade. Je gage que vous êtes comme lui ?

— Oui, monsieur. Jamais manqué, pas un seul jour.

— J'en étais sûr. Vous savez, c'est à son regard que l'on reconnaît un honnête homme. J'ai tout de suite vu dans le vôtre que vous étiez la bonté même. Dites, mon brave, je vais recommander des huîtres. Auriez-vous l'obligeance de vous joindre à moi ?

Après avoir commandé à manger et à boire, le patron recommença son boniment.

— Non, je ne souffre pas de voir un homme se faire rudoyer. Qu'un homme puisse penser que parce qu'il est plus jeune et plus fort il est meilleur, ah, ça non. Il ne voit pas l'intérieur ! La sagesse que donne l'âge ! Quand je vois un jeunot malmener un vieillard, je vois rouge ! J'ai envie de lui casser un bras.

— Je vois aussi les choses comme ça, monsieur.

— Écoutez, je me disais, que diriez-vous de travailler pour moi ? Vous auriez une bonne place et un salaire dont vous n'auriez pas à vous plaindre. J'ai besoin d'un autre homme de confiance.

— Ben…

— Bien sûr, l'interrompit le patron, vous n'allez pas quitter votre employeur, vous ne mangez pas de ce pain-là. Non, bien sûr que non. Je n'aurais pas dû demander, je vous demande pardon de vous avoir mis dans l'embarras.

Il grimaça alors avec un cri de douleur.

— Diantre ! Ce genou me fait souffrir comme un damné. Mes jointures ces temps-ci ne sont que douleur. La vieillesse est un naufrage, comme on dit, n'est-ce pas ?

— Oh ! que oui, fit Ernest. Je me réveille pour pisser cinq ou six fois la nuit. Je suis plus fatigué le matin qu'en allant me coucher. L'âge n'est pas l'ami du corps, pour sûr.

— Je suis désolé de l'entendre, fit le patron, la voix empreinte de compassion. Cela doit vous rendre la vie bien pénible.

— C'est le cas, monsieur. Mais je ne crie pas à la miséricorde.

— Vous n'êtes pas du genre à geindre. J'ai remarqué en arrivant que vous vous teniez les reins. Votre dos vous fait souffrir aussi ?

— Un vrai martyre. J'essaie de ne pas trop prendre mon remède, le Black Drop, parce que ça m'assomme, voyez-vous. Mais j'suis bien forcé, j'ai pas le choix.

— Je ne permets pas que mes employés travaillent quand ils sont malades. Cet homme dont je vous parlais, son dos aussi lui donne du fil à retordre. Si je vois qu'il souffre, je le renvoie chez lui. Je lui paie son dû quand même. C'est une question de principe. L'âge a raison de nous tous, à la fin. Je suppose que votre employeur fait comme moi.

— Ben non, à vrai dire. Il s'attend à ce que j'travaille, souffrant ou pas.

— Quoi ? Un homme loyal comme vous ?

— Oui, monsieur.

Le patron secoua sa tête, l'air atterré.

— Je suis confondu, je dois dire.

Les huîtres arrivèrent avec les boissons, et pendant quelques minutes ils ne parlèrent pas.

— Combien vous paie-t-il, ce M. Cream, demanda enfin le patron, si ce n'est pas une indiscrétion ?

— Six shillings la semaine.

Le patron fit mine de s'étrangler avec sa bière et crachota un peu, en se tapant le torse de la main.

— Ce n'est pas possible, s'exclama-t-il avec indignation. Six shillings pour un employé dévoué comme vous ? C'est une honte !

Ernest acquiesça.

— Vous, qui n'avez pas manqué un seul jour de travail ? Qui travaillez même malade ? Alors que vous vous levez cinq fois par nuit à cause d'un problème à la vessie ? Six shillings la semaine ?

Ernest acquiesça encore.

— Ce M. Cream commence à baisser dans mon estime, Ernest. Je suis navré de vous le dire, je sais que vous le respectez, mais je dois avouer que la façon dont il vous traite me semble choquante. Choquante, oui, parfaitement. Je suppose tout de même qu'il vous augmente chaque année ?

— J'ai jamais été augmenté, monsieur.

Le patron le regarda bouche bée, et Ernest, mal à l'aise, se gratta l'entrejambe et finit son gin d'un trait.

— Quoi, depuis dix ans ? s'émut le patron.

— Jamais, monsieur. Maint'nant que vous le dites, je suppose que j'aurais dû avoir un p'tit rabiot, depuis l'temps.

— Un, vous dites ? Bien plus, mon ami. Je n'en crois pas mes oreilles. Et des jours de repos, vous en avez ?

Ernest secoua la tête.

— Pas étonnant que votre dos vous fasse souffrir. Pas un seul jour de repos ?

— Même pour visiter votre famille ?

— J'ai pas de famille. Mais il devrait m'en donner de temps en temps, hein ?

— Il aggrave votre maladie.

Le patron commanda encore à boire, puis, une fois servi, prit une longue gorgée de bière et s'essuya la bouche.

— Mon employé gagne un demi-souverain par semaine. Il fait le même travail que vous. Je l'augmente d'un penny chaque année. Il a droit à deux jours de repos par mois. J'espère que vous ne m'en voudrez pas de vous parler aussi franchement, mais je suis persuadé, et de nombreux employeurs partagent mon avis, que chaque homme a droit au respect. Si un homme d'affaires récolte de bons profits, il se doit de traiter ses employés avec dignité. Je crois que l'on abuse de vous.

— Je croyais qu'c'était comme ça partout, monsieur.

Le patron hocha la tête affablement.

— Finissez ce verre, que je vous en commande un autre. J'apprécie particulièrement votre compagnie.

Lorsque la serveuse arriva avec la nouvelle tournée, il reprit :

— Je vous prie d'excuser mon franc-parler, mon ami. Je n'ai pas pu m'en empêcher, j'espère ne pas vous avoir offensé ?

— Si vous dites que c'est vrai, c'est qu'c'est vrai, fit Ernest, enhardi par l'alcool. Vous êtes un gentleman et un homme d'affaires et vous savez de quoi vous parlez, il me semble. La vérité, c'est que parfois je crois qu'il ne me traite pas bien, M. Cream. J'ai ce sentiment depuis quelque temps. Il laisse ses hommes se ficher de moi parce que j'suis vieux. Il y en a un, il est mauvais, Long Lenny qu'il s'appelle. Je serais pas fâché de le voir dans le fleuve, c'lui-là.

— Je le savais, répondit le patron en claquant la main sur

la table. Votre sens de la loyauté vous empêchait de m'ouvrir votre cœur. Mais je sentais qu'il y avait quelque chose.

Ernest poussa un soupir de gratitude, et le patron prit un ton de conspirateur.

— Qu'est-ce qu'il voulait de vous, ce rustre au comptoir ? Il voulait vous voler, c'est ça ?

— Non. Il prépare quelque chose.

L'ivresse lui déliait la langue.

— Il veut entrer dans le Beef, faire un fric-frac. Il veut que je laisse une fenêtre ouverte le soir. Et il m'a offert une demi-couronne. Une demi-couronne.

— C'est un cambrioleur ? murmura le patron.

Je dus tendre l'oreille pour entendre la suite.

— Possible. Je lui ai dit non, mais il est revenu, il lâche pas le morceau. Il veut pas me lâcher, cette sangsue.

— C'est bien ce que je disais. Vous êtes exactement le type d'homme qu'un employeur devrait bichonner comme la prunelle de ses yeux.

— Comme si ça m'avait servi à quelque chose, à moi, fit Ernest avec un rot.

— Franchement, ce M. Cream mérité d'être cambriolé rien que pour la façon dont il vous traite, et que Dieu me pardonne de parler ainsi. Dire qu'il ne vous a pas augmenté en dix ans, avec l'argent qu'il doit gagner avec une si belle affaire. Vous méritez certainement une petite gratification, après tout, sans parler des misères que vous fait votre corps parce qu'il vous fait trimer.

— P't-être que vous avez raison. Je souffre beaucoup, monsieur, c'est vrai, je dis pas le contraire.

Je les regardai du coin de l'œil. Ernest vacillait sur le petit tabouret.

— Combien vous a-t-il proposé, disiez-vous ?

— Une demi-couronne.

— Demandez une couronne.

Ernest prit une grande inspiration et s'agrippa à la table.

Il ouvrait et fermait la bouche comme un poisson, se passait la langue sur les lèvres. Il semblait incapable d'articuler le moindre mot.

— Ce n'est que justice, après tant de bons et loyaux services, insista le patron. Quand je pense à la façon dont ce M. Cream a profité de vous. À votre pauvre dos brisé par le dur labeur. Ouvrir une fenêtre ne me paraît pas bien risqué. Personne ne le saura. Je vais le faire venir à la table, voulez-vous ?

Le vieil homme éructa de nouveau.

— Oh ! pardon, monsieur, ça monte comme ça parfois, j'y peux rien. Mais… vous pensez… vous croyez que c'est bien, ce que vous dites de la fenêtre ?

— C'est juste et bon, je vous le dis. C'est mon avis d'homme d'affaires. Ce qui est juste est juste, et ça ne se discute pas.

— Bon, si vous le dites.

Le patron se releva et boutonna son manteau avant de serrer fermement la main du plongeur.

— Je crains que mes genoux mal en point ne m'obligent à vous quitter maintenant. Je suis honoré d'avoir rencontré un homme aussi zélé que vous. Si jamais vous allez à Gloucester, passez me rendre visite. Nous déjeunerons ensemble.

— Je…

— Oui, je serai enchanté de vous revoir. Maintenant, regardez.

Il traversa la pièce pour venir taper sur mon épaule avec sa canne.

— Le prix, c'est une couronne, vous, coquin. Pas un penny de moins, vous m'entendez ? Mon ami, là, à la table, fera ce que vous avez dit, mais il veut son argent sonnant et trébuchant.

— Oui, monsieur.

Comme je tirai la pièce de ma poche, une douleur sans

nom traversa mon bras. Avec un juron, je m'approchai d'Ernest et mis l'argent dans sa paume rougeaude.

— Il le fera demain soir, poursuivit le patron. Quelle fenêtre, mon ami ?

Ernest cilla.

— Quelle fenêtre ? répétai-je.

— Sur la cour, en bas, marmonna-t-il. La petite près de la porte de la cuisine.

— Petite comment ?

— Faudra p't-être un gosse pour y passer.

— Je reviendrai demain, me dit le patron. Si j'entends que vous avez réclamé cet argent à mon ami, vous devrez en répondre devant moi. C'est entendu ?

Je baissai les yeux comme si j'avais peur de lui et touchai le bord de ma casquette.

— Bonsoir, monsieur, conclut le patron avant de s'en aller d'un pas titubant.

12

Le lendemain, à la nuit tombée, quand les pubs et brasseries furent fermés et que les vagabonds se mirent à ronfler sous des tas de chiffons dans le silence des rues troublé seulement çà et là par le passage d'un fiacre, nous arrivâmes aux abords du Beef. Derrière nous, le petit Neddy chancelait de fatigue sur les pavés. Nous parlions peu : c'était la première fois depuis quatre ans que nous envisagions de pénétrer dans ce lieu de malheur. Je me dirigeai à l'arrière, du côté du Skirt of Beef, et me tapis dans l'embrasure d'une porte pour observer les fenêtres ; le patron prit le gamin pour reconnaître le terrain à l'avant.

Après m'être assuré qu'il n'y avait aucun signe de vie à l'intérieur, je les rejoignis. Nous avançâmes à pas de loup par la ruelle latérale et nous introduisîmes dans la cour ; des rats décampaient sous nos pieds sur le sol jonché des restes tombés des poubelles bourrées à craquer ; un regard d'égout se trouvait dans son centre : à en juger par l'odeur, c'était là que se soulageaient ceux qui travaillaient dans les cuisines.

Près d'une lourde porte en chêne se trouvait la fenêtre dont avait parlé Ernest. Je la poussai, et elle s'ouvrit.

Neddy tremblait à côté de moi.

— Tu as froid, petit ?

— Un peu.

— Tu as peur ?

— J'ai jamais fait un cambriolage.

— Ce n'est pas un cambriolage, Neddy, dis-je. Nous n'allons rien voler. Nous cherchons des indices.

— Je sais, mais la police le sait pas, pas vrai ?

— Écoute, fiston, fit le patron d'un ton rassurant en posant les mains sur les frêles épaules. Tu es un garçon courageux, je le sais. J'ai su dès que je t'ai vu que tu étais différent. Je l'ai dit à M. Barnett. Je lui ai dit : « Ce garçon ira loin. » C'est pourquoi nous t'apprenons comment devenir détective.

— Je sais, monsieur.

— Bien. Tu sais, ce sera vite fait. Nous allons t'aider à grimper. Une fois dedans, tu n'as qu'à ouvrir la porte. Il y a deux verrous, en haut et en bas. Tu auras peut-être besoin d'un tabouret. Dès que c'est fait, tu en ressors. Et voilà.

— Et s'il y a quelqu'un ? demanda Nedd, mal à l'aise.

Il portait des bottes d'homme dépareillées, l'une noire, l'autre marron, deux fois trop grandes pour ses petits pieds.

— Il n'y a personne. Regarde. Pas de lumière, nulle part.

— Ils sont peut-être en train de dormir.

— Ils ne dorment pas dans la cuisine, intervins-je. Allez, viens. Donne-moi ta casquette.

Le petit avait du courage. Nous lui fîmes la courte échelle jusqu'à la fenêtre et il se glissa facilement à l'intérieur. Nous entendîmes le bruit de sa chute sur le sol et un petit grognement, mais l'instant d'après la porte s'ouvrait.

— Bravo, jeune homme, dis-je. Nous sommes fiers de toi.

Il renifla en se frottant le coude, et l'éclat d'une larme fit briller ses yeux dans la pénombre. Il s'était fait mal en tombant.

— Tu es sacrément courageux, chuchota le patron. Maintenant, tu vas nous attendre devant, bien à l'affût. Si tu vois de la lumière, ou si quelqu'un arrive et ouvre la porte, je veux que tu lances ça contre la fenêtre.

Il lui tendit un caillou.

— Mais, et si je casse la vitre ?

— Je veux que tu la casses, parce qu'il faut que nous entendions le bruit. Et après, tu déguerpis. Tu rentres chez toi aussi vite que tu le peux. Tu m'entends ?

— Oui, monsieur, dit-il d'une petite voix.

Le patron lui ébouriffa les cheveux.

— Vas-y. Nous n'avons pas de temps à perdre.

Les fourneaux étaient encore chauds dans la cuisine, et quelques braises luisaient faiblement dans les foyers. Nous tendîmes l'oreille, mais à part le trottinement d'une souris dans le mur, le silence était complet. Le patron alluma le bout de chandelle qu'il avait apporté et, sans faire le moindre bruit, nous traversâmes sur le sol dallé jusqu'au couloir d'où partait l'escalier ; la première marche émit un craquement de tous les diables. Je me figeai, le patron s'agrippa à mon manteau : s'il y avait quelqu'un, il nous avait sûrement entendus. Comme aucun son ne nous parvint, nous poursuivîmes notre ascension ; au premier étage se trouvait une grande salle avec des longues tables et des chaises, puis deux salons privés à l'arrière. Tout était calme et dans le noir. C'était la même chose au deuxième étage ; sur le palier, une lourde porte verte avec un panneau vitré barrait l'accès au troisième. Je sortis mon passe-partout et ouvris la porte sans difficulté tandis que le patron reprenait son souffle. De nouveau, nous attendîmes. La voie était libre. Au dernier étage, une roulette occupait le centre de la salle de jeu, à côté d'une grande table de baccara et d'autres, plus petites, pour les joueurs de cartes ; un bar occupait l'un des murs. Pendant que le patron faisait le tour de la pièce, je m'approchai de la fenêtre pour jeter un œil à la rue. Une fine pluie tombait, et quatre étages plus bas Neddy faisait le guet, accroupi dans l'encoignure de porte d'une boutique, la casquette enfoncée jusqu'aux oreilles, les bras autour des genoux. La rue était déserte.

Le bureau de Cream donnait sur la façade arrière. Une fois de plus, mon passe-partout fit des miracles.

— Votre dextérité est remarquable, Norman, murmura le patron.

Rassurés par le silence environnant, nous nous introduisîmes enfin dans le saint des saints.

Le patron, la chandelle à la main, éclaira tour à tour le
grand bureau près de la fenêtre, un coffre-fort à côté d'un
buffet, une petite table contre le mur. Les étagères de la
bibliothèque contenaient de gros registres.

— Par où commencer ? demandai-je en levant ma bougie.

Il fallait travailler vite. Si les hommes de Cream arrivaient alors que nous étions à cet étage, nous serions faits
comme des rats.

— Je m'occupe du bureau, dit-il. Vous, cherchez dans le
placard des notes autour de la disparition de Thierry, des
noms qui vous disent quelque chose, en rapport avec les
Fenians ou les fusils.

Ouvrir les tiroirs et le buffet fut un jeu d'enfant. J'avais
appris l'art de crocheter les portes avec mon oncle Norbert
quand j'étais tout gamin ; il était serrurier et comptait
m'apprendre le métier, mais, une nuit, il était tombé entre
deux péniches et s'était noyé. On avait dit qu'il était ivre
et je n'avais aucune raison d'en douter. Cette habileté ne
m'avait pas été d'une grande utilité lorsque je travaillais dans
les tribunaux, mais elle faisait de moi un précieux assistant
pour M. Arrowood, pour autant que les serrures fussent
simples : les plus chères, comme celles des portes du Beef,
me résistaient, mais les petites et les vieux modèles n'avaient
pas de secret pour moi.

Les documents que je trouvai à l'intérieur du buffet
remontaient loin dans le temps : des livres de comptes du
Beef et des autres affaires de Cream, des bordereaux, des
factures. Rien qui puisse nous intéresser.

Le patron, assis au bureau devant un épais carnet rouge,
griffonnait des notes sur son propre calepin. Chaque
bruissement, chaque grincement, le moindre coup de vent
nous clouait sur place. Je tentai ma chance avec le coffre-
fort, mais il était fermé et Norbert n'avait pas eu le temps

de m'initier à cet art-là. J'étais en train de m'attaquer aux étagères quand nous entendîmes la vitre se briser.

— Faut y aller, chuchota le patron.

Nous quittâmes le bureau en toute hâte et attendîmes un instant en haut de l'escalier. Aucun signe de vie. Nous descendîmes en prenant bien garde de poser le pied sur le giron de chaque marche pour éviter les grincements.

Ce fut sur le palier du deuxième étage que nous les entendîmes : les voix étouffées d'hommes qui parlaient en bas, le frottement sur le sol de quelque chose de lourd que l'on déplace. Le patron essayait de respirer sans faire de bruit ; mon cœur battait à tout rompre.

— Où nous cacher ? murmurai-je.

— Il faut sortir.

Il avait raison. Les hommes de Cream étaient armés et, s'ils nous trouvaient sur place, nous n'en sortirions pas vivants.

Les voix venaient tantôt de la cour, tantôt de la cuisine. Encore le même frottement d'un objet lourd. Le patron me donna un coup de coude, nous descendîmes au premier. Les bruits depuis la cuisine nous arrivaient distinctement.

Le patron désigna d'un geste l'un des salons privés.

— Là-bas ?

Mais avant que nous ayons eu le temps de nous cacher, quelqu'un appela en bas et, avec un bruit de troupeau, les hommes sortirent dans la rue.

Nous en profitâmes alors pour dévaler l'escalier, traverser la cuisine et prendre la ruelle qui débouchait du côté du Skirt, à l'opposé de l'entrée principale. Le patron, trop lourd et mal chaussé, peinait à courir ; aussi, lorsque nous fûmes certains que personne ne nous suivait, nous nous éloignâmes du Beef en direction du Waterloo Bridge. La pluie tombait à verse à présent et les nuages occultaient la lune, tout était sombre comme la bouche de l'enfer. Nous rebroussâmes chemin par le dédale de ruelles au nord du Beef jusqu'à nous trouver de nouveau à quelques boutiques de la rôtisserie. Là, nous nous cachâmes derrière un tas de débris provenant d'une maison tombant en ruines.

Je reconnus le cabriolet de Cream et son cocher qui fumait sur le trottoir, abrité sous une porte. À côté, je vis un fourgon chargé de tonneaux et de longues caisses en bois. Le canasson attelé n'avait que la peau sur les os et sa tête pendouillait tristement, comme s'il pensait qu'il était trop vieux pour être dehors à une heure pareille. La porte du Beef était ouverte, nous pouvions entendre les voix des hommes à l'intérieur.

— C'était bigrement cocasse, murmura le patron lorsque sa respiration redevint normale.

— Nous avons eu de la chance, répondis-je.

Je ne savais plus comment me tenir sur le tas de briques humides, mon dos me faisait souffrir et j'espérais que le patron déciderait que nous en avions assez fait pour rentrer à la maison et me coucher. Pendant au moins dix minutes, rien ne se passa.

— Dites-moi, Barnett, murmura-t-il en se posant sur une pile de pierres. Qu'avez-vous pensé quand Mlle Cousture nous a demandé d'entrer au Beef par effraction ?

La pluie coulait du bord de son chapeau comme d'une gouttière.

— J'étais surpris qu'une dame comme elle suggère une telle chose.

— Elle a une certaine dureté de caractère, n'est-ce pas ? Je me demande où elle a appris ce genre de tactiques.

— Dans un roman de détectives, peut-être.

Nous cessâmes de parler car trois hommes venaient de sortir dans la rue. L'un d'eux était Cream. Il enleva son chapeau pour lisser ses cheveux avant d'ouvrir un grand parapluie. Derrière lui venait Long Lenny, que je reconnus pour l'avoir souvent vu lorsque je surveillais le Beef pour l'affaire Betsy. Je ne reconnus pas le troisième ; il portait une casquette noire bas sur le visage et un foulard autour du cou pour se protéger de la pluie. Il se hissa à l'arrière du fourgon pour refermer les tonneaux, et le clic clac de chaque couvercle qu'il enfonçait résonna dans la rue sombre.

Cream monta dans sa voiture qui repartit au petit trot. Sans tarder, les deux hommes déchargèrent l'une des longues caisses pour la porter à l'intérieur, firent de même avec la deuxième et ressortirent enfin avec un coffre visiblement très lourd qu'ils placèrent à côté des tonneaux. L'homme au foulard échangea quelques mots avec Lenny, monta dans le fourgon et s'éloigna. Lenny retourna au Beef.

Nous attendîmes un bon moment dans l'espoir qu'il ressorte afin d'y retourner nous-mêmes. Il pleuvait dru, la rue n'était que boue et flaques, l'eau débordait des gouttières en cascade sur les façades. Nous étions trempés jusqu'aux os. Au bout d'une demi-heure, le patron me donna un coup de coude et pointa vers une fenêtre au premier étage. Le carreau avait en son centre un trou de la taille d'une pomme, d'où partaient des fêlures fines comme une toile d'araignée.

— C'est un brave garçon, dit-il. Je lui donnerai un autre shilling pour ça. Vous avez déniché quelque chose dans les registres ?

— Rien.

— Ce que j'ai trouvé dans ce cahier va peut-être nous aider.

À ce moment, une silhouette se détacha de l'ombre d'une des portes voisines et avança dans notre direction d'un pas vif. J'abaissai la tête du patron derrière le tas de débris tout en gardant les yeux sur l'inconnu.

Il faisait très sombre, et l'homme avait tellement rabattu sa casquette sur son visage qu'au départ je crus m'être trompé ; mais son allure bravache confirma ma première impression. La rage s'empara de moi : je le revoyais, dressé au-dessus de moi, me frappant de sa matraque sans me laisser une chance de me défendre. Je brûlais d'envie de faire payer cette brute pour le bleu qui couvrait mon dos comme une tache noire et m'empêchait de dormir la nuit.

Je sortis mon gourdin et me relevai, mais, au même moment, un coup violent sur ma cuisse m'arracha un cri de surprise. Je perdis l'équilibre et tombai sur les pierres aiguisées, la jambe meurtrie, la nausée à la gorge.

Les pas lourds du policier résonnèrent dans la rue tandis qu'il s'éloignait en courant. Le patron se tenait au-dessus de moi, un morceau de tuyau à la main.

— Je suis désolé, Barnett. Mais je crains que vous n'ayez été sur le point de commettre une imprudence.

Je serrai les dents et frottai ma jambe pour tenter d'apaiser la douleur.

— Est-ce que ça va aller ? demanda-t-il en laissant tomber le tuyau sur les débris. Dois-je trouver un fiacre ?

— Si jamais vous recommencez, monsieur Arrowood, je vous casserai les dents, ma parole.

— Je comprends, Norman.

J'acceptai la main qu'il me tendit pour me relever et nous marchâmes le long des rues, tous les deux en claudiquant, jusqu'à trouver un fiacre. Les cloches de l'église sonnaient les coups de 4 heures.

— Cela vous ennuierait-il qu'il me dépose en premier ? demanda le patron d'un ton doucereux lorsque nous fûmes à l'intérieur de la voiture. Ma goutte, vous savez.

— Vous savez ce que je lui dis, à votre goutte ? rétorquai-je, déjà penché en avant pour donner mon adresse au cocher.

13

C'était déjà l'après-midi lorsque je retournai chez le patron. La fraîcheur s'était envolée pour céder la place à une journée étouffante. Au salon, dont la fenêtre était grande ouverte, je me trouvai face aux six dames qu'Ettie recevait, chacune une tasse de thé à la main, chacune raide comme des piquets sur les tabourets empruntés à la boulangerie.

— Laissez-moi vous présenter les dames de la London Mission, M. Barnett, dit Ettie. Mme Boothroyd, Mlle Crosby, Mme Campbell, Mme Dewitt, Mlle James, et notre chère organisatrice, Mme Truelove.

Je hochai respectueusement la tête à chaque nom.

— J'ai entendu parler de vos bonnes œuvres.

— Nous ne sommes qu'un instrument entre les mains du Seigneur, assura Mme Truelove en penchant la tête, un éclat engageant dans les yeux. Nous n'avons aucun mérite. Il y a tellement à faire.

— Avez-vous transmis mon invitation à Mme Barnett ? demanda Ettie.

— Elle… Elle est souffrante en ce moment.

— Oh ! navrée de l'entendre. J'espère que ce n'est rien de grave. Je vous prie de lui présenter mes vœux de prompt rétablissement.

Je la remerciai, toujours planté sur le pas de la porte, roulant mon chapeau entre mes doigts sous le regard perçant de ces dames.

— Il est à l'étage, m'indiqua enfin Ettie.

Le patron lisait allongé sur son lit, le gilet ouvert, son gros orteil, rouge et enflé, perçant à travers un trou de sa chaussette jaune. La sueur perlait sur sa grosse tête, et son visage était encore plus rougeaud que d'habitude par cette chaleur.

— J'ai dû m'enfuir de mon propre salon, se lamenta-t-il. Leurs caquètements traversent le plancher.

— Elles essayent de faire le bien.

— Ne vous méprenez pas, Barnett, je suis de votre avis, elles sont admirables. Ce qui m'ennuie, c'est que je n'ai pas encore eu mon thé cet après-midi.

Je m'assis sur l'autre lit. Le rideau qui les séparait était rabattu contre le mur avec un passement ; la petite fenêtre donnant sur un mur de brique noir de suie était ouverte, mais pas un souffle d'air ne venait soulager la lourdeur de l'atmosphère.

Il montra du doigt un plateau sur la commode.

— Je vous ai gardé un petit quelque chose. Avez-vous déjà mangé ?

Je secouai la tête.

— Excellent. Je me joins à vous. Allez-y, servez-vous.

Sur le plateau, des pommes de terre encore chaudes accompagnaient quelques tranches de jambon, avec une belle miche de pain et une demi-livre de fromage. Je me préparai une assiette et me rassis sur le lit. Le patron se leva avec un de ses soupirs de martyr et se servit à son tour.

Nous mangeâmes en écoutant les bribes de conversation qui montaient du salon ; je repris du jambon, qui était excellent ; je n'en avais pas goûté d'aussi bon depuis un moment. Je savais que ce repas était un geste d'excuse. Le jambon était toujours un moyen pour le patron de faire amende honorable.

— Vous savez que nous avions une gouvernante à la maison quand nous étions enfants ? demanda-t-il, la bouche pleine, une miette de pain collée au menton. Chez nous, on estimait que notre mère n'avait pas à s'occuper des tâches domestiques. J'aimerais en avoir une de nouveau, mais je crains de devoir m'en passer. Je suppose que vous n'en aviez pas, vous ?

— C'était le métier de ma mère.

— Oh ! c'est vrai. Vous me l'aviez déjà dit.

C'était le cas. Ce que je ne lui avais pas raconté, c'était que ma mère n'avait plus jamais travaillé comme domestique après la mort du vieux Dodds, son employeur. Personne ne voulait d'une servante dont le visage à moitié brûlé et rouge comme du foie de veau faisait horreur à voir. Oh ! que j'avais maudit le vieux Dodds qui lui avait un soir pressé le visage contre une marmite bouillante. Je n'avais que dix ans quand nous avions dû déménager à Weavers Court, en Bermondsey, et quel choc ce fut pour nous deux ! Plutôt grand pour mon âge, je dus vite apprendre à survivre dans cette cour misérable. Je dus apprendre à me fondre dans la masse, à me servir de mes poings. J'avais gardé de ces jeunes années deux dispositions qui m'étaient parfois préjudiciables à l'âge adulte. D'abord, un a priori envers ceux qui traitent leurs serviteurs comme leurs inférieurs, et ensuite, une lourde culpabilité pour certaines des choses que j'avais faites pour rester à flot pendant les trois ans que je passai dans cette cour avec ma mère.

— J'ai lu quelque chose de fort intéressant, déclara Arrowood en mettant de côté l'assiette pour prendre un livre. De Henry Maudsley, médecin aliéniste de son état. Il en sait long sur le crime et la folie.

Il feuilleta le volume jusqu'à retrouver le passage précis.

— Il écrit dans ce traité qu'il y a deux types d'hommes créatifs : ceux dont les fondements sont la sérénité et un intellect élevé, et ceux qui ont un intellect limité mais une grande énergie. Ce sont ces deux types-là qui influencent le monde. Je vous prie, écoutez ceci et dites-moi si cela ne vous fait pas songer à ma sœur. Le second type, ce sont des « *personnes qui sont intelligentes mais inconstantes, capables mais instables, scrupuleuses mais fanatiques : appartiennent à cette catégorie les personnes disposées à adopter des nouveaux idéaux, soient-ils bons ou mauvais, et qui, les poursuivant avec un zèle immodéré, manquent d'un juste équilibre dans les facultés de l'esprit* ». Voilà. Cela ne la décrit-il pas à la perfection ?

— Je ne la connais pas suffisamment, monsieur.

— C'est stupéfiant. On pourrait croire que ce Maudsley est marié à ma sœur.

— Vous semblez avoir du mal à apprécier les qualités de votre sœur, monsieur.

Il me regarda d'un air surpris, puis recommença à manger.

— Avez-vous des nouvelles de Petleigh ? demandai-je enfin.

— Aucune. Je lui enverrai un message dès que Neddy viendra chercher ses sous.

— Il n'est pas encore venu ? demandai-je, alarmé.

— Il doit être dans les rues avec ses muffins, me rassura-t-il. Ou en train de rattraper une des bévues de sa mère.

— Le petit est souvent pressé de récupérer son argent.

— Il y a bien eu cinq minutes entre le moment où il a cassé la vitre et l'arrivée des hommes. Neddy n'est pas sot. Il a dû se sauver avant même que la pierre ait touché le carreau.

Le patron remit le livre de Maudsley sur la commode.

— C'est un gamin très vif.

— Je sais. Je voudrais juste m'assurer qu'il va bien.

Je posai mon assiette sur le plateau.

— Mais dites-moi, qu'avez-vous trouvé dans le cahier de Cream ?

— Une liste de dates qui remonte à quelques années. Des prix et des noms, mais rarement les deux ensemble. Je n'ai reconnu que l'un des noms : Longmire. Cela vous dit quelque chose, à vous ? Le colonel Longmire ?

Je secouai la tête.

— Si c'est celui à qui je pense, c'est un officier haut gradé du Bureau de la Guerre. Son nom apparaît dans les notes, de façon régulière, depuis quatre ou cinq ans. Il n'y a aucune autre information, seulement des dates et son nom.

— C'est en rapport avec la balle, alors ?

— Je crois. Et peut-être aussi avec notre Martha. Si tant est qu'il s'agisse du même Longmire.

Des pas résonnèrent dans l'escalier ; la porte s'ouvrit. C'était Ettie.

— Une femme en bas qui demande à te voir au sujet de Neddy, dit-elle. Elle attend dans la boutique.

Le patron acquiesça.

— Je vais mettre mes chaussures. Dis-lui de monter.

— J'aimerais autant que tu la retrouves en bas, William.

— J'ai dit…

— Elle est folle d'inquiétude, coupa Ettie sèchement.

Il poussa un long soupir.

— Dis-lui que je descends sur-le-champ.

Cet après-midi-là, à la pâtisserie, les chalands étaient encore plus nombreux que d'ordinaire. Des grosses gouttes de sueur baignaient le visage morne et creusé d'Albert. Il ne savait plus où donner de la tête : c'était un homme lent peu adapté à cette activité frénétique ; son épouse, Mme Pudding, touillait une grosse bassine de pâte tandis que leurs fils, John et Petit Albert, s'occupaient des fours et des marmites.

— Qu'est-ce qui se passe, ici ? demandai-je en tentant de me frayer un chemin à travers la boutique bondée.

— Y a eu un incendie à Glearson, répondit John en s'arrêtant un instant. La nuit passée. Alors tout le monde vient ici aujourd'hui, c'est trop pour nous. Et c'est le jour le plus chaud de l'année, en plus !

— Chaud devant ! cria Albert. Vous pourriez dégager le passage, monsieur Arrowood ? Vous voyez bien que c'est la cohue. Tous les clients de Glearson sont ici.

— Bien sûr, murmura le patron, quelque peu étourdi par la foule affamée.

La mère de Neddy, qui avait entendu le nom du patron, se détacha de la foule.

— Monsieur Arrowood ? fit-elle en le saisissant par la manche.

Sa voix était étrange, haut perchée, comme si sa langue était collée à son palais. Ses cheveux étaient poisseux et noués en haut de la tête comme une poignée de salsifis ; son cou paraissait sale, le peu de dents qui lui restaient étaient noires ou jaunes et l'ourlet de sa robe dépassait d'un manteau qui avait dû connaître des temps meilleurs. Elle était la seule dans la boutique à porter un pardessus.

— Alors voilà, fit-elle sans s'encombrer de politesses. Ça m'dérange pas qu'y s'mette à servir ou qu'il apprenne un métier, ya rien d'mal à ça. J'suis contente pour lui et pour nous, et très contente qu'il soit tombé sur quelqu'un comme vous, et comme vous.

Elle me désigna alors en plissant le nez.

— Mais faut pas qu'il oublie sa famille, sa sœur avec son pied bot et l'autre qui n'arrive pas à parler comme il faut. Parce qu'il faut qu'il pense à nous donner un p'tit quelque chose à nous, quelques shillings par-ci par-là, une poignée de patates et le reste, m'sieur, parce que nous sommes de son sang et qu'il doit prendre soin de nous quand je tombe malade comme ça m'arrive tout le temps avec ces mauvais poumons que j'ai.

Elle se frappa ostensiblement la poitrine et toussota.

— Où voulez-vous en venir, madame ? demanda le patron en tentant de se dégager de sa main décharnée. Vous savez que je ne peux malheureusement pas me payer vos services.

— M'sieur, faut que vous disiez à mon Neddy de se rappeler de me donner de l'argent. Aujourd'hui, on n'a rien eu et les gosses ne diraient pas non à un peu de pudding, parce qu'elles ont rien mangé aujourd'hui.

— Dites-lui qu'il peut venir chercher ses sous. Il l'a bien mérité.

Elle cessa son monologue et plissa les yeux en rentrant son petit menton fuyant.

— Je sais pas où il est. C'est pour ça que j'suis là.

— Il n'a pas dormi chez vous ? s'enquit le patron.

— Je l'ai pas vu depuis hier, quand il est parti pour une commission.

Le patron me lança un regard en coin.

— Vous êtes sûre qu'il n'est pas rentré ? insista-t-il. Il a pu aller ailleurs ? Chez des parents ? Des amis ?

— Vous savez pas où il est ?

— Non, il nous a quittés sur le coup de 3 heures.

— Oh ! mon Dieu ! gémit-elle en lui prenant l'autre main. Oh ! Dieu Tout-Puissant !

Tous les clients avaient à présent les yeux sur nous.

— Ça y est, les argousins l'ont attrapé, voilà, se lamenta-t-elle Qu'est-ce que vous lui avez fait faire si tard ? J'avais confiance en vous, m'sieur. J'avais confiance. Ou on l'a roué de coups. Qu'est-ce que vous trafiquiez, hein ? Si tard la nuit avec un petit garçon ?

— Nous avions une livraison à faire, dis-je. Voyons, écoutez-moi. Où est-ce qu'il aurait pu aller d'autre ?

— Nulle part. Oh ! mon Dieu. La police l'a pris parce qu'il traînait dehors si tard. Ils vont dire qu'il faisait des bêtises ! Qu'est-ce qu'on va manger s'il va en prison ?

Je tirai quelques pièces de mon gousset et les lui tendis.

Elle me les arracha des mains et les empocha prestement.

— Maint'nant j'imagine qu'il faut que j'aille le chercher, fit-elle en tournant les talons. Dieu du ciel, ces chagrins qui m'arrivent !

Nous la regardâmes partir tandis que les clients, impatients d'acheter leurs tourtes, se poussaient et discutaient autour de nous. Je n'eus pas besoin de regarder le patron pour deviner qu'il éprouvait la même peur que moi.

14

Nous attendîmes au poste de police jusqu'à ce que Petleigh vienne nous chercher et le suivîmes dans les tréfonds du bâtiment jusqu'à l'escalier étroit qui menait à son bureau. Une cale gardait la fenêtre ouverte, pourtant il faisait une chaleur de tous les diables. Sans même s'asseoir, le patron commença à parler de Neddy. Petleigh s'affala sur la chaise derrière le bureau de guingois et l'écouta. Lorsqu'il eut fini, l'inspecteur joignit les mains en hochant la tête.

— Quels imprudents vous faites, lâcha-t-il.

— Vous devez fouiller le Beef, inspecteur, continua Arrowood en serrant et desserrant les poings. Faire comprendre à Cream que vous savez qu'il a enlevé Neddy. Nous n'avons pas de temps à perdre. Oh ! Seigneur, j'espère qu'il n'est pas trop tard.

— Hum.

— Allons-y, fit le patron en remettant son chapeau. Sur-le-champ.

— Je suis sous les ordres de l'inspecteur-chef, Arrowood. Pas sous les vôtres.

— Inspecteur, je vous en prie. Je ne me montrerais pas aussi péremptoire si l'heure n'était pas aussi grave. Vous savez que Cream est sans pitié. Il risque de faire mal au petit. Il y prendra même du plaisir.

— Je vous avais dit de ne pas vous en mêler.

Le patron tenta, sans tout à fait réussir, de garder son calme.

— Petleigh, écoutez-moi ! Nous avons commis une regrettable erreur, je le reconnais. Mais Cream va devenir fou de rage en découvrant que quelqu'un est entré au Beef. Il fera tout pour découvrir les coupables ! Il écorchera vif ce pauvre garçon pour le faire parler et jettera ensuite sa dépouille dans le fleuve ! Vous devez intervenir tout de suite !

Petleigh nous fixa longuement avant de parler.

— Je pense que nous allons attendre un peu avant de prendre le risque de nous tromper en allant au Beef. Le plus probable est que Neddy a rencontré un ami et qu'il s'est laissé distraire. Un garçon comme lui ne dit pas non à un petit larcin par-ci par-là. Ou bien il a pris l'omnibus et s'est perdu dans le West End. S'il n'est pas revenu, disons, demain soir, alors nous irons rendre visite à M. Cream.

— Quoi ? s'étrangla le patron.

— Dois-je vous rappeler que nous avons un meurtre à résoudre en ce moment ? Nos hommes ont beaucoup de travail avec l'enquête. Je suis sûr que ce petit sera de retour dans un rien de temps.

— Non ! rugit le patron en tapant du poing sur la table. C'est impossible. Il était 3 heures du matin. Il n'y a pas d'omnibus ou d'ami qui vaille. Les rues étaient vides. Et Neddy est aussi honnête que vous et moi. Il est en danger, je vous le jure !

Petleigh se lissa la moustache d'un air irrité.

— Surveillez votre ton, Arrowood. Je n'ai pas de comptes à vous rendre.

— Je crierai tant que l'enfant sera en danger de mort ! Allez au Beef, espèce de tire-au-flanc !

— Sortez de mon bureau ! aboya Petleigh en se levant.

— Pas tant que vous n'aurez promis de faire votre travail !

— C'est moi qui décide comment faire mon travail !

— Je vous dénoncerai à la *Gazette* s'il lui arrive quoi que ce soit, à ce petit ! Je donnerai votre nom !

— Ouste ! Hors de ma vue !

Petleigh fonça vers la porte et cria :

— Agent Reid ! Venez immédiatement.

— Faites votre devoir ! s'époumona encore le patron.

Son visage était cramoisi ; il était au bord de l'apoplexie. Je le tirai par le bras hors du bureau.

— Attendez-moi dehors, lui glissai-je fermement. Et plus un mot.

Bien qu'ivre de colère, il comprit qu'il devait m'obéir. Reid apparut en bas des marches.

— Assurez-vous que ce gentleman quitte les lieux, Reid, ordonna Petleigh avant de se retrancher dans son bureau.

Je le suivis et fermai la porte derrière moi.

— Inspecteur, je suis désolé. M. Arrowood est un homme très émotif, son cœur prend parfois le pas sur la raison. Il ne pensait pas à mal.

— J'aurais pu le faire arrêter pour outrage à agent.

— Et personne ne pourrait vous en blâmer.

Il se laissa choir lourdement sur son siège, visiblement accablé. Je pris la chaise proche de la porte.

— Vous avez un métier éprouvant.

— Vous n'avez pas idée à quel point.

Il s'essuya le front avec un mouchoir et sortit un cigare, qu'il alluma.

— Le garçon est comme un fils pour lui, dis-je. Le père du petit est mort, sa mère est simplette. M. Arrowood prend soin de lui depuis quelques années maintenant. Il est fou d'inquiétude et s'il s'est emporté de la sorte, c'est parce qu'il sait que vous pouvez le trouver. Il connaît vos mérites.

Petleigh hocha la tête lentement en tirant sur son cigare.

— Barnett, vous devez me prendre pour un imbécile.

Je restai interdit.

— Vous vous gaussiez de lui ?

— Je dois reconnaître que oui. Ses accès de colère m'amusent, tout simplement. Nous irons perquisitionner le Beef, bien entendu. Cream est un fléau dans cette partie de Londres et c'est mon vœu le plus cher que de le mettre sous les verrous. Mais je n'aime pas recevoir d'ordres de gens comme Arrowood. Ni d'ailleurs, du commissaire adjoint.

Je me relevai.

— Avez-vous trouvé le nom de l'agent qui m'a battu ?

— Ce n'était pas l'agent d'Elephant and Castle auquel nous pensions. Le pauvre gars souffre de phtisie et n'a pas travaillé depuis des mois. Mais il y a un homme qui correspond à la description, un agent de Scotland Yard ; c'est en tous les cas ce que dit le détective qui partage ce bureau avec moi. Ils ont assisté ensemble à une cérémonie mais n'ont malheureusement pas été présentés. J'ignore donc son nom. Ce n'est pas un policier, cela dit. Je ne suis pas sûr de son grade.

— Pouvez-vous tâcher d'en savoir davantage ?

— Je vais me renseigner.

— Merci, inspecteur. Quand serez-vous de retour ?

— Ce soir, vers 18 heures.

Il tira un autre cigare de sa poche et me le tendit.

— Vous le fumerez dehors, Barnett. Allez maintenant sortir votre employeur de sa détresse.

À 18 heures, j'étais de retour au poste, mais Petleigh n'était pas encore rentré. J'attendis sur le banc pendant plus d'une heure en observant les braves citoyens de Southwark aller et venir, déposer leurs plaintes, raconter leurs infortunes, attendre, tempêter, se battre. Finalement, Petleigh arriva, flanqué de l'agent Reid. Il m'invita à le suivre dans son bureau.

— Cream est très contrarié, dit-il après m'avoir demandé de fermer la porte. Il se passe quelque chose, j'en suis certain. Quelque chose qui l'inquiète.

— Avez-vous trouvé le garçon ?

Il secoua la tête, les sourcils froncés.

— Nous avons fouillé partout. S'ils l'ont, ils le cachent ailleurs.

— Nous les avons vu charger un coffre dans le fourgon. M. Arrowood pense qu'ils ont pu l'y enfermer. Vous avez questionné ses hommes ?

— Piser et Long Lenny, oui. Sans résultat.

— Vous pouvez les arrêter ?

— Pour les rosser ? fit-il avec un regard sévère.

— Oui.

— Non, Barnett. Ce ne sont pas nos méthodes.

— Mais la vie du gamin est en jeu !

— Nous ne pouvons pas faire cela, vous le savez aussi bien que moi. Quoi qu'il en soit, ils savent à présent que nous les avons à l'œil. Cela pourrait suffire à sauver le garçon.

— Ce n'est pas assez, inspecteur.

— Vous avez une meilleure idée ?

Je tournai les talons et quittai le bureau.

Le Beef était fermé pour la nuit. J'attendis dans la rue, derrière le même tas de débris que la veille. Cream, élégant comme à son habitude, était parti plus tôt dans son cabriolet avec Piser et Boots. L'on avait éteint les lumières des étages, ensuite étaient sortis les serveuses, les cuistots, les barmen, puis Ernest, seul, comme toujours. Je le laissai partir ; ce n'était pas lui que je cherchais ce soir. Finalement, Long Lenny quitta les lieux. Malgré la chaleur persistante, il portait son sempiternel ciré et sa casquette rabattue sur son visage.

Je le suivis sur une centaine de yards. Des cris querelleurs provenant de la boutique d'un prêteur sur gages le firent marquer un arrêt, mais il se contenta de lever la tête avant de continuer. Derrière moi, j'entendais les sabots de l'attelage claquer sur les pavés.

Nous longeâmes les boutiques fermées de Labeth Road, le long mur de Bethlem. Lenny ne se retourna pas une seule fois. Il rentrait chez lui, fatigué, loin de ce qu'il avait enduré dans la journée avec Cream et les autres. Durant l'affaire Betsy, j'avais passé un bon nombre d'heures au Beef afin de recueillir des renseignements sur les gens qui y travaillaient et leurs activités ; j'avais suivi Lenny à plus d'une occasion lorsqu'il faisait des livraisons. Il ne m'avait jamais repéré, et il était au cachot pour agression lorsque nous nous étions fait connaître. Lenny n'était qu'un homme de main, un dur à cuire. Il obéissait aux ordres, et s'il se trompait, il ramassait des volées de bois vert. Ce n'était pas lui qui prenait les décisions, mais il en imposait suffisamment pour que les voleurs et les prostituées prennent la poudre d'escampette lorsqu'ils le voyaient arriver.

Il disparut soudain de ma vue après avoir tourné dans une ruelle. Je courus à ses trousses et, lorsque j'arrivai à l'angle, il n'était qu'à vingt yards de moi. Alerté sans doute par mes pas, il se retourna.

— Qu'est-ce que tu veux ? grogna-t-il.

Sans doute croyait-il que j'étais sur le point de le détrousser.

— J'voulais juste te dire que j'suis désolé, Jack, dis-je d'une voix d'ivrogne en titubant vers lui.

— Va au diable, grommela-t-il en tournant les talons. Et ton Jack avec.

Avant qu'il ait pu comprendre ce qui se passait, j'avais plaqué un linge imbibé de chloroforme sur son visage en lui tordant brutalement le bras dans le dos. Il était certes plus grand que moi, mais j'étais plus vigoureux. Il se débattit, puis, le sédatif faisant son œuvre, il faiblit. L'anesthésiant n'était pas assez puissant pour l'assommer complètement, mais ses effets suffisaient à le mettre hors jeu.

Une fenêtre s'ouvrit dans l'hôtel borgne derrière nous, et le contenu d'un pot de chambre atterrit dans le ruisseau. Quand la fenêtre se referma, le fiacre qui me suivait s'arrêta devant la ruelle et mon beau-frère Sydney bondit vers nous. Il prit Lenny par les chevilles tandis que je le maintenais sous les bras, et nous le portâmes dans la voiture. Ce ne fut pas chose aisée car il était grand et encore à moitié éveillé. Par chance, la rue était vide.

Le patron, qui attendait à l'intérieur, ligota les poings du larron tandis que je me chargeais des chevilles. Une fois qu'il fut immobilisé, le patron lui ouvrit la bouche et lui vida une fiole d'éther dans le gosier.

Sidney se hissa sur le siège et fouetta les chevaux. Bien qu'il fût à présent cocher, mon beau-frère avait gardé de son passé de marin le goût de la bagarre. Il n'avait pas une vie facile ; ma belle-sœur était morte en couches, et il élevait seul ses deux enfants, mais il était toujours disposé à nous prêter main-forte quand nous avions besoin de lui.

La voiture roula au grand trot, cahotant sur les pavés, et s'arrêta au bord du quai, après le London Bridge. C'était la marée haute ; les bateaux amarrés tanguaient doucement sur le fleuve couleur d'encre. J'administrai à Lenny une autre dose de chloroforme, et nous le traînâmes jusqu'au bout de la jetée où une péniche nous cachait de la rive. Il grognait mais ne se défendait pas, et une fois près de l'eau, nous l'allongeâmes à plat ventre, la taille juste au bord du ponton, Sidney et moi assis sur ses jambes.

Lorsque son visage toucha l'eau, Lenny se réveilla pour de bon : il commença à se cabrer avec force cris. Mais plus il s'agitait, plus il buvait la tasse. Il redressa la tête, asphyxié, toussant et recrachant l'eau infecte, roulant des épaules pour tenter de se détacher les mains. Nous attendîmes patiemment : il n'allait pas se débattre longtemps puisqu'il n'avait que les muscles de son ventre pour l'aider à maintenir la tête hors de l'eau.

— Lenny, écoute-moi, dis-je en empoignant ses cheveux mouillés. Si tu nous dis ce que nous voulons savoir, nous te laissons tranquille et nous nous quittons bons amis, c'est compris ?

— Lâchez-moi, croassa-t-il. Je travaille pour M. Cream. Il vous tuera.

— Nous voulons juste te poser quelques questions.

Il commença à crier. Je lui assenai un coup de pied sur la jambe ; il cria de plus belle et sa tête plongea de nouveau, puis il se redressa : l'air lui manquait. Il tenta encore une ruade puis sa tête disparut sous l'eau une nouvelle fois. Quand il refit surface, Sidney le retint par le col du manteau.

— Si tu ne veux rien nous dire, nous allons devoir te pousser dans l'eau, dis-je de mon ton le plus affable. Tu sais, n'est-ce pas, que la marée va se retirer ? Et que, avec le reflux, le courant est encore plus fort ? Surtout dans ce coin.

— C'est redoutable, affirma le patron en allumant un cigare.

Il faisait le guet au bord de l'eau, raide comme un piquet.

— D'autant plus que tu es pieds et poings liés, dis-je. Mais tu t'en étais probablement déjà aperçu.

— Cream va vous faire la peau, gémit Lenny.

— La police croira que c'est ton patron qui s'est débarrassé de toi, répondis-je. Et ton patron ne saura pas que c'était nous. Comment le saurait-il ? Un homme comme lui a beaucoup d'ennemis.

Je tapotai sa joue humide.

— Je crains que tu ne sois dans de sales draps, l'ami.

Et je lui enfonçai la tête sous l'eau, pour qu'il ait le temps de réfléchir. Il se débattit comme un diable, puis je lui donnai un instant de répit.

— Où est le garçon ? Le petit qui a cassé la fenêtre hier soir. Où est-ce qu'il est ?

— Je sais p…

Nous recommençâmes notre petit manège. Je lui maintins la tête dans le fleuve, il lutta, je le ressortis.

— S'il vous plaît, supplia-t-il lorsqu'il parvint à reprendre son souffle.

Notre gaillard se mit à sangloter.

— Où est le petit ? répétai-je.

Il recommença à tousser, crachant l'eau avec de violents haut-le-cœur. Je lui enfonçai sans pitié le coude au creux des reins et il hurla. Sidney lui-même lâcha un petit grognement.

— Je sais pas ! gémit Lenny. Je le jure. J'ai pas vu de garçon.

— Hier soir, quand vous étiez au Beef, vous avez attrapé un mioche. Où est-il ?

— J'ai pas vu de garçon ! Pitié !

— Je comprends, répondis-je, conciliant. Tu veux pouvoir dire à Cream que tu n'as pas craché le morceau. Je vais donc te poser une question encore plus simple.

— Je ne sais rien !

— La ferme ! Où allait le fourgon, hier, après le Beef ? Le coffre, il est parti où ?

Il me fixait d'un regard vitreux. Je fis mine de le faire replonger.

— D'accord ! cria-t-il. Remontez-moi et je vous dirai tout.

Sidney m'aida à le traîner sur le débarcadère. Affalé contre le mur, ficelé comme un saucisson, Lenny respirait avec peine, ruisselant d'eau sur les planches du ponton.

— Il allait chez Milky Sal, sur Southwark Bridge Road, avoua-t-il d'une voix rauque. Au 112.

— Et le garçon est là-bas aussi ?

Il recracha une bonne dose d'eau saumâtre. Je m'accroupis pour fixer son visage misérable.

— Est-ce que le petit est chez Milky Sal, Lenny ?

— Je vous le dis, il n'y avait pas de garçon, répondit-il. Je le jure. Personne ne l'a vu.

— S'il n'est pas là-bas, nous reviendrons te chercher, Lenny.

Il me regarda, hébété. Il n'avait même plus la force de nier.

— Qu'est-ce qui s'est passé avec Terry, le pâtissier ? demandai-je.

— Hein ?

— Le Français.

— Qui êtes-vous ?

— Réponds à la question.

— J'ai répondu à vos foutues questions ! Laissez-moi partir !

Je regardai Sydney et nous le traînâmes de nouveau vers l'eau.

— Non ! cria-t-il en tentant de rester sur le ponton.

Je lui enfonçai la tête dans le fleuve.

— Hé ! appela quelqu'un au-dessus de nous.

Nous regardâmes vers le quai. Un policier, penché sur le parapet, tentait de distinguer ce qui se passait. La nuit était sombre et sa torche parvenait à peine à percer l'obscurité. La péniche cachait le corps agité de Lenny.

— À l'aide, monsieur l'agent ! cria le patron. Un homme est tombé à l'eau !

Nous sortîmes Lenny, qui ne bougeait plus. Je crus le temps d'un instant qu'il s'était noyé.

— Vous l'avez sorti ? cria le policier.

— Oui, heureusement. Il est ivre.

Nous entendîmes le policier jurer et descendre les marches dans notre direction. Sidney coupa les liens de Lenny et les jeta dans l'eau. Lenny tomba sur le côté, crachant et toussotant.

— Nous l'avons vu tomber depuis le quai, déclara le patron au policier qui nous avait rejoints. Il a de la chance que nous soyons passés par là. Il est soûl comme une grive.

— Je vais l'emmener au dépôt, cela vaut mieux, dit le policier.

— Que Dieu vous bénisse, fit le patron en lui tapotant l'épaule. Vous êtes un brave jeune homme.

— Merci, monsieur.

— Nous devons à présent vous fausser compagnie. Cet ivrogne nous a mis en retard pour notre rendez-vous.

15

La maison de Milky Sal comportait trois étages et un sous-sol. Aucune des fenêtres n'était éclairée, mais le jour commençait à se lever et la ville allait bientôt se réveiller.

Sydney était rentré chez lui et j'attendais Petleigh et ses hommes avec le patron. Ils arrivèrent dans deux Black Marias et l'instant suivant, martelaient la porte de leurs matraques. Un homme avec une longue moustache, portant des pantalons de style portugais, vint ouvrir. Derrière lui se tenait Milky Sal, la figure blanche de sommeil sous son bonnet de nuit jaune. Quand Petleigh exposa ses intentions, elle se mit à l'insulter dans un langage particulièrement fleuri. L'inspecteur adressa un geste à ses hommes qui s'élancèrent à l'intérieur sans faire cas de la bonne femme.

Nous entendions depuis la rue des portes claquer, des voix féminines qui protestaient de ce réveil en fanfare, les pas lourds des bottes qui montaient et descendaient les escaliers.

Trois jeunes femmes, le manteau sur leurs chemises de nuit, sortirent par la porte du sous-sol. Elles s'arrêtèrent net en nous voyant mais, comprenant que nous ne comptions pas les arrêter, s'en furent d'un pas pressé. Ensuite, deux agents escortèrent jusqu'au fourgon deux filles qui n'avaient pas encore quatorze ans.

— Le garçon est là ? demanda le patron à l'un des policiers.

— On n'a vu aucun garçon, monsieur. Mais des femmes, ça oui.

Ils verrouillèrent la porte et retournèrent à l'intérieur.

Ensuite, on sortit le Portugais. Il était torse nu, une longue cicatrice courait le long de son bras. Du sang coulait sur la tempe du sergent qui venait de lui passer les menottes. Il le poussa du haut du perron, le Portugais tomba la tête la première et l'officier le releva brutalement pour le jeter à l'arrière de l'autre fourgon.

— Et le garçon ? demanda le patron.

— Pas trouvé.

C'en était trop. Il grimpa les marches et entra dans la maison.

— Vous avez trouvé quelque chose d'autre ? demandai-je au policier.

— C'est un bordel, dit-il avec un ricanement. Je n'avais jamais vu autant de dames en tenue de nuit.

— Et ces jeunes filles ?

— Probablement hors-la-loi.

La porte s'ouvrit de nouveau. Milky Sal, flanquée de deux policiers, portait à présent une robe noire cintrée et un petit chapeau avec une voilette presque élégante qui lui tombait sur le visage. Elle parlait d'un ton outré.

— Déranger une femme qui ne fait que tenir une maison, grognait-elle. Vous devriez avoir honte, de perturber mes filles qui ont besoin de repos pour être fraîches. Il y a des hommes importants qui ne seront pas contents qu'on m'arrête, je vous le dis.

Les policiers ne répondirent pas.

— Ne t'avise pas de me pincer, toi, cria-t-elle en poussant le plus grand des policiers.

— À vos ordres, madame, répliqua-t-il.

— Et qu'est-ce que tu regardes, toi, le bouledogue ? aboya-t-elle en passant devant moi.

— Vous avez trouvé le garçon ? demandai-je aux policiers lorsqu'ils l'eurent enfermée.

— Il n'y a pas de garçon, là-d'dans, fit le plus petit.

Il s'essuya le front avec un mouchoir et regarda les nuages lourds qui s'amoncelaient sur le nord de la ville.

— Vivement l'orage, dit-il. On respire pas, avec cette chaleur.

Le patron réapparut par la porte du sous-sol, le visage couleur betterave.

— Rien ? dis-je.

Il secoua la tête.

— Qu'est-ce qu'il y a en bas ?

— La cuisine et la soute à charbon.

— Et dans la cour à l'arrière ?

— Rien non plus… des bassines avec du linge.

Petleigh nous rejoignit alors.

— Qu'est-ce qu'elle vous a dit, Milky Sal ? demandai-je.

— Elle se garde bien de parler, celle-là. Elle jure qu'elle ne sait rien à propos de Neddy, ni, d'ailleurs, des deux jeunes filles. Elle dit aussi qu'elle n'a jamais entendu parler de Cream.

— Laissez-moi l'interroger, fit le patron.

— Ne me cherchez pas, Arrowood. Aucune des filles n'a vu de petit garçon, c'est ce qu'elles disent en tout cas. Et vous pouvez vous estimer heureux que nous ayons au moins trouvé ces deux gamines, autrement tout ceci aurait été une lamentable perte de temps.

Comme le patron continuait à argumenter, je décidai d'aller jeter un œil en bas. Une grande cuisine occupait la plupart de l'espace. Les fenêtres côté rue s'ouvraient au niveau du perron ; les carreaux, couverts d'une poussière épaisse, laissaient passer une lumière lugubre ; à l'arrière, une porte donnait sur la cour, et une autre sur un garde-manger. Le sol en pierre était poisseux, des pelures et des croûtons s'amoncelaient dans les coins. Il y avait une grande table vers le mur du fond.

Devant le fourneau, une vieille femme remuait quelque

chose dans une marmite. Elle leva la tête, me regarda sans intérêt, et retourna à sa bouillie.

— Avez-vous vu un jeune garçon ici, hier ? demandai-je.

— Ça sert à rien de me demander à moi, fit-elle sans se retourner. Je vais jamais en haut. Je connais que ceux qui descendent manger.

— Vous êtes ici depuis longtemps ?

— Oh oui, bien longtemps.

— Avez-vous des enfants ?

— Ça vous r'garde ? fit-elle en frappant la louche sur le rebord de la marmite.

— J'imagine que non, rétorquai-je.

Je m'assis à la table.

— Le petit garçon dont je vous parle a été enlevé. Il n'a même pas dix ans, et il est bien gentil. On nous a dit qu'on l'avait amené ici.

La cuisinière couvrit sa tambouille et s'essuya les mains sur son tablier.

— Ils vont lui faire du mal, insistai-je.

— J'en ai eu sept, lâcha-t-elle. Six sont morts avant même d'avoir cinq ans. Le dernier est en mer.

Elle vint s'asseoir en face de moi d'un pas lent. Elle avait des cheveux gris et rares et un gros ventre, mais ses membres paraissaient très fragiles.

— Et votre fils, il a des enfants ?

Enfin, elle sourit, révélant deux chicots tordus sur la mâchoire supérieure.

— Quatre. Je les ai vus à la Noël. Je leur ai donné un cheval de bois, à chacun. Ils m'amènent aux courses le mois prochain.

— Cela vous fera une belle sortie. Vous aimez les chevaux ?

— Depuis que je suis gamine.

Je me penchai avec un geste vers le tas de couvertures près de la porte de la cour.

— Vous dormez là ?

— Par terre.

— C'est dur, je parie.

Elle haussa les épaules.

— J'ai l'habitude. Avec les fourneaux, je n'ai pas froid, je suis pas la plus malheureuse. D'autres ont même pas la moitié de ça.

Elle se tint le ventre avec une grimace.

— Vous êtes malade, on dirait.

— Qui ne l'est pas, je vous l'demande.

— Je ne suis pas de la police, vous savez.

— Qu'est-ce que j'en sais, moi ? Y en a qui portent pas l'uniforme.

— Je veux juste sauver le garçon avant qu'ils ne lui fassent du mal.

Elle hocha la tête et me regarda de ses yeux brumeux.

— Vous avez entendu quelque chose, il y a deux nuits ? demandai-je. Quelqu'un est venu ? Au petit matin ?

Elle réfléchit un instant en pianotant sur la table.

— Une charrette de tonnelier, c'est le Portugais qui a ouvert. Il faisait presque jour, comme vous dites.

— Vous avez vu ce qui se passait ?

— Ils ont déchargé des choses, et vu comme ils grognaient, c'était lourd. Je dors mal, je me suis pas levée pour voir, pas la peine de me demander.

— Et vous n'avez pas entendu la voix d'un garçon ?

Elle secoua la tête.

— Ni vu ni entendu. La voiture est partie tout de suite, de toute façon.

— Il y a un endroit quelque part dans la maison où on aurait pu cacher le petit ?

— J'suis jamais montée là-haut. Je peux dire qu'il est pas ici, en tout cas.

— Vous êtes sûre que vous n'avez pas vu ce qu'ils ont apporté ?

— J'ai juste vu le cheval, là.

Elle pointa la fenêtre côté rue : on distinguait, derrière les barreaux de la rambarde, les roues d'un des fourgons et les jambes d'un cheval.

— Une belle bête blanche, avec le bas des pattes noir.

— Qui conduisait la voiture ?

— C'est Sparks, ça. Il a une tonnellerie vers Cutler's Court. La jument est bien jolie, mais ils la traitent pas bien. Ni moi ni la jument, fit-elle en hoquetant. Oh ! mais elle et moi, on se comprend. Parfois, je lui apporte quelque chose quand on la laisse là. Une vieille carotte. De l'eau quand il fait chaud.

Je me relevai.

— Eh, m'sieur, vous direz pas à Sal que j'ai causé avec vous, hein ?

— Bien sûr que non. Vous irez chez le médecin ?

Elle courba l'échine avec une vilaine grimace qui réunit toutes les plis de son visage ridé comme une vieille reinette.

— J'espère que vous allez trouver ce petit, fiston, fit-elle en se relevant avec un soupir.

16

C'était un quartier industrieux, les femmes trans-
portaient des faisceaux d'armatures d'ombrelles et
des sacs de chapeaux entre les manufactures qui
s'entassaient dans cette partie de la ville ; des dockers et des
manœuvres allaient et venaient ; le ciel lâcha quelques gouttes
de pluie, mais la chaleur les dissipa aussitôt et l'atmosphère
resta lourde et étouffante. J'étais inquiet pour le patron :
il avait les bronches faibles et respirait avec peine, la crise
de goutte le faisait boiter et il transpirait tellement que la
sueur fonçait sa fine jaquette bleue. C'était un véritable
musée pathologique, et j'étais fatigué rien qu'à le voir se
déplacer péniblement sur les trottoirs encombrés de monde.
Ainsi, je lui proposai de rester à la maison et de me faire
accompagner par Sidney, mais il chassa l'idée d'un vif
mouvement de canne.

— Ça fait un jour et une nuit, Barnett. Neddy doit être
terrifié.

Il accéléra le pas ; je pouvais lire la culpabilité sur ses traits
tirés. Ni lui ni moi n'osions dire à voix haute notre véritable
crainte : que Neddy soit déjà très loin, vendu par Cream à
un gentleman étranger. Ou alors qu'il soit déjà mort.

— Nous allons le trouver, dis-je.

— Je réfléchissais à la façon dont ils l'ont pris, marmonna-
t-il. Et s'il n'était pas reparti après avoir lancé la pierre ?

— Nous lui avions pourtant bien dit de filer dès qu'il
nous aurait prévenus…

— Oui, mais Neddy aime m'épater, n'est-ce pas ? Il en

fait toujours plus que ce que je lui demande. Comme s'il n'avait pas déjà assez à faire, à prendre soin de sa mère et de ses sœurs… Il veut aussi me rendre fier. Imaginez qu'il soit resté au cas où nous aurions besoin de lui ? Et s'il avait cherché à savoir ce qu'ourdissaient Cream et ses hommes ?

Je venais d'apercevoir plus bas dans la rue la tonnellerie de Sparks lorsque le patron me prit par la manche et me poussa sans crier gare dans une allée transversale.

— Bonté divine, murmura-t-il en jetant un coup d'œil par-dessus son épaule. C'est elle.

— Qui, elle ?

— Ma sœur. Avec les autres dames. Cachez-vous.

Nous nous plaquâmes contre une porte juste au moment où les patronnesses passaient devant le bout de la ruelle. Elles étaient toutes là — Ettie, Mme Truelove, Mlle James, Mme Campbell, Mlle Crosby, Mme Boothroyd et Mme Dewitt — et avançaient d'un pas énergique, leurs visages déterminés, chacune un panier au bras. Elles dépassèrent la tonnellerie et tournèrent dans l'une des ruelles à droite.

— Comment s'appelle cet endroit où elles vont ? demanda-t-il.

— Cutler's Court.

— J'aurais dû m'en souvenir, gémit-il. C'est le lieu qu'elles veulent sauver !

Nous ne sortîmes de notre cachette qu'après nous être assurés que la respectable brigade de la bienfaisance avait disparu. À une centaine de yards, la double porte de la tonnellerie était grande ouverte : des hommes martelaient des bandes de métal chaudes pour leur donner forme ; d'autres sciaient des douves. Devant, attelé à un fourgon, je reconnus la grande jument blanche aux balzanes chaussées que la cuisinière appréciait tant. L'animal avait des yeux mornes et souffreteux, l'écume blanchissait ses lèvres noires.

Nous traversâmes la rue et entrâmes dans la tonnellerie. La petite forge dégageait une chaleur infernale, les hommes travaillaient torse nu ; des fûts de toutes les tailles étaient rangés contre les murs ; accrochés aux établis, sur les tonneaux, dans les mains des hommes, il y avait des scies, des marteaux, des haches, du bois fraîchement fendu dont les arêtes tranchantes, encore humides, chatoyaient à la lueur des feux. À l'arrière, une porte jumelle à celle de la rue donnait sur une cour où des enfilades de fûts attendaient en plein air. C'est là que nous trouvâmes Sparks, en train de parler avec un cocher.

— Que puis-je faire pour vous, messieurs ? demanda-t-il.

Son visage était couvert de taches de rousseur, il portait une casaque à même la peau et de vieilles bottes au bout usé.

— Nous sommes venus chercher le garçon, annonça le patron.

Sparks fronça les sourcils.

— Il n'y a pas de garçon ici, monsieur.

— Nous savons qu'il est ici, dis-je. Rendez-le nous.

Son regard se durcit, il haussa le ton.

— Je vous le dis, il n'y a pas de garçon. Maintenant, partez. Dehors !

Derrière nous, les marteaux et les scies s'étaient tus, les hommes nous regardaient. C'étaient des durs, des hommes habitués à la bagarre au visage balafré, sales de sciure et de suie. Et ils étaient bien plus nombreux que nous.

— Monsieur, fit le patron. Nous ne vous causerons aucun problème si vous nous le rendez. Je vous le demande poliment. Nous ne partirons pas sans lui.

— Les gars ! ordonna Sparks. Par ici !

Un rude gaillard au crâne chauve posa la scie et vint vers nous tandis qu'un autre qui lui ressemblait comme un frère s'approchait de l'autre côté, une matraque de policier au poing ; deux forgerons plus jeunes, l'un avec une pince à bûches, l'autre un tisonnier, les imitèrent. Quatre autres barraient la porte.

— Là, là, fit le patron d'un ton soudain inquiet. Ce n'est

pas la peine de se fâcher. Dites-nous simplement où est le petit. Autrement, nous devrons appeler la police pour qu'elle vienne perquisitionner cet atelier.

Il venait de commettre une grande erreur, compris-je en voyant Sparks dissimuler un sourire roublard. Le patron venait d'avouer que nous étions venus seuls.

— Mais quelle paire de bouffons, fit le tonnelier, nous toisant avec un ricanement. Qui êtes-vous ?

— Les tuteurs du petit, monsieur, répondit le patron en accrochant les pouces à son gilet pour feindre une assurance que ses grimaces nerveuses démentaient. Ne rendez pas la situation plus difficile qu'elle n'est. Où est-il ?

Sur un geste de Sparks, les deux frères m'attrapèrent chacun par un bras, tandis que les forgerons s'en prenaient au patron. Un type avec une tignasse crépue à la carrure de lutteur de rue avança en balançant à bout de bras un marteau de forge.

— Les portes, Dennis, ordonna Sparks.

Un petit trapu fit coulisser les portes qui donnaient sur la rue. Le lutteur se posta devant nous, la tête penchée et le marteau bien visible sur la poitrine. Il n'y avait pas la moindre trace d'humanité dans ses yeux pâles.

— Messieurs, fit le patron, les lèvres blanchies, il n'est pas nécessaire de recourir à la manière forte. Vous ne faites qu'aggraver votre cas.

Je tentai de me libérer mais l'un des chauves me plia férocement le bras dans le dos, m'arrachant un cri de douleur. Le patron écarquilla des yeux alarmés. Les hommes qui le tenaient resserrèrent leur emprise.

Sparks se gratta l'aisselle, et les portes se fermèrent avec un bruit sourd et sinistre.

— Maintenant, messieurs, dit-il lentement. Dites-moi qui vous êtes et ce que vous êtes venus foutre ici.

— On a vu votre charrette l'autre soir, devant chez Milky Sal, fit le patron d'une voix saccadée.

— Et quel rapport avec ce fichu môme ?

— Quelqu'un avait dit à la police qu'il se trouvait là-bas, mais c'était faux. Alors vous avez dû l'amener ici avant qu'ils arrivent.

— Oh ! je l'ai amené ici, moi ?

— Nous pensons que oui.

Un marteau commença à cogner sur un fût derrière nous, un autre frappa une enclume, comme deux pendules à contretemps. Sparks nous considéra longuement. Je tentai encore de me débattre, mais les frères ne baissaient pas la garde. Le martèlement résonnait sous la charpente et le patron tressautait à chaque coup comme si le son pouvait le blesser. Moi aussi, je commençais à être sur les nerfs.

— Qui a parlé aux roussins ? demanda Sparks.

— Nous l'ignorons, s'empressa d'expliquer le patron. Ils ne nous l'ont pas dit. Ils nous ont juste demandé de les rejoindre chez cette femme, Milky Sal.

Sparks fit un geste en direction des forgerons. D'un coup de pied aux jambes, l'un fit tomber le patron qui s'effondra dans un cri. L'autre s'assit sur ses chevilles alors que le premier lui forçait le bras dans le dos. Les coups de marteau redoublèrent.

— Laissez-moi me relever ! demanda le patron.

Sparks pressa une botte sur son cou.

— Pourquoi crois-tu que j'aurais pris ce garçon ?

— La police a arrêté Sal et tous les autres, dis-je. Nous partions quand les voisins sont sortis, ce sont eux qui ont mentionné votre charrette.

— Alors, la police ne sait pas que vous êtes là, fit-il en se retournant vers le lutteur. Tout ça est bigrement louche, hein, Robbie ?

— Louche, ça oui.

Le tonnelier me désigna d'un geste plein de mépris.

— D'abord celui-ci, dit-il. Il est plus grand.

Je me laissai tomber en arrière de tout le poids de mon

corps en espérant faire tomber les deux frères. Peine perdue :
ils étaient bien trop forts.

— Évidemment qu'ils savent que nous sommes ici, cria
le patron en relevant la tête du sol, les binocles pendant à
une oreille. Nous avons envoyé un message avant d'arriver.

Sparks le fixa, puis, sans crier gare, le revers de sa main
se porta comme l'éclair sur mon visage. Je le vis venir, mais
ses hommes m'empêchèrent d'esquiver et le coup me frappa
de plein fouet.

Je jurai en crachant du sang sur le sol en pierre.

— Vous ne croyez pas que nous sommes venus comme
ça, n'est-ce pas ? demanda le patron. Sans renforts ? Nous
ne sommes pas fous, Sparks.

Celui-ci réfléchit un instant en fixant le patron. Moi, j'avais
les yeux rivés à sa grosse main qu'il frottait contre l'autre. Il
fit mine de me frapper de nouveau, je me recroquevillai et
il s'arrêta à mi-chemin, ricanant comme si j'étais un lâche.

— Jetez-les dehors, les gars !

— Non ! protesta le patron alors qu'ils le soulevaient du
sol. Rends-nous le garçon, Sparks !

Sparks empoigna le patron par le revers de la veste et le
secoua comme une poupée en chiffon.

— Je ne vois pas de quoi tu parles, lança-t-il. Foutez-moi
le camp, et estime-toi heureux que je ne te balance pas dans
le fourneau.

Le patron continua à protester alors que les hommes nous
traînaient vers la porte et nous jetaient dehors. Dennis prit
la jument blanche et la fit entrer dans le hangar. Les portes
se fermèrent derrière eux.

Je crachais encore du sang, aussi en colère qu'un homme
peut l'être. Le patron secoua la poussière de ses vêtements.

— Vous pouvez être sûr que Neddy est là, dis-je. Avez-
vous vu le geste de Sparks quand vous avez mentionné le
garçon ?

— Oui, mais je n'étais pas certain… Comment va votre bouche ?

— Oubliez ma bouche. Nous devons trouver le moyen de récupérer le petit.

— Je suis chiffonné à propos de Lenny, Barnett. Il m'a vraiment semblé ne rien savoir à propos de Neddy, et je ne pense pas que ce soit le genre d'homme assez fort pour ne pas parler alors que vous sembliez prêt à le noyer.

Je l'écoutais à peine. La tonnellerie était notre seule piste. Si Neddy n'était pas là, je ne savais pas ce que nous allions faire.

— Sparks prépare un sale coup, dis-je. Sinon, pourquoi fermer les portes avec cette chaleur ? La forge, les hommes… Et pourquoi faire entrer un cheval qui aurait avant tout besoin d'un peu d'ombre ? Je dirais qu'il est sur le point d'expédier Neddy ailleurs.

— Ou bien il cache des objets volés.

Le soleil tapait à plat dans la rue poussiéreuse et les élucubrations du patron commençaient à m'irriter. Nous traversâmes.

— Nous devons faire quelque chose ! Sur-le-champ ! S'il est là, Sparks risque de le changer d'endroit dans l'heure.

— Vous croyez que je ne le sais pas ? aboya-t-il en retour. Bon sang ! Il faut que nous y retournions, Barnett. Nous n'avons pas le temps d'envoyer chercher la police.

Il fit les cent pas sur le trottoir, le col trempé de sueur. Soudain, son regard se mit à briller.

— J'ai un plan. Venez, vite !

Il avança aussi rapidement que son pas claudiquant le lui permettait en direction de Cutler's Court, et je le suivis. Il faisait sombre dans cette cour encaissée, entourée d'immeubles aussi hauts que misérables et qui ne laissaient aucune chance au soleil d'atteindre ce rectangle bourbeux traversé par un cloaque à ciel ouvert ; la puanteur donnait la nausée ; des piles de coquilles d'huîtres s'entassaient dans tous les coins ; des chiens faméliques erraient autour d'enfants nus. Aucun des bâtiments n'avait de porte, juste des trous. Les fenêtres des rez-de-chaussée étaient toutes barrées par des planches ; une vieille ivrogne accroupie sur une marche marmonnait les yeux fermés une chanson dont elle agrémentait les couplets de jurons de son cru ; une bande de vauriens aux chemises sales nous suivait des yeux.

Devant les entrées, les dames de la mission parlaient aux habitants de la cour. Une jeune femme, un petit ballot marron dans les mains, écoutait Mme Truelove d'un air hébété ; un homme d'une maigreur extraordinaire bafouillait quelque chose à Mme Dewitt qui se tenait à distance, sans doute par crainte des hideuses pustules qui lui couvraient le visage ; deux mères avec leurs bébés dans les bras hochaient poliment la tête aux explications de Mme Campbell.

Le patron se dirigea vers sa sœur qui tendait un paquet de savon phéniqué à un vieillard assis sur un cageot.

— William ! Mais que fais-tu ici ?

— L'heure est grave, ma sœur. Neddy a été séquestré. Les hommes de Cream le retiennent dans la tonnellerie sur la grande rue.

Il se tamponna le visage avec son mouchoir.

— Ils ont frappé Barnett et ils étaient sur le point de me taper avec un marteau.

Elle porta les mains sur son cœur.

— Nous avons besoin de vous pour le récupérer. J'ose croire que ces vilains ne frapperont pas une femme.

— Tu veux que nous allions à sa rescousse ?

L'homme sur le cageot partit dans un éclat de rire qui déboucha sur une quinte de toux et le secoua de la tête aux pieds.

— Je pense qu'ils ont dû le cacher dans un coffre, expliqua le patron. Mais il peut être ailleurs. Il faut fouiller cet endroit de fond en comble.

— Mais c'est dangereux, William. Combien d'hommes y a-t-il ?

— Une dizaine.

— Nous ne sommes que sept.

— Je suis sûr qu'ils n'oseront pas s'en prendre à vous. Gardez vos parapluies avec vous.

— William, tu ne lis donc pas les journaux ? Des femmes meurent chaque jour à cause de la folie des hommes. Il faut faire venir la police.

— Nous n'avons pas le temps. Ces hommes croient qu'elle est déjà en route. Nous devons agir maintenant avant qu'ils envoient Neddy à l'autre bout de la ville.

Ettie se tordit les mains et jeta un œil à la ronde, le visage soucieux.

— Ce sont des personnes en rapport avec ton affaire ?

— Oui, Ettie.

— Je t'avais dit de ne pas impliquer ce garçon dans tes expéditions, William. N'est-ce pas ?

— Je t'en prie, Ettie. Cela pourrait être notre dernière chance de le sauver.

Elle réfléchit un instant et, soudain, elle claqua des mains. Tous les regards se portèrent sur elle.

— Mesdames ! annonça-t-elle. Mon frère a besoin de notre aide. Un enfant est emprisonné dans la tonnellerie voisine. Nous devons faire notre possible pour le sauver.

Toutes les dames prirent une expression indignée.

— C'est l'œuvre du diable, déclara Mme Dewitt.

— Il a dix ans, il s'appelle Neddy, poursuivit Ettie. Cherchez un bahut, ou n'importe quel endroit où on pourrait cacher un enfant. Il y a des hommes là-bas qui travaillent, n'en faites pas cas.

— Ces hommes tenteront-ils de nous arrêter ? demanda Mme Truelove.

— C'est possible. Nous devons agir vite et y mettre toute

notre foi. L'Éternel combattra avec nous, nous n'avons rien à craindre.

— Ne perdons pas de temps, mesdames ! s'exclama Mme Truelove.

Avec une détermination héroïque, elles partirent vers la tonnellerie et frappèrent aux portes avec toute la force de leur bon droit. Quand on vint ouvrir, elles s'élancèrent sans hésiter à l'intérieur et commencèrent à fouiller fût après fût. Le patron et moi restâmes sur le trottoir.

— Hé ! cria Sparks depuis la cour. Qu'est-ce qu'il se passe, ici ?

— Permettez, monsieur, répondit Mme Truelove. Nous cherchons l'enfant.

— Il n'y a pas d'enfant ici ! hurla Sparks, fou de rage. J'ai déjà dit à ses tuteurs qu'il n'était pas là. Sortez d'ici ! Maintenant ! Ouste !

Mme Truelove l'ignora, et ces dames continuèrent la perquisition en soulevant des couvercles, en dégageant des angles, en appelant Neddy. Les ouvriers les regardaient, pantois, les bras croisés sur leurs torses nus. Mme Truelove, qui avait commencé à vérifier les barriques alignées contre le mur, s'arrêta pour lancer à la cantonade :

— Mesdames, cherchez bien un coffre. Et ne regardez que dans les tonneaux avec couvercle. Mme Dewitt, Mlle James, voyez s'il n'y a pas un débarras.

Sparks se rua sur elle et l'attrapa brutalement par le bras. Ettie, qui cherchait dans l'étable, fondit sur eux.

— Ne la touchez pas ! fit-elle en tirant sur sa casaque.

Sans prêter attention à elle, Sparks gifla Mme Truelove et la conduisit brutalement vers la porte. Elle se débattit, mais elle ne faisait pas le poids face aux gros bras de la crapule, qui la jeta sans façons dans la rue.

— Sortez d'ici, nom de Dieu, cria-t-il en revenant dans le hangar. Les gars, mettez-les dehors !

Ses hommes ne se firent pas prier. L'un des frères poussa

Mme Dewitt qui tomba avec un cri sur une pile de ferraille. Elle leva ses mains en sang et pâlit, mais le colosse, sans lui laisser de répit, la prit par le pied et la traîna sur le sol. Au même moment, Sparks avait acculé Mlle James au bout d'une rangée de fûts et l'empoignait par les cheveux. Elle se défendit en le giflant et le griffant de ses petites mains blanches.

— Aide-moi, Robbie ! cria-t-il.

Le patron et moi secourûmes Mme Truelove. Sa bouche commençait à enfler, mais elle secoua la poussière de ses jupons et retourna vaillamment à l'intérieur. Nous venions de franchir le seuil quand le patron me tapota le bras et désigna le chariot près de la forge. Il était chargé avec le même type de caisses longues que nous avions vues à l'entrée du Beef, mais elles étaient beaucoup plus nombreuses à présent : il y en avait au moins une trentaine. À côté, par terre, une bâche était roulée en boule.

Les hommes continuaient à chasser les dames entre les tonneaux tandis que nous cherchions désespérément le coffre. Mme Truelove, une expression de rage déformant son visage distingué, s'était emparée d'une pelle à charbon et fondait sur Sparks lorsqu'on cria dans la cour.

— Il est ici ! fit la voix aux accents écossais de Mme Campbell. Je l'ai trouvé !

L'instant d'après, Neddy courait dans l'atelier en évitant les hommes qui ne savaient plus s'il fallait retenir les femmes ou s'occuper du garçon. Son visage était noir de suie, ses yeux rouges de larmes. Il n'avait plus de chaussures et sa casquette avait disparu.

— Attrapez-le ! cria Sparks en lâchant Mlle James. Qu'est-ce que vous avez à rester plantés là ?

Mais il était trop tard, Neddy était déjà sur le pas de la porte.

— Ne t'arrête pas ! fit le patron. File !

— Cours, petit, cours ! insistai-je.

Le garçon dévala la rue et disparut dans la foule avant que les hommes de Sparks aient compris qu'il fallait le suivre.

17

En arrivant à Coin Street, nous trouvâmes Neddy dans la boutique, juché sur un tabouret, en train de manger une grosse portion de pudding. Il nous offrit le sourire le plus joyeux que sa bouche tuméfiée le lui permettait ; sans un mot, le patron se jeta sur le petit diablotin et l'enveloppa de ses bras.

— Oh ! fit Mme Pudding entre deux coups de balai, si c'est pas beau à voir, ça ! Je lui ai donné du pudding, Ettie, il avait l'air mort de faim quand il est arrivé.

— Merci, répondit-elle. Il a été enfermé dans un tonneau toute la nuit.

Le patron serrait encore Neddy contre lui sous nos regards attendris. Une larme solitaire glissa sous la monture de ses lunettes tordues et roula sur sa joue rougeaude. Il s'écarta et la chassa brusquement.

— Neddy, Neddy, mon brave Neddy. Que tu es courageux, mon garçon.

— C'était rien, m'sieur.

C'est alors que je remarquai qu'il lui manquait une incisive.

— C'est eux qui t'ont fait ça ? demandai-je.

— Le tonneau est tombé de la charrette. J'ai pas eu mal, m'sieur.

— Mais regardez comme il est courageux ! s'exclama le patron avec fierté.

— Je suis content que vous m'ayez trouvé, m'sieur. J'aimais pas être dans ce tonneau.

— Je n'aurais pas aimé, non plus, compatit le patron. Surtout par une aussi chaude journée.

— J'avais très chaud, c'est vrai. J'ai cru que j'allais cuire. Je ne savais pas où j'étais.

— Raconte-nous ce qui s'est passé, Neddy.

— Je suis désolé, m'sieur. J'aurais dû partir de suite comme vous m'aviez dit.

Le patron se tourna vers moi avec ce sourire de satisfaction qu'il ne savait retenir quand les faits lui donnaient raison.

— Mais quand ils sont entrés, j'ai pensé que je pouvais écouter ce qu'ils disaient, continua Neddy. Ils parlaient de quelque chose et ça avait l'air très important. Je voulais trouver ce que c'était pour vous, monsieur Arrowood. Je me suis juste mis sous la charrette. J'ai fait attention à ce qu'ils me voient pas, juste comme vous m'avez appris.

— Continue, Neddy.

— Après, le cabriolet est arrivé, il s'est garé devant et j'ai eu peur qu'ils me voient et alors j'ai grimpé dans un tonneau. Puis ils sont sortis, ils l'ont fermé et j'ai pas pu sortir.

— Ils t'ont fait mal, fiston ?

— Ils savaient pas que j'étais là, m'sieur. J'ai pas fait un bruit de la nuit, même pas quand ils ont bougé le tonneau. Je savais que vous viendriez me chercher, monsieur Arrowood. C'est pour ça que j'ai pas appelé. Je savais que vous viendriez.

— Tu as été chanceux, Neddy, fit le patron, sévère. Combien de temps aurais-tu pu tenir dans ce tonneau ?

— Pas beaucoup, fit tout bas le petit. J'allais bientôt crier pour qu'on me sorte. Il faisait si chaud !

— Tu ne dois plus jamais faire une chose comme ça, tu m'entends ? Je suis fâché. Ne comprends-tu pas que ces hommes auraient pu te tuer ?

Le petit baissa la tête.

— Nous aurions pu ne pas te trouver, insista le patron.

Le patron regarda la silhouette abattue du petit, ses épaules qui tressaillaient. Ettie me demanda tout bas :

— Il pleure ?

J'acquiesçai, et elle donna une bourrade discrète à son frère.

— Allez, Neddy, fit-il doucement en lui serrant affectueusement les épaules. Oublions tout ça. Tu voulais nous aider, je le sais. Et tu as été très courageux.

Le petit hocha la tête.

— Tu as mal à la lèvre ? demanda Ettie.

— Je vais bien, m'dame. Je suis costaud.

— Une tranche de cake te ferait du bien ?

Là, il releva la tête.

— Je veux bien.

— Alors, finis ce pudding d'abord.

— Je leur aurais rien dit, m'sieur, fit Neddy en reprenant sa contenance. J'aurais dit que j'étais après les pots de cuivre pour les revendre. J'avais pensé à tout.

— C'était un bon plan, fit le patron en sortant la bourse de sa poche. Mais la prochaine fois, tu ne dois pas oublier la première règle du détective : ne pas se mettre en danger. Maintenant, tiens, le shilling que je t'avais promis.

Neddy acquiesça d'un geste solennel et mit la pièce dans sa poche.

— Monsieur ? dis-je, d'un ton accusateur.

Il tapota l'épaule du petit et le serra brièvement dans ses bras.

— Brave garçon !

— Monsieur ? insistai-je.

— Très bien, Neddy, fit-il en m'ignorant. Ta mère est inquiète. Prends le cake et rentre chez toi, tu achèteras de la bouillie de pois cassés pour ta famille. Ou plutôt, Albert va t'en donner. Je vous paierai, Albert. Avec la remise habituelle, bien entendu.

— Vous aviez mentionné une récompense, il me semble, intervins-je.

— Une récompense ? Qui a parlé de récompense ?

— Vous aviez dit que vous lui donneriez un shilling de plus pour sa peine. Et il a perdu ses chaussures.

Le patron fit la grimace.

— Je n'ai pas le souv...

— Allons, William, fit Ettie qui venait de comprendre, m'adressant un sourire complice. Donne-lui ce shilling, comme promis.

Avec un reniflement, il tendit à contrecœur une autre pièce au petit.

— Merci m'sieur, fit Neddy, les yeux brillants devant cette somme pharaonique.

— C'est moi qui te remercie, mon garçon. Et maintenant, viens avec nous, Ettie va te débarbouiller.

Par chance, Petleigh était encore à son bureau lorsque nous arrivâmes au poste. Il fut heureux d'entendre que nous avions retrouvé Neddy.

— Bien, vous serez contents d'apprendre que vous ne m'avez pas fait perdre de temps ce matin, dit-il. L'une des jeunes filles dit qu'elle a été maltraitée par plusieurs hommes. Elle n'avait pas le droit de quitter la maison. Au moins, nous pouvons faire comparaître Sal devant le juge suite à ces accusations. Votre fausse piste n'a donc pas été si infructueuse que cela, Arrowood. La petite est française, elle n'a que quatorze ans. Elle ne demande qu'à rentrer chez elle.

Le patron secoua sa grosse tête et dit :

— Elle est déjà perdue, je le crains.

— Vous ne croyez pas à la rédemption, William ? demanda Petleigh.

— Que vous dire ? Elle a vécu comme une prostituée, son esprit en est changé. Peut-il revenir à l'innocence ?

Je n'aimais pas entendre ces propos dans la bouche du patron : je n'étais pas un expert en la matière, mais il me semblait que ses opinions étaient mal assorties. Parfois, il semblait capable de trouver un fond d'humanité dans le criminel le plus misérable de Londres, et d'autres fois il débitait les croyances les plus crasses aussi facilement qu'il respirait.

— Enfin, soupira Petleigh. Ces questions dépassent les compétences de la police. Pour aujourd'hui, on l'a sauvée. C'est tout ce que nous pouvions faire.

— Quelle est son histoire ? demandai-je.

— Le père est mort de la fièvre. La grand-mère l'a élevée jusqu'à ce que la mère perde son emploi. Sans argent, la grand-mère ne pouvait continuer à les entretenir.

Il se carra dans le siège avec un soupir.

— Ils ont entendu parler d'une femme à la recherche de filles pour venir servir ici. Apparemment, certains de nos concitoyens préfèrent des filles françaises pour le service. Elles sont réputées plus polies. Et plus honnêtes, à ce qu'on dit. Quoi qu'il en soit, c'était une escroquerie. Milky Sal, la femme en question, a ramené la fille de Rouen, et voilà. L'autre fille est française elle aussi, mais elle n'a pas parlé.

Le patron et moi échangeâmes un regard.

— Elles viennent toutes les deux de Rouen ?

— Toutes les deux.

— C'est l'affaire des pucelles à vendre ? Ce n'était pas fini ? demandai-je.

— Cela continue, je le crains, en dépit de ce que racontent les journaux. La traite se fait dans les deux sens, nos jeunes filles finissent en France et vice versa. La vérité est que nous n'avons pas assez d'hommes pour couvrir tous les crimes de cette misérable ville.

La sueur perlait au-dessus de sa moustache noire, et il se leva pour ouvrir et tenter de créer un courant d'air. La fenêtre était cette fois-ci retenue par un pot de cornichons.

— C'est affreux, cette chaleur, grogna-t-il en donnant un coup de pied à la corbeille à papier dans un élan d'irritation.

— Laissez-moi parler à Sal, demanda le patron en se relevant.

— Je m'en suis déjà chargé.

— Accordez-moi cinq minutes avec elle.

— Elle dit ne rien savoir du meurtre de la serveuse.

— J'ai besoin de lui poser d'autres questions.

— À propos de l'assassinat ?

— De notre cas. Cela pourrait vous aider, vous aussi.

Petleigh enleva sa veste avec un soupir exaspéré et la plaça soigneusement sur le dossier de la chaise.

— Nous n'avons pas besoin de votre aide, Arrowood.

— Nous avons retrouvé le garçon, lui rappela le patron.

— C'est vous qui l'aviez perdu !

— Encore autre chose : quand Sparks a cru que la police arrivait, il a remis dans la charrette les caisses en bois qu'il avait ramenées du Beef. Il mijote quelque chose.

— Nous avons un meurtre à résoudre, et vous pensez que j'ai le temps de m'occuper de marchandises volées ?

— Je vous demande simplement de me laisser parler avec Sal.

— Et je vous le répète : c'est non.

— Bon sang, Petleigh ! s'emporta le patron. Le jeune homme que nous cherchons vient de Rouen ! Sal sait peut-être des choses qui pourraient nous aider !

L'inspecteur croisa les bras. Son expression était devenue belligérante.

— J'en ai assez, dit-il. Sortez de mon bureau, tous les deux. Cette discussion est finie.

Le patron insista :

— Écoutez, Petleigh…

— Monsieur, le coupai-je en le prenant par le bras, ce n'est pas le moment.

— Dehors, ordonna Petleigh en lissant furieusement sa moustache. Sortez, je n'ai pas de temps à perdre avec vos folies.

Je ne m'exprimai qu'une fois dans la rue.

— La prochaine fois, je verrai l'inspecteur seul à seul,

monsieur. Vous n'êtes pas capable de rester maître de vous. Vous avez beau lire dans l'âme des gens, vous n'y voyez goutte en ce qui concerne Petleigh.

Il balaya mes objections d'un geste.

— Il m'agace.

Une bonne odeur de café qu'on torréfie nous parvint depuis une boutique proche. Le patron m'entraîna et nous y entrâmes.

Lewis était lui aussi d'humeur orageuse. Sa cave, regorgeant de marchandises qu'il ne vendrait jamais, était aussi chaude qu'une cuisine, et il n'y avait ni porte ni fenêtre à l'arrière pour permettre à l'air de circuler. À l'extérieur, il avait accroché aux montants de la porte des gants de boxe et des étuis d'armes ; une ribambelle de couteaux de chasse pendait du linteau. Il avait disposé sur les pavés des épées dans leurs fourreaux, des arcs, des cannes, des parapluies ; quelques armes de poing se trouvaient sur le rebord de la fenêtre. Il attendait en plein soleil au milieu de cette jungle de marchandises, son visage abîmé par la petite vérole en sueur, les cheveux collés au crâne en mèches huileuses. Il transpirait tellement que sa veste noire était trempée mais, à la vue du paquet de poisson frit, il se ragaillardit. Nous poussâmes un banc vers un bout d'ombre et mangeâmes. Lorsque nous eûmes fini, le patron lui demanda s'il connaissait Longmire.

— Du Bureau de la Guerre ? J'en ai entendu parler.

Il froissa en boule la feuille pleine d'huile, se leva avec un grognement et rentra dans la boutique, dont il sortit avec un gros bloc-notes.

— Ah, oui, bien sûr, murmura-t-il en s'arrêtant sur une page. Là : *Colonel Montague Longmire*. Il est au département du maître général de l'équipement, aux ordres de Sir Evelyn Wood. Alors, c'est en rapport avec la balle, hein ?

— C'est possible. Qu'est-ce que tu peux nous dire d'autre ?

— C'est le deuxième fils de Lord Longmire. Une famille de Gloucester. Si je me rappelle bien, c'est un proche du commandant en chef de l'armée.

— A-t-il servi en Irlande ? demanda le patron.

— Je ne sais pas.

— Catholique ?

— J'en doute.

— Marié ?

— Quel homme respectable ne l'est pas ?

— Toi, par exemple, mon cher Lewis.

Le gros homme éclata de rire.

— As-tu eu des nouvelles d'Isabel ? demanda-t-il.

Le patron secoua la tête tristement et lui tendit son calepin.

— Ces noms te disent quelque chose ?

— Non, fit Lewis en parcourant les pages. Il n'y a que Longmire.

Nous fumâmes en silence pendant un moment en regardant le mouvement des charrettes qui entraient et sortaient des entrepôts voisins. Lewis nous demanda où nous en étions dans notre enquête, il écouta nos réponses, posa des questions, attentif au moindre détail. En plus d'une occasion, il nous avait aidés avec ses suggestions ou des informations complémentaires. Lorsque nous lui racontâmes comment les dames avaient sauvé Neddy, il rit de bon cœur.

— J'ai entendu parler du repaire de Sparks, dit-il, de nouveau sérieux. La tonnellerie est une des planques de Cream. Rien de plus facile que de cacher ce qu'il veut dans quelques tonneaux alors que la police devrait en fouiller une centaine pour tomber sur le bon. Et il ne risque pas de se faire dévaliser.

Le patron hocha la tête en regardant passer une charrette chargée de caisses à thé qui se dirigeait vers les docks.

— Sans parler du fait qu'une charrette de tonnelier peut circuler en ville sans attirer l'attention.

— Cream n'est pas sot, fit Lewis. Il a ses méthodes.

— Si tu penses à quelque chose d'autre, répondit le patron, s'apprêtant à partir, nous serons ravis de l'entendre.

— Fais attention, William, répondit l'armurier. Ces Fenians sont des fanatiques. Leur cause passe avant tout. Si tu t'interposes, ils se débarrasseront de toi.

— Je connais les Fenians, Lewis, fit doucement le patron.

— Es-tu sûr que cette affaire n'est pas trop lourde pour toi ?

Le patron me regarda avec un certain regret, et même une pointe de peur.

— Nous allons trouver l'assassin de Martha, déclara-t-il, ses yeux dans les miens. Après cela, je ne suis sûr de rien.

18

À notre arrivée, Fontaine s'entretenait avec un gentleman. Des rouflaquettes blanches et fournies encadraient un visage rubicond, il portait une redingote à longues basques du même gris que le haut-de-forme qu'il gardait dans ses mains gantées de blanc en dépit de la chaleur. Nous avions vu à l'extérieur un magnifique coupé noir, gardé par un laquais en livrée ; les deux chevaux blancs de l'attelage piaffaient d'impatience. Le client de Fontaine nous regarda du coin de l'œil et baissa la tête comme s'il ne souhaitait pas être reconnu.

— C'est entendu, vous m'enverrez un message, dit-il, pressé de clore la conversation.

— Soyez-en sûr, monsieur. Cela ne prendra pas plus de deux jours.

Fontaine courut vers la porte et l'ouvrit avec une courbette obséquieuse, en même temps que Mlle Cousture sortait de derrière le rideau.

— Messieurs, dit-il avant qu'elle ait eu le temps de prononcer un seul mot. Quel plaisir de vous voir ! Vous serez heureux d'apprendre que le portrait est prêt.

Le patron sortit enfin de la torpeur dans laquelle le plongeait la chaleur.

— Excellent ! Apportez-le, je vous prie. J'ai hâte de le voir.

— Je pense que vous serez ravi du résultat, monsieur, dit Fontaine en allant dans l'arrière-boutique. Il est juste là.

Je profitai de sa brève absence pour glisser une note dans

la paume de Mlle Cousture. Elle la fit disparaître prestement dans sa manche.

— Vous avez du nouveau ? murmura-t-elle.

— Lisez le mot.

Fontaine revint, un grand paquet rectangulaire entre les mains.

— Je dois dire que je suis fier du résultat. Toute la noblesse de votre cœur se lit dans ce portrait. Il sera du plus bel effet parmi ceux de vos ancêtres.

— Montrez, montrez ! demanda le patron.

— Caroline, aidez-moi, ordonna Fontaine.

Ils posèrent le cadre sur le comptoir et ouvrirent avec soin le papier brun qui l'enveloppait.

La silhouette du patron se découpait sur un fond neutre. Il posait le coude sur un pupitre, une main sous le revers de la redingote tel Napoléon. Derrière lui, un perroquet semblait se dandiner sur son perchoir.

— Bravo, monsieur Fontaine ! s'écria le patron. Je n'aurais pas pu rêver mieux.

Je ne pus qu'admirer à quel point les tons sépia dissimulaient les nombreuses irrégularités de son faciès. Cela tenait du miracle.

— Je pense sincèrement avoir capturé votre esprit, monsieur Arrowood. Aventurier. Héroïque. Auguste ! Vous voilà tel que vous êtes réellement !

Le patron acquiesçait avec de petits grognements satisfaits, les yeux rivés à sa propre image.

— J'espère que vous ne m'en tiendrez pas rigueur, monsieur, mais j'ai pris la liberté de le montrer à mon bon ami M. Flint, qui a une chaire aux Beaux-Arts. Il a une fine appréciation des proportions et de l'aspect de l'être humain. J'étais si satisfait de ce portrait qu'il me fallait le lui montrer.

— Vous avez très bien fait. Et qu'en a dit votre ami ?

— Il a dit qu'il voyait en vous quelque chose qui le faisait songer à Moïse, monsieur.

— Moïse ! fit le patron. Vraiment ?

— « C'est à peine croyable », voilà l'expression qu'il a employée, monsieur.

— Moïse, répéta le patron en se caressant le menton, perdu comme Narcisse dans la contemplation de son reflet. Eh bien, ça alors. Vous m'en voyez confus. Qu'en pensez-vous, Barnett ? Croyez-vous que ma sœur l'appréciera ?

— Elle va lui vouer un culte, monsieur.

Ignorant ma saillie ironique, il se tourna vers Fontaine avec un soupir.

— J'ai le sentiment de retrouver un ami perdu depuis longtemps.

Fontaine se passa les doigts dans ses cheveux gominés et sourit.

— Merci, monsieur Arrowood. C'était pour moi un honneur. Vous m'avez fait une véritable faveur en posant pour moi.

— Barnett, vous devriez vous faire tirer le portrait. Mme Barnett apprécierait, j'en suis certain. Mais peut-être ne voyez-vous pas quelque chose en lui comme vous le vîtes chez moi ?

— Au contraire, monsieur.

Fontaine me regarda de la tête aux pieds comme un maquignon qui examine un cheval.

— Je saurais aussi dépeindre la noblesse en vous, monsieur Barnett. Votre stature est remarquable.

— Mais pas autant que la mienne ? fit le patron, piqué au vif.

— Pas autant, en effet, fit le photographe. Mais tout de même, je suis persuadé que Mme Barnett s'en réjouirait.

— Je ne peux me permettre une telle dépense.

— Oh ! fit Fontaine en perdant immédiatement tout intérêt.

Je vois. Puis-je vous appeler un fiacre, monsieur Arrowood ?
Avez-vous déjà songé à faire faire un portrait de votre sœur ?

Nous attendîmes Mlle Cousture au café de Mme Willows.
Le patron avait déposé précautionneusement par terre le
portrait emballé dans son papier marron et s'était plongé
dans la lecture des journaux, se réservant sous la jambe,
comme à son habitude, les deux qu'il n'avait pas encore lus.
Il lissa le *Daily Chronicle* sur la table.

— Très intéressant. Écoutez : Mme Susan Cushing, une
veuve de cinquante-cinq ans résidant à Croydon, a reçu par
la poste une boîte en carton avec deux oreilles dedans. Sur
un lit de sel. C'est Lestrade qui mène l'enquête.

— Des oreilles humaines ?

— Bien sûr, humaines, fit-il en poursuivant avidement
la lecture. Voilà ce qu'on appelle une affaire fascinante !
Pourquoi ne nous confie-t-on jamais d'affaires comme celle-
là ? On soupçonne trois étudiants en médecine qu'elle a
expulsés de leurs chambres. Ce serait donc une vengeance…
Possible. Sauf que cela n'explique pas le sel, n'est-ce pas ?
Les enquêteurs ont négligé la question du sel. Je gage que
ce sel avait une signification pour la dame. Mais laquelle ?

Il tourna la page et renifla.

— Oh. Il n'y a pas plus de détails.

Rena apporta un sandwich au roast-beef et une tasse de
café pour chacun. Il n'y avait qu'un seul autre client, un
valet, qui termina son café et partit.

— Ils parlent encore de la mort de Martha, dit le patron,
la bouche pleine. Il y a trois pages là-dessus dans cette
feuille de chou.

— Y a-t-il quelque chose d'utile ?

— Du blabla. Un voisin dit qu'elle était galloise. Les
imbéciles. Et là, un policier raconte qu'il pourrait s'agir
de l'Éventreur qui a manqué de temps pour l'éviscérer. Et
plusieurs pages où les assassinats de Whitechapel s'étalent

dans leurs détails les plus sordides. Seigneur. Je croyais qu'on en avait fini, avec ces horreurs.

— D'autres théories ? demandai-je.

— Le *Lloyd's Weekly* suggère qu'elle venait de prendre une assurance et porte les soupçons sur le père.

— D'où ont-ils sorti l'information ?

— Ils ne le disent pas. Mais au moins cela concorde avec la théorie du tueur à gages.

— Quelque chose sur Cream, sur les Fenians ?

— Rien.

La porte s'ouvrit et Mlle Cousture entra, le souffle court et le rouge aux joues.

— Monsieur Arrowood, dit-elle sans se donner la peine de s'asseoir. Dites-moi les nouvelles, je n'ai pas beaucoup de temps.

— Nous avons fait quelques progrès, mademoiselle. Il semble que Cream traite avec un certain colonel Longmire, du Bureau de la Guerre. Nous pensons que c'est en rapport avec la balle.

— Oh ! encore cette balle ! Vous êtes sûrs qu'il y a un rapport ?

— Cream et Longmire se rencontrent régulièrement depuis plus d'un an. Nous savons aussi que ce type de munitions correspond à des fusils dont seule l'armée dispose.

— Et alors ?

— Cream cache des marchandises volées dans une tonnellerie et se sert d'une charrette de tonnelier pour les transporter. Nous savons aussi qu'il est propriétaire d'une maison close tenue par une femme du nom de Milky Sal.

Il s'arrêta pour mordre dans le sandwich. Mlle Cousture, toujours debout, le regarda avec impatience en tordant un mouchoir entre ses mains.

— Mais asseyez-vous, mademoiselle, je vous prie.

— Êtes-vous allés dans cette maison ?

— Oui.

— Et qu'avez-vous trouvé ?

Un boucher, portant encore son tablier taché de sang, poussa la porte ; je l'en empêchai du bout du pied et lui fis signe de faire demi-tour ; Rena, toujours accommodante, se retira dans l'arrière-boutique. J'avalai la dernière bouchée de mon sandwich et demandai :

— Vous prendrez bien un café, mademoiselle ?

Elle sembla ne pas m'avoir entendu.

— Qu'est-ce que vous avez trouvé dans cette maison ? insista-t-elle. Quelque chose qui mène à Thierry ?

Le patron mâchait lentement, longuement, sans cesser de la dévisager.

— Avez-vous quelque chose à nous dire, mademoiselle ?

— Je ne comprends pas.

— La balle, notre meilleur indice, ne semble pas vous intéresser. Vous n'avez que faire de Cream ni de son trafic de marchandises. Mais dès que je mentionne le bordel, vous voulez tout savoir.

— Bien sûr que la balle, et Cream, et tout le reste m'intéressent, mais je ne comprends pas quel rapport cela peut avoir avec mon frère, c'est tout.

— Pourtant, le bordel éveille votre intérêt.

Elle ne répondit pas tout de suite, comme si elle cherchait ses mots.

— C'est parce que… mon frère fréquente ces endroits, dit-elle enfin. J'espérais que vous auriez trouvé quelque chose qui puisse aider à le retrouver. Voilà.

— Je vois, je vois, répondit le patron avec douceur. Mais je me dois de vous poser à nouveau la question : est-ce qu'il y a quelque chose que vous ne nous dites pas ?

Elle se redressa, indignée.

— Bon sang ! Chaque fois que je vous vois, vous prenez mon argent mais je n'obtiens rien en retour !

— Mademoiselle, dit le patron sans se départir de son ton conciliant. Je sais que tout ceci est très difficile pour vous. Vous êtes désespérée, et vous ne savez pas à qui vous fier dans cette grande ville. Mais nous ne pouvons pas aider votre frère si vous ne nous dites pas toute la vérité.

— J'ai dit la vérité.

Avec un long soupir, le patron joua sa carte préférée : une bouche sévère, combinée au plus généreux des regards. Il attendit, le silence si lourd de possibles que même les mouches s'arrêtèrent pour écouter. Mais, au lieu de parler, Mlle Cousture croisa les bras en refusant obstinément d'affronter ses yeux.

— S'il vous plaît, asseyez-vous un instant, demanda-t-il enfin.

Elle soupira et ronchonna, mais s'assit finalement sur le tabouret face à lui. J'étais à présent debout contre la porte.

— Nous savons que ce n'est pas votre oncle qui vous a trouvé du travail. C'est un prêtre qui vous a recommandée.

Il marqua une pause pour touiller son café. Il souffla dessus, but bruyamment. Ce ne fut qu'après avoir reposé la tasse qu'il daigna continuer.

— Vous n'êtes pas venue à Londres pour devenir photographe, n'est-ce pas, Mlle Cousture ?

À ce moment, j'eus pitié d'elle.

— Comment avez-vous su ? murmura-t-elle.

— M. Fontaine.

Elle roula des yeux furibonds.

— Oh ! lui. Bien sûr.

— Je vous en prie, mademoiselle, croyez-moi quand je vous dis que nous ne vous en tenons pas rigueur. Vous avez de bonnes raisons de le faire, j'en suis certain.

Posant une main sur la sienne, le patron murmura :

— Pourquoi avez-vous menti ?

— Oh ! Monsieur Arrowood, répondit-elle doucement. J'ai honte de raconter la vérité sur ma vie. Vous n'imaginez pas la façon dont Eric me maltraite. Il ne me paie presque rien, je suis son esclave.

— Et le prêtre ?

— La maison où j'habite appartient à une mission religieuse. C'est un foyer pour femmes célibataires, comme je vous l'ai dit. Je leur suis très reconnaissante, mais la vérité, c'est que je vis de la charité.

Elle leva enfin le regard vers lui.

— C'est très douloureux pour moi. Quand je suis arrivée à Londres, je pensais que j'aurais un autre destin. Nous sommes des gens fiers, dans ma famille. Je ne souffre pas le comportement d'Eric, mais le Révérend a trouvé cette place pour moi et je dois en tirer mon parti, ou bien je me trouverai à la rue. Eric passe son temps à crier sur moi, mais j'ai décidé de ne pas retourner en France avant d'avoir appris le métier. Un jour, je quitterai sa boutique et je retournerai chez moi, peut-être pour devenir la première femme photographe française.

Tout en l'écoutant, le patron plongea son couteau dans le pot de moutarde et en tartina son sandwich d'un air absent. Il répéta le geste une fois, puis une autre. La couche de moutarde était presque aussi épaisse que la tranche de roast-beef.

— Patron ? hasardai-je.

Il secoua sa main comme on chasse une mouche.

— Mais si vous êtes si maigrement payée, dit-il, comment se fait-il que vous ayez autant d'argent sur vous ?

— S'il vous plaît, ne me posez pas cette question. Je ne l'ai pas volé.

— Loin de moi cette idée.

— Ne me posez pas cette question, je vous en supplie.

— Mais comment saurai-je alors que vous ne me mentez pas encore une fois ?

— Je dis la vérité maintenant, fit-elle, montrant ses paumes en gage de sincérité. Plus de mensonges.

— Alors, d'où vient cet argent ?

Elle tourna vers moi ses grands yeux bruns et purs.

Quelques mèches échappées de son chapeau collaient, humides, à la peau blanche de son cou. Elle secoua la tête.

— Je ne dirai rien.

Le patron et moi échangeâmes un regard entendu. Ce n'était pas rare de nos jours que des jeunes femmes améliorent l'ordinaire de cette façon. Je ne la jugeai pas pour cela, et le patron non plus.

— Vous nous avez dit que vous habitiez avec votre frère, reprit-il.

— Pour que vous acceptiez le cas. S'il vous plaît, monsieur Arrowood. Je vous dis qu'il a des soucis. Je le sais.

— Ne vous inquiétez pas, mademoiselle, dis-je. Nous en avons appris assez pour savoir que c'est vrai.

— Je vais à présent vous demander quelque chose, fit le patron d'une voix très douce, et vous devez nous dire la vérité.

Mlle Cousture hocha la tête.

— Que savez-vous de Milky Sal ?

— Je ne la connais pas ! s'écria-t-elle. Qui est-ce ? Pourquoi me demandez-vous encore cela ?

— Je ne vous l'avais pas demandé.

Elle hésita.

— Oh. Je croyais.

— Dites-moi ce qui vous a poussée à venir à Londres. La vérité, cette fois-ci.

— Je suis venue avec mon frère. Il avait des soucis à Rouen, je vous l'ai dit et c'est vrai : il avait volé. Des hommes sans pitié étaient après lui.

Le patron fit alors la plus surprenante des choses. Il porta le sandwich à sa bouche et, le tenant devant ses lèvres, le pressa avec force. Une grosse giclée de moutarde s'en échappa, tomba sur le devant de sa chemise et glissa jusqu'au bas de son gilet. Puis, laissant le sandwich qu'il n'avait pas croqué sur l'assiette, il se rencogna dans son siège, les bras largement écartés, comme si de rien n'était. Mlle Cousture avait continué à parler pendant tout ce temps et, bien qu'elle eût les yeux rivés sur lui, elle ne parut pas remarquer son étrange comportement.

— Il n'est pas raisonnable, Thierry, et j'avais peur qu'il retourne en France. Il est sous ma responsabilité. Voilà pourquoi je suis venue. Ce n'était pas pour travailler comme photographe, je vous ai dit ça parce que…

— Avez-vous été engagée à Rouen pour travailler ici comme domestique ? l'interrompit le patron.

Il avait toujours les bras écartés, la moutarde formant une blessure jaune sur sa chemise blanche.

Elle déglutit avec difficulté.

— Non, monsieur.

— Connaissez-vous des jeunes filles de Rouen qui seraient venues à Londres pour le compte d'une femme anglaise ?

— Non, monsieur.

— Vous voyez, Mlle Cousture, la coïncidence est assez drôle. Il se trouve que Cream possède un bordel tenu par Milky Sal. Elle est allée à Rouen en feignant d'être à la recherche de jeunes femmes qui seraient venues travailler comme servantes en Angleterre. Mais quand elles sont arrivées, bien sûr, elles ont dû travailler dans son bordel. Elles ont été maltraitées. Emprisonnées.

De nouveau, il essaya sa tactique du silence, sans résultat. Mlle Cousture regardait par la fenêtre la rue, les chevaux accablés par la soif, les enfants harassés qui marchaient en grappes silencieuses. Elle passa son doigt fin sur le bord de la table. La moutarde, liquéfiée par la chaleur, continuait à se répandre sur le torse du patron.

— Vous comprenez, continua-t-il, nous avons besoin de savoir s'il y a un lien entre tous ces faits.

Elle secoua la tête.

— Je ne sais rien de tout ça, monsieur. Je ne vois pas de lien. Sauf… Sauf si Milky Sal connaît les hommes qui cherchaient mon frère.

Ses yeux se mirent à briller.

— Mais oui ! C'est sans doute ça. Elle a dû les rencontrer en France et elle leur a dit qu'il travaillait au Beef ! Elle sait où est mon frère, j'en suis sûre ! C'est une bonne piste. S'il vous plaît, il faut que vous en appreniez plus sur elle, sur ses clients, avec qui elle travaille !

Elle sortit deux guinées de sa bourse. Le patron nous tourna le dos poliment en feignant de tousser comme je les acceptais.

Lorsqu'elle fut partie, Arrowood demanda à Rena un chiffon mouillé pour nettoyer sa chemise.

— Ettie ne va pas me féliciter pour ça, fit-il, morose. Mais c'est tout ce que j'ai trouvé sur le moment.

— Vous l'avez fait exprès ? demandai-je, abasourdi.

La porte s'ouvrit et trois jeunes chenapans entrèrent dans la boutique.

— Vous avez de l'argent, garnements ? demanda Rena.

— Oui, m'dame, dit la fille en montrant une pièce. Et on veut du cake aux fruits. Des grosses tranches, s'il vous plaît. On a passé la journée aux sacs.

— Oui, on est affamés, m'dame, renchérit un garçon qui faisait la moitié de la taille de la gamine.

Le patron haussa le ton pour se faire entendre au-dessus de cette pagaille soudaine.

— Avez-vous remarqué qu'elle n'a pas réagi à ma maladresse, Barnett ?

— C'était fort étrange.

— Pas si étrange quand on connaît un peu les mécanismes de l'esprit. Nous pouvons assumer qu'il est plus difficile de mentir que de dire la vérité. Donc, lorsque l'attention est concentrée sur des mystifications et des duperies, elle ne peut se porter sur le reste.

— C'était une de vos… expérimentations psychologiques ? Pour savoir si elle mentait ?

— En effet. Et elle a confirmé mes doutes.

— Je ne vous avais jamais vu vous en servir auparavant.

— Je n'y songe que depuis peu.

— Mais vous pourriez vous tromper. Si cela se trouve, le cerveau est plus alerte quand on ment.

— C'est possible, mais dans ce cas, comment expliquer son comportement ?

— Peut-être est-elle simplement polie ?

Il me lança un regard peu amène.

— Ou alors, elle était gênée ? tentai-je.

— Allons, Barnett, enfin ! Admettez qu'elle ne semblait pas embarrassée le moins du monde !

Je ne l'avais pas vu aussi satisfait de lui-même depuis un bon bout de temps.

Nous retournâmes ensemble à Coin Street. À la grande déception du patron, le portrait ne suscita chez sa sœur aucune admiration. Au contraire, elle parut fâchée et insista pour en connaître le prix. Le patron refusa obstinément de le lui dire, et quand je fus sur le point de partir, elle se calma de façon soudaine et me persuada de rester pour une tasse de thé et une part de tarte aux amandes. Pendant que nous prenions la collation, elle nous questionna à propos des derniers revirements de l'affaire. Elle demandait à connaître par le menu tout ce qui s'était passé, mais le patron ne lui donnait que des détails sommaires. Mécontente, elle ne cessait de revenir à la charge. Je profitais de la brise fraîche du soir qui se faufilait entre les battants, ne prêtant qu'une oreille distraite à leurs chamailleries, lorsqu'un jeune garçon arriva avec un message.

— L'inspecteur a dit qu'il faut que vous y alliez dare-dare, m'sieur, dit le petit, haletant. J'ai couru tout du long, m'sieur. Aussi vite que j'ai pu, comme il m'a dit.

Le patron lui donna un demi-penny et le congédia avant de déchirer l'enveloppe. Il lut et me regarda, visiblement décontenancé.

— Refaites vos lacets, Barnett, fit-il en se relevant.

— Qu'est-ce qui se passe ? demanda Ettie.

— Petleigh.

Il me tendit la note : « *Venez immédiatement à la morgue, Dufours Place. Nous pensons avoir trouvé votre Français.* »

19

Un fiacre nous conduisit à la morgue en à peine vingt minutes. L'agent Reid, posté devant la porte de la salle d'autopsie, nous attendait, un petit paquet de sablés Peek Freans à la main, son casque cette fois-ci posé sur un banc.

— L'inspecteur a dit que vous pouvez y aller, annonça-t-il en secouant les miettes qui parsemaient le devant de son uniforme noir.

Petleigh, à l'intérieur, observait le médecin légiste, un grand homme aux cheveux gris et au dos aussi voûté que le plafond de la salle. Un tablier marron protégeait son costume. Devant lui, sur la table en bois, je distinguai la masse blanche et informe d'un corps nu.

— Je crois qu'il pourrait s'agir de votre homme, William, fit Petleigh.

— Le corps semble avoir passé quelques jours dans l'eau, déclara le légiste d'un ton monocorde en s'essuyant les mains sur un torchon. La chair est tuméfiée, la peau part en lambeaux, et presque tous les poils et les cheveux sont partis. Rien sur le pubis, ni sur les bras, reste quelques mèches sur la tête. Le visage est si enflé que j'ai dû énucléer la victime pour voir la couleur de ses yeux. Approchez et dites-moi si vous pouvez l'identifier.

Le patron resta sur place, figé, le regard quelque peu vitreux.

— Allez-y, William, fit Petleigh en se dirigeant vers la table. Venez voir.

Le patron ne bougea pas d'un pouce.

— Vous n'avez jamais vu de cadavre ? lança le chirurgien. J'avais cru comprendre que vous étiez détective ou quelque chose de la sorte.

— Je suis détective, murmura le patron. Je n'ai jamais vu un corps comme ça, c'est tout.

— Où a-t-il été trouvé ? demandai-je.

— Après Dartfort, répondit Petleigh. Un batelier l'a attrapé dans ses filets.

— Qu'est-ce qui vous fait croire qu'il pourrait s'agir de Thierry ? demandai-je.

— Ses vêtements s'étaient détachés, à l'exception d'une manche. Mais il avait une corde autour du cou, au bout de laquelle il y avait un cercle métallique avec le reste d'une douve. J'ai donc pensé à votre tonnelier. Ils ont probablement lesté la barrique de boue et ils l'y ont attaché. Mais approchez, et dites-nous s'il correspond à la description que vous avez de lui.

J'avançai vers la table ; j'entendis les pas lents du patron derrière moi. J'avais compris au premier coup d'œil que le corps se trouvait dans un état effroyable, mais en m'approchant, la vision devint insoutenable. La puanteur me donna un haut-le-cœur. Les membres avaient enflé et semblaient à certains endroits sur le point d'éclater, la peau était d'un rouge cramoisi avec des ombres verdâtres. Ou plutôt ce qui restait de peau, car de longues bandes manquaient, laissant à découvert les muscles et les os. Une grosse incision courait du cou jusqu'au ventre dont les bords étaient écartés pour que le chirurgien puisse y fouiller avec ses outils. Le patron s'écarta pour aller s'affaisser sur une chaise près du mur.

Je n'arrivais pas à détacher les yeux de l'intérieur du corps. Un long moment s'écoula avant que j'ose regarder la tête, et plus de temps passa encore avant que j'arrive à retrouver l'usage de la parole.

— Mais où est le visage ? demandai-je enfin.

Le légiste pointa son scalpel.

— Regardez, ça, c'est le nez. Les joues l'ont englouti, fit-il en insérant le manche de son outil pour écarter la chair. Vous voyez les narines, au fond ? Et cette boursouflure, ce sont les lèvres.

Il enfonça alors la lame dans la tache pourpre en même temps que de l'autre main il tirait sur la mandibule qui était complètement à découvert. Je vis quelques dents jaunies.

— L'œil est là. C'était le seul moyen d'identifier la couleur.

Il prit un bol en porcelaine blanche qui se trouvait sur une étagère derrière lui et me le montra. Un globe écrasé et sanguinolent entouré par l'amas bleuâtre des nerfs me fixa depuis le fond du récipient. L'iris était brun.

— C'est lui ? demanda Petleigh.

— Comment voulez-vous que je l'identifie ? Il n'a pas de visage.

— Et l'œil ?

— Vous voulez que je l'identifie à partir d'un seul œil ?

— Nous ne l'avons jamais vu, de toute façon, intervint le patron depuis sa chaise.

— Vous ne l'avez jamais vu ? s'exclama le médecin. Alors que diantre faites-vous ici ? Petleigh, pourquoi les avez-vous fait venir ?

L'inspecteur claqua la langue.

— Votre client ne vous a pas indiqué la couleur de ses yeux ?

— Non, répondis-je. Mais il a une brûlure à l'oreille gauche.

Le légiste examina le crâne attentivement.

— Il ne reste pas assez de peau pour le dire. Vous devez faire venir le parent de cet homme, Petleigh. C'était la première chose à faire.

— Il ne faut pas oublier que ce parent pourrait être l'assassin, docteur Bentham, répondit Petleigh. C'est l'une de nos hypothèses.

— Oh ! de grâce ! Quelle hypothèse ? s'écria alors Arrowood. Elle ne l'a pas tué. Pourquoi nous aurait-elle embauchés, alors ? Franchement, Petleigh, vous me désespérez.

— C'est donc une femme ! exulta Petleigh comme s'il avait réussi à nous soutirer l'information par une ruse habile. Dites-moi son nom. La loi vous y oblige à présent.

Je regardai le patron qui, avec un soupir abattu, m'invita à parler.

— Mlle Caroline Cousture, la sœur de l'homme disparu, dis-je. Elle demeure au 56, Lorrimore Road, district de Kennington. C'est un foyer d'une mission.

— Reid ! aboya Petleigh.

Le jeune homme reçut l'ordre d'aller chercher Mlle Cousture sur-le-champ.

— Barnett, accompagnez-le, demanda le patron. Elle aura besoin d'être réconfortée.

— Non, dit Petleigh. Reid ira tout seul.

Le patron bondit de sa chaise.

— Mais, inspecteur, elle sera bouleversée.

— Je vous permettrai de l'attendre dans le couloir pour la recevoir. Et vous devriez m'en savoir gré, c'est là une faveur que je vous fais.

— Cela ne peut pas attendre demain matin, Petleigh ? demanda Bentham d'une voix lasse.

— Navré, docteur. Cela ne peut pas attendre.

Le légiste fit la grimace.

— Je vais aller me restaurer au Hand and Flower. Envoyez-moi chercher quand elle arrivera.

Le médecin revint au bout d'une heure sans attendre qu'on l'appelle. Il sentait le vin et le ragoût de mouton. Son attitude était bien plus amicale, mais il évita de croiser nos regards, craignant peut-être de mal se tenir à présent qu'il était à moitié ivre. Il se faufila dans la salle d'autopsie, où Petleigh le suivit. Peu de temps après, l'agent Reid arriva d'un pas pressé avec Mlle Cousture, dont le visage était en partie couvert par une voilette maintes fois raccommodée qu'elle avait accrochée de guingois à son chapeau. M. Arrowood, qui s'était inquiété du choc que lui produirait la vue du cadavre, voulut l'y préparer, mais elle ne s'arrêta pas lorsqu'il tenta de lui parler. Lorsque nous essayâmes d'entrer avec eux dans la salle, Petleigh nous en empêcha.

— Attendez dehors, dit-il en nous fermant la porte au nez.

Nous retournâmes sur le banc en bois. Quelques minutes plus tard, Mlle Cousture en sortait. Elle avait relevé sa voilette.

— Ce n'est pas lui, dit-elle.

Un sourire tremblotant traversa son visage, puis elle parut sur le point de s'évanouir. Le patron bondit du banc juste au moment où elle chancelait, la prit sous les bras et l'aida à s'asseoir.

— Je suis désolée, dit-elle, les paupières closes. Ce pauvre homme !

Elle sortit de sa manche un mouchoir qu'elle tint contre sa bouche.

— Et cette odeur...

— Êtes-vous sûre que ce n'est pas lui, mademoiselle ? demanda Petleigh.

— Bien sûr ! Mon frère est blond comme les blés. Le... à l'intérieur, il avait des cheveux bruns. Noirs. Ce n'est pas lui.

— Désolé de vous avoir infligé cela, s'excusa Petleigh.

Elle se tourna vers le patron, puis vers moi, les yeux pleins de reproche.

— Je ne vous avais pas dit qu'il était blond ?

Le visage coupable du patron exprimait le même sentiment de honte que j'éprouvais. Bonté divine, quels idiots nous faisions. Choqués par l'état épouvantable du corps, ni lui ni moi n'avions songé à la couleur des cheveux.

— Vous leur aviez dit qu'il était blond ? s'étrangla

Petleigh. Et vous deux, vous ne vous êtes pas dit que cela pourrait aider ?

— Je dois admettre que ce que j'ai vu là-dedans m'a rendu malade, murmura le patron.

Ce fut alors qu'un détail me revint à l'esprit. Sans attendre que le patron ait fini de se justifier, je retournai dans la salle et m'approchai de la forme monstrueuse sur la table. Le légiste était en train de la couvrir d'un drap.

— Attendez.

— Qu'est-ce que vous faites ? s'enquit Petleigh qui m'avait emboîté le pas.

Je dus faire appel à toute ma force de volonté pour prendre dans ma main le bras du mort. J'eus un haut-le-cœur avant même de l'avoir touché. La chair avait la même texture que la pansc de mouton, l'affreuse puanteur emplissait mes narines et ma bouche, mais je serrai les dents et tournai le poignet. Je ne m'étais pas trompé : l'ongle de l'index était écrasé. Seulement, ce doigt ne semblait pas en colère comme la dernière fois que je l'avais vu. Il me parut doux, innocent, comme celui d'un enfant à la main blessé.

— Je crois savoir de qui il s'agit, dis-je. L'agent en civil qui m'a attaqué. Celui de Scotland Yard.

— Un policier ? demanda le chirurgien. Dieu du ciel.

— Qu'est-ce qui se passe, docteur Bentham ?

— Laissez-moi vous montrer quelque chose, dit-il en découvrant les jambes du cadavre. Puisque vous vous dites détectives, comment expliqueriez-vous cela ?

Il passa le manche d'un balai sous les genoux du mort et les fit plier. Au bout des jambes, les pieds pendaient en un drôle d'angle, comme s'ils ne tenaient que par un fil aux chevilles. Le légiste prit un pied et le plia brusquement de sorte que le talon toucha le mollet.

Mlle Couture étouffa un cri, le patron gémit.

— Alors ?

— Les os se seraient dissous dans l'eau ? hasardai-je.

Le légiste hocha la tête avec dédain, puis demanda, avec un sourire sombre :

— Petleigh ?

— Dites-nous, avant que nous tournions tous de l'œil.

— Les deux tendons d'Achille ont été sectionnés, les os des chevilles écrasés. Question suivante pour nos détectives. Pourquoi les assassins se sont-ils donné la peine de faire cela ?

Personne ne répondit.

— Pour l'empêcher de s'enfuir. Si vous coupez les pieds, la perte de sang serait trop importante. Le prisonnier mourrait. Avec cette méthode, on le garde en vie, soit pour prolonger son tourment, soit pour continuer à l'interroger.

— Mon Dieu, murmura Mlle Cousture.

— J'ai déjà vu ça, il y a quelques années, poursuivit-il. À Manchester. C'était un voleur, quatre fois récidiviste. Il a été retrouvé mort, et présentait exactement les mêmes blessures.

— On a retrouvé les coupables ?

— Non, mais il s'agissait de toute évidence d'une vengeance entre criminels. Je suppose que la police de là-bas n'a pas pu prendre le temps d'enquêter. Il n'y avait que deux inspecteurs pour toute la ville.

— Attendez, fit le patron. Il ne peut pas s'agir de l'homme de Scotland Yard. Nous l'avons vu en vie il y a seulement deux jours. Comment le corps aurait-il pu se décomposer aussi rapidement ?

— Deux jours ? Vous êtes sûr ? demanda le médecin.

— Est-ce que deux jours dans l'eau auraient pu produire cet effet ?

— Non, impossible. Mais cela expliquerait une autre question qui me taraudait. Sa peau est très rouge, et les os des mains, côté paume, et des pieds, côté plante, présentent des marques de brûlures. J'avais présumé qu'il s'agissait de blessures anciennes.

— Des marques de brûlures ? Mais le corps n'est pas brûlé, nota Petleigh.

— Non, répondit le médecin. Pas brûlé. Bouilli. C'est la seule explication.

Mlle Cousture poussa un gémissement et enfouit le visage entre ses mains. Elle tremblait de la tête aux pieds.

Un silence pesant emplit la pièce. Je cherchai appui sur une chaise, les jambes en coton. Nous nous regardâmes, interdits, ne voulant pas croire ce qui venait d'être dit.

— Quels monstres, dis-je enfin.

— Vous devez vous renseigner sur cet homme et les cas sur lesquels il enquêtait, Petleigh, demanda le patron. Et sur ses raisons de nous suivre. Il doit avoir un lien avec Cream : nous l'avons vu surveiller le Beef.

Petleigh leva les mains au ciel.

— Vous n'apprendrez donc jamais, William ? Je ne travaille pas pour vous. Je transférerai le cas au *Criminal Investigation Department*. Il en faisait partie. C'est à eux de suivre l'affaire.

— Vous connaissez donc son identité ? s'exclama le patron.

L'inspecteur ne put cacher son embarras.

— Je ne connais pas son nom. Je n'ai pas encore parlé avec le commissaire.

— Vous auriez dû, Petleigh. Il y a certainement un lien entre notre affaire et leur enquête.

— Du calme, William. Je ne peux pas interférer avec le CID. Ils voudront sans doute vous voir demain.

— Tant mieux ! cria le patron. Car je veux les voir aussi.

Je crus un instant que Petleigh allait perdre son sang-froid, mais il reprit contenance et, prenant une longue inspiration, se tourna vers Mlle Cousture.

— Je suis désolé que vous ayez eu à voir ça, mademoiselle.

Elle hocha doucement la tête.

— Laissez-nous vous raccompagner chez vous, proposa le patron.

— Merci, monsieur Arrowood.

La voilette était retombée sur son visage et me cachait son expression, mais je crus la voir pleurer. Je songeai qu'elle devait craindre, comme quiconque se serait retrouvé dans cette situation, que la même chose soit arrivée à son frère.

— Venez demain à 9 heures au poste, mademoiselle, demanda Petleigh comme nous partions. J'ai quelques questions à vous poser. Et vous, William, attendez-vous à une visite du CID.

20

Le patron m'avait demandé de me présenter chez lui le lendemain de bonne heure en insistant pour que je porte mon meilleur costume. Je supposai qu'il avait un plan. Quand j'arrivai, il avait déjà envoyé Neddy à Scotland Yard avec un mot pour le CID. Le message disait seulement qu'il souhaitait s'entretenir avec les responsables de l'enquête sur l'officier noyé, à midi, au café de Willows. D'après l'une de ses théories, un homme n'a que la valeur que les autres veulent bien lui accorder, et en conséquence, il est possible de ramener les agents de la loi à leur condition d'hommes ordinaires en les privant des uniformes et des bureaux qui sont les attributs de leur pouvoir. Ainsi, il avait décidé de prendre l'initiative de la rencontre, persuadé que, sur notre propre territoire nous serions en position de force et arriverions plus facilement à leur soutirer des informations. Je n'étais pas aussi certain que lui du succès de cette stratégie, mais je n'avais pas d'alternative à proposer. De plus, à force de travailler avec lui, j'avais fini par apprendre qu'il faut parfois faire quelque chose même si l'on n'est pas certain que cela marchera.

Il s'était mis lui-même sur son trente et un : complet noir, gilet vert, cravate ivoire. Ses bottes fraîchement cirées brillaient, ses rares cheveux étaient sagement plaqués sur le pourtour de son grand crâne chauve. Plus étonnant encore : il avait le sourire d'un chat qui vient de manger un bol de crème. Trônait, sur la cheminée, le fameux portrait.

— Mais enfin, Barnett, s'agaça-t-il l'instant d'après. Et

vos cheveux ? Mme Barnett vous a réellement laissé sortir comme ça ? On dirait que vous sortez du lit, ma parole. Ettie ? Puis-je te demander de descendre ?

Ettie nous rejoignit promptement, quelque peu renfrognée. Son expression s'adoucit en me voyant.

— Norman. J'ai appris les dernières nouvelles de votre affaire.

— On peut dire que ça avance, en effet.

— D'après vous, à la morgue…

Le patron l'interrompit.

— Peux-tu faire quelque chose avec ses cheveux ?

Elle écarquilla les yeux.

— Comment ça, avec ses cheveux ? fit-elle en lissant nerveusement sa jupe.

Je jetai un œil à mon reflet dans la glace près de la porte.

— Enfin, regarde-le ! Il faut que tu les lui coupes, dit le patron.

Il s'agitait en tous sens comme un enfant, la mine réjouie. Je me demandai s'il n'avait pas commencé la journée avec une bonne dose de son tonique à la cocaïne.

— Mets-lui de la lotion, peigne-le. Comme tu l'as fait avec moi. Nous avons rendez-vous avec les gens du CID.

La gêne était évidente.

— Ce n'est pas nécessaire, Ettie, m'interposai-je. Je comprends que vous trouviez cela déplacé. J'irai chez le barbier, si c'est aussi fâcheux que cela.

Une lueur indéfinissable traversa ses yeux.

— Vous vous méprenez, Norman, répondit-elle d'une voix calme. Ce n'est pas une question de bienséance. En Afghanistan, j'ai eu à faire des choses bien plus intimes que couper les cheveux à de parfaits inconnus. Le corps n'est rien d'autre que le vaisseau que le bon Dieu nous prête. Seule l'âme est sacrée, n'est-ce pas ?

— Oui, je suppose.

— Je suis toujours heureuse d'aider, j'hésitais seulement à cause de Mme Barnett. Qu'est-ce qu'elle en pensera ?

— Elle comprendra. Mais je ne veux pas vous mettre dans une situation embarrassante.

Cela semblait en effet inconvenant. Une dame de sa classe n'avait pas à prendre soin d'un homme aussi mal dégrossi que moi. Je ne m'étais pas lavé correctement depuis plusieurs semaines et je redoutais les trouvailles qu'elle pourrait faire dans la jungle sur mon crâne. J'avais, dans le même temps, l'étrange impression qu'elle voulait vraiment me couper les cheveux.

— Mme Barnett s'est-elle remise de son indisposition ? demanda-t-elle alors.

La question m'avait pris au dépourvu et je ne sus quoi répondre. Je ne saurais pas dire si c'était à cause de la façon dont je vivais depuis un mois, mais la bonté dans les yeux d'Ettie était si sincère que ce fut comme si elle touchait, le temps d'un instant, la part de Mme Barnett que je portais dans mon cœur. J'aurais voulu tout raconter, mais je savais que je ne pourrais pas surmonter le chagrin que sa question avait provoqué. Je me contentai donc de secouer la tête.

— J'aimerais lui rendre visite, Norman. Je pourrais m'entretenir avec elle de notre travail à la mission.

— Je vois.

— Vous voudrez bien lui demander de me recevoir, lorsqu'elle se sentira mieux ? Peut-être plus tard dans la semaine ?

— Je n'y manquerai pas.

— Très bien, fit-elle en tirant une chaise. Allez vous asseoir près de l'évier.

Elle plaça alors une serviette sur mes épaules. Je vis apparaître dans ses mains habiles une paire de ciseaux et un peigne, et elle s'attaqua aussitôt à ma tignasse.

— Nous partons dans une heure, indiqua le patron en

s'installant dans son fauteuil pour poursuivre la lecture d'un ouvrage sur les émotions de l'homme et des animaux.

— Vous avez fini les nouvelles de détectives que vous lisiez l'autre jour ? demandai-je d'un ton innocent en essayant de chasser ma mélancolie. Dans *The Strand* ?

— J'y ai jeté un œil, maugréa-t-il.

— Vous avez appris quelque chose ?

Sa sœur rit sous cape.

— Rien du tout, grogna le patron.

— Vous avez entendu parler, dit Ettie, de cette veuve qui a reçu deux oreilles par la poste ?

— Nous avons lu la nouvelle hier, répondit le patron. Un cas des plus intéressants.

— On a demandé à Sherlock Holmes d'intervenir. Je l'ai vu à la une des journaux de ce matin.

— Pourquoi ne suis-je pas étonné ? gronda le patron d'une voix où bouillonnait la rage. Le cas le plus intéressant de l'été à ce jour. C'est le Dr Watson qui va être content.

— On soupçonne des étudiants en médecine, dit Ettie.

— J'en doute fort. Voler des oreilles sur des cadavres est une faute grave. Pourquoi risqueraient-ils leur carrière pour effrayer une vieille femme ? Par ailleurs, je doute que Holmes eût été invité s'il s'agissait d'une simple farce.

Il sembla retrouver sa bonne humeur.

— Qu'en pensez-vous ? Va-t-il goûter le sel qu'il y avait dans la boîte et déclarer aussitôt qu'il provient d'une mine des pays baltes qu'il connaît comme de par hasard ? Ou peut-être a-t-il fort opportunément déjà écrit un traité sur les variations régionales de la forme des pavillons auriculaires ?

Je les écoutais pendant qu'Ettie continuait à me démêler les cheveux.

— Je me demande s'il finira par résoudre cette affaire, dit-il. Si nous n'en entendons plus parler, on comprendra qu'il a échoué.

— Tu *veux* qu'il échoue, mon cher frère.

— Pas le moins du monde.

— Admets-le au moins une fois, William ! Sherlock Holmes est un génie. Il a ce qu'on appelle un grand esprit.

— Cet homme fait trop d'erreurs pour être un génie.

Elle claqua la langue.

— Tu es jaloux, c'est tout.

À ma grande surprise, il éclata de rire.

— Absolument pas, ma sœur. Absolument pas. La Providence se montre plus généreuse avec certains, voilà tout. Tu dois le reconnaître, Ettie. D'après ce que je lis dans les histoires de Watson, une bonne partie des déductions de Holmes tiennent moins du génie que de la chance. Et qu'en est-il des cas que nous ne lisons pas dans *The Strand* ? Ce ne sont pas des succès, tu peux en être sûre.

Elle se tourna vers lui.

— Depuis que tu as perdu ton travail au journal, tu en veux à ceux qui réussissent mieux que toi, William. Et ne t'avise pas de nier.

— Balivernes, rétorqua-t-il en souriant. Mais il est vrai que Holmes n'a jamais souffert pour son art. Sais-tu combien le roi de Bohême l'a payé pour trois jours de travail ?

— C'est pour cela que tu ne veux pas reconnaître son mérite ? Tu t'estimes lésé ?

— Tu admettras que je n'ai pas été chanceux dans ma carrière. Ni en amour.

Une telle conversation aurait d'ordinaire mis le patron en rogne, et pourtant, voilà qu'il gloussait et se trémoussait comme si on le chatouillait.

— Je crois que tu es jaloux, mon frère, soupira Ettie. Qu'en pensez-vous, Norman ?

Il me parut plus sage de taire mon avis sur la question, qui était proche de celui d'Ettie. Le patron était de bonne humeur et je préférais qu'il le reste. Sans attendre ma réponse, il bondit allègrement de sa chaise et se retira dans sa chambre.

— Une lettre est arrivée ce matin, annonça Ettie lorsque nous fûmes seuls. D'Isabel. C'est pour cela qu'il se comporte comme un fou. Elle voudrait le voir et vient dans quelques jours.

— Elle revient à la maison ?

— C'est ce qu'il croit, mais j'en doute. Je crois qu'elle vient lui demander de l'argent.

— Que ferez-vous si elle revient ?

— Je ne pense pas que cela arrivera. Alors, voulez-vous bien me dire ce que vous avez découvert à la morgue ? William tient à me protéger, il ne semble pas avoir conscience que j'ai vu de bien plus près que lui l'horreur de ce monde.

Elle continua à arranger mes cheveux pendant que je lui racontais les événements de la veille. Les yeux fermés pour éviter que des mèches ne s'y glissent, je commençai à me détendre. Ettie bougeait doucement derrière moi, j'entendais le bruissement de ses jupes, ses vêtements qui frôlaient mon dos. Je finis mon récit au même moment où elle commençait à se servir des ciseaux avec l'assurance que la caractérisait. Elle travailla en silence, je n'entendais que sa respiration et le tic-tac de la pendule. Après quelques minutes, elle épousseta les cheveux sur mes épaules et passa un rasoir sur ma nuque. Puis elle me massa le crâne, s'attardant autour des oreilles. Le premier contact de ses doigts me surprit tellement que j'en tressaillis. Mon barbier, que je fréquentais depuis des années, n'avait jamais touché mon cuir chevelu. Mais la sensation n'était pas désagréable et je me prélassai entre ses mains en me demandant si je devais me sentir coupable du plaisir que j'éprouvais.

Cela se termina trop tôt. Ettie secoua la serviette et commença à tailler mes favoris. Croyant qu'elle avait fini, je me redressai et ouvris les yeux. Soudain, elle posa les mains sur mes joues et, très lentement, les glissa vers mes oreilles. Sa respiration était devenue plus rauque, je sentais sa tête tout près de mon épaule. Je me raidis et, bien que je voulusse me tourner, je craignis de l'embarrasser en m'étonnant de son comportement. Ses doigts montèrent de ma nuque à mon crâne puis redescendirent lentement. Son souffle chaud caressait mon cou, je sentis mon pouls s'accélérer.

— As-tu fini, ma sœur ? demanda le patron en faisant irruption brusquement dans le salon. Je prendrais bien une tasse de thé.

Elle retira ses mains et recula prestement.

— Oui, oui, murmura-t-elle d'une voix douce que je ne lui connaissais pas. Je pense.

Je me relevai et nos regards se rencontrèrent. Elle rougit et baissa les yeux. Je me demandai ce qui venait, au juste, de se passer.

— Excellent, fit le patron. C'est du beau travail, Ettie. Un peu de lotion, peut-être ?

— La bouteille est sur la commode, répondit-elle.

— Et un peu de cake ? suggéra le patron. Allez vous regarder dans la glace, Barnett. Et mettez un peu de parfum, aussi, pour couvrir l'odeur. Je vous avais bien dit d'aller aux bains.

— Ils sont fermés de si bonne heure.

Ettie chercha mon regard, cette même lueur toujours au fond des yeux. Ce fut si fugace que je ne sus pas si je l'avais imaginée.

— Dépêche-toi avec le thé, Ettie, la pressa alors le patron. Nous devons partir bientôt.

Elle se tourna vers lui.

— Occupe-toi du thé toi-même, fainéant, dit-elle en pointant vers lui un doigt accusateur. Tu es resté assis toute la matinée à te tourner les pouces.

— Ettie ! s'exclama le patron, à la fois surpris et blessé. Qu'est-ce qui se passe ?

— Oh ! tais-toi, dit-elle en s'élançant vers l'escalier.

— Qu'est-ce que j'ai fait ? demanda-t-il lorsque nous entendîmes la porte de la chambre claquer en haut.

— Elle pense que vous essayez de la protéger, dis-je.

— Je me demande si elle ne serait pas plus heureuse en Afghanistan. J'ai tenté de le lui suggérer.

Je sentais encore les mains de Ettie sur ma peau.

— C'est peut-être la raison pour laquelle elle est fâchée.

Il soupira, les yeux vers le plafond.

— Je crois qu'il va falloir que vous vous chargiez du thé, dit-il finalement.

Nous avions à peine bu deux gorgées que Petit Albert frappait à la porte.

— Deux messieurs, monsieur Arrowood, annonça-t-il. Je les ai fait attendre dans la boutique comme vous aviez dit.

Je m'apprêtai à aller les chercher lorsque les deux hommes se présentèrent d'eux-mêmes dans le salon. Je les jaugeai d'un coup d'œil. Le plus vieux portait un complet marron, avait une barbe poivre et sel, des yeux fatigués et larmoyants — il ne poserait pas trop de problèmes. Le deuxième, en revanche, ne me disait rien qui vaille. Il portait une veste noire racornie et était déjà lui-même en train de m'évaluer, à la recherche de mon point faible. Bien que plus petit que moi, il avait un visage de pugiliste : il lui manquait deux dents du bas, son nez semblait renifler sa joue droite et ses yeux étaient si écartés que rien qu'à le regarder on se sentait mal à l'aise. Une véritable gargouille. La façon dont il se tenait, les bras légèrement écartés du corps, me dit qu'il était prêt à se servir de ses poings. C'était une attitude que j'avais souvent vue dans les pubs juste avant qu'une bagarre éclate. Ses bottes étaient élimées, et l'un des lacets était cassé.

— Vous deviez attendre dans la boutique, se plaignit Petit Albert.

— Nous n'avons plus besoin de toi, petit, dit le plus vieux avec un accent irlandais. Merci beaucoup. Maintenant, laisse-nous seuls.

Petit Albert regarda le patron qui se releva tout en prenant sa canne, qu'il laissait toujours à côté de son fauteuil. Je fis un pas vers la cheminée, les yeux sur le tisonnier. Nous pensions tous les deux la même chose : ces hommes sont des Fenians.

— Tu peux y aller, fiston, dit le patron. Vous êtes ? demanda-t-il à l'homme qui venait de parler.

Je saisis le tisonnier.

— Inspecteur Lafferty. Lui, c'est le détective Coyle.

Coyle me regarda comme si ma coupe de cheveux ne lui plaisait pas.

— CID, continua le vieux. Je présume que vous êtes M. Arrowood ?

— En effet.

Lafferty se tourna vers moi.

— Et vous êtes M. Barnett.

J'acquiesçai.

— Vous n'allez pas avoir besoin de ce tisonnier, monsieur Barnett. Si vous vous avisez de vous en servir, je vous le fourre dans le cul.

Je ne bougeai pas.

— Vous allez devoir venir avec nous à Scotland Yard, ajouta-t-il.

— Oh ! vraiment ? dis-je. À Scotland Yard ?

— Oui. À propos de l'assassinat d'un de nos hommes. J'espère que vous n'y voyez pas d'inconvénient ?

— Nous vous avions dit midi, objecta le patron.

— Mais nous considérons la mort d'un de nos agents comme une affaire urgente, rétorqua Coyle d'une voix lourde et plate.

Une voix irlandaise, elle aussi.

— Comment pouvons-nous être sûrs que vous êtes du CID ? demandai-je.

— Parce que nous venons de vous le dire, répondit Coyle en faisant un pas vers moi.

— Vous êtes surpris que des Irlandais travaillent dans la

police, déclara Lafferty en retenant son collège par le bras. Je sais que c'est difficile à croire, mais que voulez-vous ? Nos deux pays ne font qu'un, désormais. Nous n'avons peut-être pas aimé votre façon de baiser, mais à présent nous sommes mariés. Il faut s'y faire. Et la vérité est que vous autres Anglais ne vous lavez pas plus souvent que nous, pas vrai ?

— Nous sommes d'accord là-dessus, en convint le patron.

— Alors, une voiture attend dehors. Vous allez venir avec nous tranquillement, sans faire d'histoires.

Voyant que le patron commençait à bouger, je pris la parole.

— Si vous voulez bien, messieurs, nous allons décliner l'invitation. Mais asseyez-vous, nous pouvons discuter ici. En toute confiance.

— Oui, asseyez-vous, fit le patron en tirant deux chaises. Ma sœur va faire du thé.

— Il ne s'agit pas de faire la conversation, monsieur Arrowood. Maintenant, on y va.

Je ne comptais aller nulle part. J'étais convaincu que ces deux hommes étaient des Fenians et, après ce que j'avais vu à la morgue, j'étais prêt à les tuer plutôt que de tomber entre leurs mains.

— Vous ne trompez personne, dis-je en serrant le tisonnier. Vous êtes de la police comme moi je suis curé. Nous ne cherchons pas la bagarre, messieurs. Nous essayons seulement de retrouver un jeune garçon français pour sa famille. Il s'appelle Thierry. Nous ne nous intéressons pas à ce que vous faites. Nous voulons simplement trouver le garçon.

Le patron scrutait leurs réactions, à la recherche du moindre signe d'émotion qu'aurait pu susciter le nom de Thierry. Coyle fouilla alors l'intérieur de sa veste et en sortit quelque chose.

C'était un revolver.

— Nous n'allons pas le demander deux fois, dit-il, ses petits yeux porcins dardés sur moi. Lâchez vos armes.

— Oh Seigneur, gémit le patron en laissant aussitôt tomber

la canne. Ce n'est pas nécessaire, vraiment pas. Messieurs, ne nous emportons pas. Je crois à l'indépendance de l'Irlande. Barnett aussi. Nous ne sommes pas vos ennemis.

— C'est très intéressant, monsieur, dit Lafferty.

Coyle échangea un regard avec lui. Je saisis ma chance et levai le tisonnier, mais il fut plus rapide. Il pivota, et enfonça le revolver entre mes côtes.

— Lâche ça, fit-il.

Je n'avais pas le choix : j'obéis. Coyle éloigna le tisonnier d'un coup de pied.

— Messieurs, s'il vous plaît ! cria le patron. Laissez-moi vous expliquer. Nous n'avons rien contre vous, je vous donne ma parole.

— Calmez-vous, monsieur Arrowood, dit Lafferty. Il ne tirera que si vous créez des problèmes. Maintenant, faut-il vous passer les menottes, ou viendrez-vous avec nous en bons citoyens ?

— Des menottes ? s'étonna le patron.

Avec un soupir, Lafferty en sortit une paire de sa poche.

— Oui, des menottes. Je vous l'ai dit, nous sommes policiers. Petleigh nous a donné votre adresse.

— Petleigh ? Vous voulez dire, vous êtes vraiment de Scotland Yard ?

— L'assassinat d'un de nos agents est une affaire de la plus haute importance, monsieur Arrowood. L'inspecteur Petleigh est venu nous voir peu après l'arrivée de votre messager.

Le patron m'interrogea des yeux. Je hochai la tête, bien qu'en vérité j'eusse encore du mal à le croire. Je n'avais jamais entendu parler d'Irlandais dans la police, et tout à coup, il y en avait deux dans le salon du patron.

— Maintenant, allons-y, si vous le voulez bien, dit Lafferty. Le cheval va s'impatienter. Il n'aime pas le soleil.

21

Aucun des deux policiers ne nous adressa la parole durant le trajet jusqu'à Scotland Yard. Le patron, assis face à moi, regardait vaguement par la fenêtre, un sourire serein aux lèvres. Je savais que la lettre d'Isabel occupait son esprit.

Une fois arrivés, ils nous firent descendre au sous-sol, dans une pièce grise, chichement éclairée par une petite fenêtre près du plafond ; il y avait, au centre, une table entourée de six chaises. Lafferty nous invita à nous asseoir et repartit aussitôt avec son acolyte en fermant à double tour la lourde porte en acier.

Pendant pratiquement deux heures, le patron garda son calme, ce qui ne lui ressemblait vraiment pas. Mais lorsque son estomac commença à gargouiller, sa belle humeur se gâta.

— Ils le font délibérément, dit-il en se relevant et se rasseyant dans le même mouvement. Ils cherchent à influencer nos esprits.

Au retour des agents, quatre heures s'étaient écoulées, mais ils ne s'en excusèrent pas pour autant.

— Où étiez-vous ? protesta le patron. Vous nous avez laissé ici la moitié de la journée !

— Nous avions des affaires à traiter, répondit Lafferty en lâchant sur la table un cendrier en fer-blanc en même temps qu'un cahier et un crayon.

— Nous aussi, grogna le patron. Dépêchez-vous et finissons-en.

Ils ignorèrent sa remarque. Tandis que Lafferty arpentait

la pièce en nous posant des questions, Coyle écoutait, debout vers la porte. Nous lui dîmes tout ce que nous savions, sauf les choses qui, vues sous un certain angle, auraient pu nous mener devant un juge. Nous parlâmes de Milky Sal, de la tonnellerie, de la mort de Martha. Nous évoquâmes les cambriolages perpétrés par les Fenians ainsi que Longmire et sa relation avec Cream, en éludant toutefois les moyens que nous avions utilisés pour obtenir ce renseignement. Une fois qu'il fut convaincu que nous avions livré toutes les informations qui étaient en notre possession, Lafferty s'assit et passa le relais à Coyle. Celui-ci posa son cahier, fourra les mains dans ses poches et commença à nous poser les mêmes questions en les formulant de façon différente. Je voyais l'agacement du patron grandir peu à peu. Car s'il y avait une chose qu'il ne pouvait pas souffrir, c'était de se sentir dominé par un homme plus jeune.

— Est-ce que ça a déjà marché, votre petit manège ? demanda-t-il enfin.

— Parfois, dit Lafferty. Quand les gens sont fatigués ou qu'ils inventent des bobards trop compliqués pour leur esprit.

— Nous devrions songer à l'utiliser, Barnett, fit le patron. Vous joueriez le détective Coyle et moi je serais l'inspecteur Lafferty. Étudions leur méthode. Remarquez la posture menaçante de Coyle. Quelle autorité ! Pourquoi n'avons-nous jamais utilisé cette tactique, Barnett ?

— Peut-être parce que vous n'êtes pas un véritable détective, fit la gargouille.

— Je suis détective privé ! Et j'ai enquêté sur plus d'affaires que vous ne pouvez l'imaginer.

— Ha. Détective, vous ? Comme Sherlock Holmes ? Nous n'avons jamais vu votre nom dans la presse, il me semble.

Le patron secoua la tête d'un air accablé.

— Mon Dieu, mon Dieu. Le CID idolâtre Sherlock Holmes, comme tout le pays. Quelle déception. Moi qui espérais que Scotland Yard emploie des hommes plus fins que cela.

— Vous avez une haute opinion de votre personne, Arrowood, dit l'agent, irrité. Vous ne me ferez pas croire que vous pourriez résoudre les affaires qu'il a démêlées. Holmes a plus d'esprit que quatre hommes réunis.

Lafferty fit la moue. De toute évidence, il ne partageait pas l'avis de Coyle.

— Prenez l'affaire des mormons, continua Coyle, en saisissant une chaise par le dossier. Vous la connaissez ?

— Oui, ce cadavre retrouvé dans une maison vers Brixton Road. Thomas Drebber. Et alors ?

— Aucun autre homme en Angleterre n'aurait été capable de rassembler les indices comme Holmes. Scotland Yard n'en a pas été capable. Même Witcher n'y serait pas parvenu.

— Holmes n'a pas résolu cette affaire, déclara le patron.

— Bien sûr que si ! C'était écrit noir sur blanc, dans la presse. Comment c'était déjà, le titre ? « Une étude en rouge ». Holmes a découvert le nom de l'assassin…

— Hope, l'interrompit le patron. Le nom du meurtrier était Hope !

Il n'allait pas tarder à exploser.

— … et il l'a même piégé pour l'attirer à Baker Street et l'arrêter, poursuivit Coyle.

Le patron se releva d'un bond et cria :

— De grâce ! Tout ce que Sherlock Holmes a fait, c'est de télégraphier à la police de Cleveland qui lui a répondu que Hope en avait après Drebber. On lui a dit le nom du tueur, pauvre sot ! En quoi est-ce résoudre une énigme ?

Coyle secoua la tête obstinément.

— Et le saignement de nez, hein, ou les sabots du cheval sur la route ? Et l'homme au visage rouge, et l'anneau ? Holmes a su lire dans ces indices. Alors que personne d'autre n'avait été capable de les relier entre eux.

— Des coups de chance ! répondit le patron, au comble de

l'exaspération. Pour chaque indice trouvé, Holmes identifie deux possibilités, en écarte une et déclare que l'autre est la solution. Prenez le mobile du meurtre. Ce n'était pas un cambriolage, cela était clair. Bien. Holmes décide alors qu'il s'agit soit d'un crime passionnel, soit d'un crime politique. Comme s'il n'y avait pas d'autres raisons de tuer ! Qu'en est-il de la vengeance ? Peut-être Drebber avait-il tué le frère du meurtrier, ou qu'il l'avait dépouillé de la fortune familiale. Peut-être encore avait-il sabordé son bateau ! Qu'en est-il de la folie ? Qu'en est-il du chantage ? Non, Holmes ne se donne pas la peine de prendre en compte une seule de ces possibilités, ni toutes les autres raisons pour lesquelles on tue dans ce bas monde.

Son débit s'était accéléré et il postillonnait sans laisser à Coyle la moindre chance de l'interrompre.

— Et puis il a exclu un mobile politique parce que les empreintes montraient que le meurtrier était resté dans la pièce après avoir tué Drebber ! Holmes déclare que cela n'arrive jamais dans un assassinat politique ! Balivernes ! La réalité n'est jamais aussi simple. Peut-être y avait-il quelqu'un dans la rue et que le tueur a dû attendre ? Peut-être voulait-il s'assurer que Drebber était mort. Peut-être était-il accablé par l'acte qu'il avait commis ? Holmes en arrive à la conclusion que le mobile était une femme. Il était dans le juste, certes, mais il est tombé tout à fait par hasard sur la vérité après avoir négligé avec une consternante légèreté toutes les autres possibilités.

— Mais la bague ! fit Coyle. C'était la preuve que...

— Cela ne prouvait rien ! rugit le patron en balayant d'un geste le cendrier par terre. La présence de cette bague pouvait s'expliquer par tout un tas de raisons ! Peut-être était-elle tombée de la poche de Hope pendant la bagarre ? Peut-être comptait-il la mettre au clou ? C'était peut-être un leurre ? Holmes avait déclaré que les lettres de sang sur le mur n'étaient qu'un leurre, alors pourquoi pas la bague,

je vous le demande ? Drebber essayait peut-être d'acheter
le silence du meurtrier ! Encore une fois, Holmes néglige
une question capitale ! Si cette bague est aussi importante,
comment se fait-il que l'assassin la laisse sur la scène du
crime ?

Il abattit son poing sur la table, en proie à une telle colère
qu'il tremblait et gesticulait comme un damné. Son visage
était cramoisi, luisant de sueur, sa tête semblait avoir doublé
de volume. Lafferty et Coyle le contemplaient, bouche bée,
frappés de stupeur.

— N'importe quel imbécile comprendrait que la bague
n'a aucune espèce d'importance ! Mais encore une fois,
Holmes a eu de la chance. Contre toute probabilité, le tueur
a oublié de la prendre. Une chance sur un million, je vous
dis ! Holmes a peut-être raison à la fin, mais seulement
parce qu'il s'est trompé de bout en bout. Et Watson raconte
tout cela dans *The Strand* et proclame que cet homme est
un génie !

Il se tut brusquement, pantelant, nous regardant tour à
tour. Lafferty tapotait sur la table du bout de son crayon,
Coyle était adossé au mur, les bras croisés. Un ange passa.
Le patron haletait. Finalement, Lafferty dit :

— Vous semblez en connaître long sur l'affaire, Arrowood.

Le patron grimaça nerveusement. Tout à coup, il semblait
moins sûr de lui. Je me relevai et lui posai une main sur
l'épaule. Je voyais battre les veines sur ses tempes, encore
plus saillantes que d'habitude.

— Il lit beaucoup, affirmai-je en appuyant doucement
sur son épaule pour qu'il s'assoie. M. Arrowood a toujours
un livre entre les mains.

— Nous allons devoir vous passer les menottes si vous
vous emportez encore de la sorte, Arrowood, dit Lafferty.

— Ce ne sera pas nécessaire, répondis-je. Il gardera
son calme, mais la chose serait plus aisée si vous cessiez de
nous tarabuster.

Le patron, sous la table, me tapota le genou.

— Vous n'arrivez pas à la cheville de Holmes, Arrowood, cracha Coyle, jetant encore de l'huile sur le feu. Regardez-vous ! Vous n'êtes qu'un vieux limier fatigué, qui gagne sa croûte en traquant des endettés avec votre homme de main. On dit aussi que vous êtes doué pour prendre sur le fait les femmes des cocus. Vous aimez ça, on dirait.

Je sentis que le patron était de nouveau à deux doigts d'éclater.

— Allons, tempéra Lafferty en se tournant vers son collègue. Ne recommence pas.

— Quel âge avez-vous ? demanda le patron à Coyle d'une voix parfaitement calme.

— Qu'est-ce que ça peut vous faire ?

Le ventre du patron émit un borborygme. Il se redressa, une main sur le gilet.

— Je m'enquiers de votre expérience dans le métier. Vous m'avez l'air assez jeune.

Coyle pinça les lèvres, serra les poings et regarda Lafferty, renversé sur sa chaise, les mains jointes derrière la tête.

C'est alors qu'on frappa à la porte et qu'un jeune policier passa la tête dans la pièce.

— Inspecteur Lafferty ?

— Qu'est-ce qu'il y a ? Nous sommes occupés.

— L'inspecteur Lestrade vous demande de vous présenter dans son bureau, monsieur.

— À quel sujet ?

— L'affaire Whitehall. C'est tout ce qu'il a dit.

— Dites-lui que j'arrive sous peu.

La porte se referma.

— Vous connaissez Lestrade ? demanda le patron.

— Cela ne vous regarde pas. Bien, messieurs, et si nous reprenions tranquillement ? Nul besoin de s'énerver. Je peux vous offrir une cibiche ?

Le patron considéra la question avant d'accepter. Je remis le cendrier sur la table.

Lorsque nous eûmes allumé nos cigarettes, Lafferty dit :

— Un de nos hommes a été assassiné, vous comprendrez que nous ne soyons pas de bonne humeur. J'apprécierais que vous répondiez à nos questions même si elles vous semblent répétitives.

— Bien sûr, inspecteur, dit le patron. Et si vous nous disiez le nom de la victime ?

— C'est pas vos oignons, grogna Coyle.

— Cela rendrait tout de même cette conversation plus fluide, fis-je.

Lafferty me lança un regard curieux.

— Petleigh vous tient en haute estime, Barnett. Il dit que vous feriez un bon officier.

— J'en suis flatté, monsieur.

Il tira sur sa cigarette, l'air de douter du jugement de Petleigh.

— Vous avez une idée de qui a pu le tuer, inspecteur ? s'impatienta le patron.

En guise de réponse, Lafferty leva les yeux vers le plafond et exhala la fumée.

— Dites-nous au moins sur quoi il enquêtait. Je présume que c'est l'assassinat ?

— Quel assassinat ?

— La fille ! s'écria le patron. Grands dieux, ne me dites pas que personne n'enquête sur sa mort ?

De nouveau, aucune réponse ne vint.

— Vous êtes après Cream, alors ?

Lafferty se contenta de sourire.

— La traite des pucelles ? Les Fenians ?

— La ferme ! tonna Coyle.

— Messieurs, nous vous avons dit tout ce que nous savons. Vous pouvez bien nous donner un petit tuyau ?

— Je crains que ce ne soit pas possible, monsieur, dit

Lafferty avec un petit rire. Maintenant, revenons à cette balle que vous avez mentionnée. Êtes-vous sûrs et certains que c'était bien une munition du fusil de répétition Enfield ?

— C'est ce qu'on nous a dit, fit le patron.

— Qui vous l'a dit ?

— Quelqu'un sans rapport avec cette affaire.

— Je vois. Et où est-elle, cette balle ?

— Chez moi.

— Hmm. Je ne pense pas que ce soit important, mais je vais vous demander de nous l'apporter.

— Elle est à votre disposition, rétorqua le patron. Vous pouvez aller la récupérer à mon domicile.

— J'aimerais autant rester ici, répondit Lafferty en consultant sa montre à gousset. Disons que vous revenez dans deux heures, tout au plus ?

Le patron se leva avec un soupir.

— Allons-y, Barnett, dit-il. Je crains que vous soyez forcé de la leur rapporter tout à l'heure.

— Ce n'est pas ainsi que je voyais les choses, énonça Lafferty très lentement.

Il était évident qu'il prenait un malin plaisir à ce petit jeu.

— M. Barnett restera ici jusqu'à votre retour, monsieur Arrowood. Ce n'est pas que nous ne vous faisons pas confiance, mais dans ce métier, on apprend vite à se montrer prudent.

Le patron rougit.

— Vous voulez dire qu'il faut que je vous la rapporte ici, en main propre ? Vous voulez que je traverse la ville dans les deux sens ? J'ai mieux à faire, monsieur. Je suis malade, aussi, j'ai la goutte. Envoyez l'un de vos hommes avec moi. Il la rapportera.

Lafferty alla ouvrir la porte.

— Plus tôt vous partirez, monsieur Arrowood, plus tôt vous et M. Barnett pourrez sortir.

— Donc, votre enquête aussi est liée à ce projectile.

— Ne vous emballez pas, monsieur Arrowood. Vous savez ce qu'on dit : le diable est dans les détails. Nous faisons donc attention au moindre indice, car il vaut mieux tuer le diable plutôt que le diable ne vous tue. C'est la méthode que l'on nous enseigne, voilà tout. Nous n'avons aucune raison de penser que cette femme comptait vous la donner, et il n'y a pas eu de mort par arme à feu rapportée récemment. Vous n'avez rien entendu de la sorte, n'est-ce pas, Coyle ?

— Rien.

— C'est bien ce qu'il me semblait. À notre connaissance, Cream n'utilise pas de fusils. Des poignards, oui. Des coups de poing et des coups de pied. Le fleuve, bien sûr, et même à la rigueur des revolvers, mais pas de fusils jusqu'à présent. Mon idée est que la fille l'a trouvée dans la rue en allant au rendez-vous, ou bien qu'elle l'a volée à un des hommes qu'elle fréquentait.

— C'est ce que vous croyez ?

— Je viens de vous le dire. Mais il me faut cette balle, au cas où un de nos supérieurs voudrait la voir. C'est tout.

Ils partirent tous les trois. Je restai seul plus d'une heure. Il faisait froid dans ce sous-sol, et je fis cent fois le tour de la pièce pour ne pas grelotter. À leur retour, les deux policiers me demandèrent de m'asseoir. Lafferty s'installa face à moi, en gilet et bras de chemise, et Coyle se posta derrière moi, debout.

— Vous ne nous dites pas tout, commença Lafferty. Je peux comprendre. Dans nos métiers, c'est dangereux d'abattre ses cartes trop vite. Mais nous avons besoin de tout savoir. L'un de nos hommes a été tué, nous ne pouvons pas laisser passer cela, n'est-ce pas ? Donc, par où voulez-vous commencer ?

Son haleine sentait la bière.

— Nous vous avons tout dit, répondis-je.

Au moment où je finissais la phrase, un éclair de douleur froide me traversa le corps depuis l'épaule. Pris d'une nausée soudaine, je portai la main à mon dos et me tournai vers Coyle. Il avait une matraque à la main et, au visage, l'expression haineuse qui s'empare de ceux qui aiment cogner.

— Maintenant, monsieur Barnett, je vous prie, répondez-nous.

Je pris mon élan pour me jeter sur Coyle, mais le mouvement raviva la douleur, et je m'affaissai sur la chaise, privé de forces. Lafferty avait à présent un pistolet à la main, pointé vers ma poitrine.

— Allez en enfer, crachai-je.

Coyle me frappa de nouveau, au même endroit. Un râle incontrôlable sortit de ma bouche et je me pliai en deux violemment. Ma tête frappa contre la table.

— Nous voulons en savoir plus sur Longmire, dit Lafferty. Quel est son lien avec Cream ?

— Nous ne savons pas, articulai-je.

Je m'étais tourné afin que Coyle ne puisse toucher à nouveau mon bras, mais mon dos était à sa merci. Je n'avais jamais haï quelqu'un avec une telle force, et je me jurai que je lui retournerai la monnaie de sa pièce le moment venu.

— Nous avons son nom, c'est tout. Nous n'avons pas réussi à aller plus loin pour l'instant.

— Comment avez-vous obtenu son nom ?

Sentant Coyle prêt à frapper encore, je réfléchis un instant. Un court instant. Puis j'avouai.

— Nous sommes entrés par effraction au Beef, nous avons trouvé un cahier avec des noms et des dates. Le nom de Longmire était celui qui revenait le plus depuis deux mois. C'est tout. Vraiment. Nous savions qu'il travaillait au Bureau de la Guerre. Les autres noms ne nous disaient rien.

Je me relevai. S'il devait me frapper à nouveau, je préférais le voir venir. Coyle surveillait chacun de mes mouvements ; son nez tordu remuait comme celui d'un chien. Il tapait lentement la matraque contre sa cuisse.

Lafferty attendit quelques instants avant de parler. Finalement, il déclara :

— Prenez ça.

Il mit un souverain sur la table.

— Pourquoi faire ?

— Nous voulons que vous nous teniez informés. C'est tout. Si vous découvrez quelque chose, vous nous envoyez un mot.

Je m'écartai de Coyle. J'avais tellement mal au bras que je me dis qu'il devait être cassé.

— Cognez-moi encore, c'est moins cher.

— Prenez l'argent, fit Lafferty. C'est moins douloureux.

Je capitulai. Et pris la pièce.

— Sur quoi travaillez-vous ? Si vous voulez que je vous aide, il faut que je sache sur quoi vous enquêtez.

— Sur la bande de cambrioleurs.

— Un tel déploiement de moyens, juste pour des cambriolages ? Pourquoi est-ce le CID qui mène l'enquête ?

— Ils ont cambriolé des gens haut placés.

— Qui ? Longmire ?

— Des membres du gouvernement. Ces gens aimeraient récupérer leurs biens.

— Quels biens ?

Un policier se présenta alors. Lafferty sortit un instant dans le couloir.

— Vous pouvez y aller. M. Arrowood est revenu.

— Donc, si j'apprends quelque chose sur les cambriolages, je vous envoie un mot ?

Lafferty remonta son pantalon avec un sourire entendu.

— Oui, c'est tout. Tenez-nous au courant aussi pour Cream et Longmire, il y a probablement un lien avec notre enquête, mais… mieux vaut ne pas en parler à votre employeur. Ni à personne, en fait. Encore une chose : nous allons sans doute vous confier quelques tâches de temps en temps. Surveiller quelqu'un, le suivre, forcer une serrure. On vous donnera dix shillings par semaine.

— J'ai déjà un travail.

— Ce ne sera que de temps en temps.

— Pourquoi ne prenez-vous pas un de vos hommes ?

— Il est des choses que nous préférons traiter à l'écart de certains collègues. Des sujets délicats comme celui-ci. Maintenant, Coyle va vous raccompagner.

Je suivis le détective le long du couloir. Lafferty sortit derrière nous. Je tenais mon bras pour l'immobiliser, car le moindre pas, le moindre tressaillement, provoquaient une décharge de douleur, et chaque décharge me donnait envie de trancher la gorge à cette horrible gargouille. Nous passâmes devant une porte en acier avec une vitre au centre, comme celle de la pièce que je venais de quitter. J'y jetai un œil : le patron, assis à une table, me tournait le dos. J'étais sur le point d'ouvrir la porte quand Lafferty tira sur mon bras blessé pour m'en empêcher. Je hurlai un juron.

— Laissez, Barnett. Il est en bonne compagnie.

J'attendis le patron pendant près d'une heure. Assoiffé, assommé par la chaleur et avec ce bras qui me torturait, j'allai chercher une pinte au pub voisin et m'assis sur le trottoir pour être sûr de ne pas le manquer. C'était la fin d'après-midi, des omnibus et des voitures passaient sans discontinuer ; les crieurs de journaux trimbalaient leurs énormes liasses de papier en essayant d'attirer le chaland. Je commandai des saucisses et une autre pinte pour tromper l'ennui ; le pub commença à se remplir d'argousins qui avaient fini leur journée. Deux heures s'étaient écoulées et le patron n'avait pas donné signe de vie. Las de faire le poireau, je renonçai à l'attendre et retournai la pinte au comptoir. J'étais sur le point de quitter le pub lorsque j'aperçus Coyle qui sortait de Scotland Yard. Je décidai de le suivre pour en apprendre un peu plus sur son compte et le vis dans un café un peu plus loin. La voiture d'un laitier arriva en cahotant sur les pavés et m'obstrua la vue quelques instants. Lorsqu'elle fut passée, j'aperçus Coyle qui s'éloignait en direction du pont de Waterloo. Il discutait et riait avec un homme courtaud qui devait presser le pas pour rester à sa hauteur.

Je n'en croyais pas mes yeux. L'homme ne portait pas la redingote dont les basques avaient dansé devant moi lorsque je le poursuivais sous la pluie dans les rues de Southwark, mais je reconnus sans l'ombre d'un doute cette silhouette trapue aux jambes arquées. Ils s'arrêtèrent devant le pont pour se dire au revoir, et son nez crochu comme le bec d'un rapace confirma ce que je savais déjà. C'était l'assassin de Martha, et Coyle était en train de lui serrer la main.

22

J e passai chez le pharmacien sur le chemin du retour. La douleur à mon bras était toujours aussi forte. L'assistant me rassura et me vendit une boîte de Black Drop pour apaiser les élancements. Je dormis profondément cette nuit-là et, au réveil, j'avais du brouillard plein la tête et le bras violet et gonflé. Je repris une dose de Black Drop, les yeux rivés à l'enveloppe abandonnée sur la table depuis des jours. Finalement, je la pris, et me rendis chez le patron.

Je trouvai Ettie devant la porte de la boulangerie en compagnie de Mme Truelove, Mlle Crosby et du révérend Hebden. Je ne savais quelle attitude je devais adopter après le singulier moment d'intimité que nous avions partagé la veille, mais je m'inquiétais en vain : l'absence de son frère avait ôté de son esprit ce qui s'était passé entre nous.

— Il n'est pas avec vous ? demanda-t-elle après m'avoir présenté au prêtre.

— Je ne l'ai pas vu depuis hier, Ettie.

Elle me prit en aparté et murmura :

— Il s'est remis à boire ?

Je lui expliquai ce qui s'était passé à Scotland Yard.

— Vous pensez qu'il a été arrêté ?

— Le plus probable est qu'ils l'aient retenu pour tenter de lui soutirer plus d'informations.

— Alors pourquoi l'inspecteur Petleigh est-il passé ce matin pour le voir ?

— Petleigh fait partie de la police de la ville, les autres

travaillent pour le CID. Ils ne l'ont probablement pas mis au courant.

Cette explication sembla la convaincre.

— Vous sortiez ? demandai-je.

— Nous allons à Cutler's Court. Nous attendons encore une de nos amies. Avez-vous songé dire à Mme Barnett que je souhaiterais lui rendre visite ?

— Elle a beaucoup à faire en ce moment.

La façon dont elle me regardait me rendait nerveux, et je fus soulagé quand le révérend Hebden vint nous parler.

— Voulez-vous venir avec nous, Norman ? proposa-t-il.

C'était un bel homme aux larges épaules et au menton déterminé, plus jeune que les trois dames. Ses cheveux, noirs et brillants, frôlaient le col de sa veste.

— Vous m'excuserez, révérend. Cette affaire nous donne du fil à retordre.

— Dommage. Nous essayons de sauver une jeune fille de la rue, nous avons pris des dispositions pour l'emmener dans un endroit où elle sera en sécurité. Il nous a fallu des semaines pour la persuader.

— J'espère que tout se passera pour le mieux, révérend.

— Vous êtes sûr de ne pas pouvoir venir ? demanda doucement Ettie. Nous aimerions avoir plusieurs hommes avec nous.

— Peut-être une autre fois.

— Espérons-le.

— Nous devrions y aller, mesdames, fit Hebden. Votre amie ne viendra pas, nous avons attendu suffisamment.

Il me donna une vigoureuse poignée de main. En partant, Ettie me pressa fugacement le coude.

J'avais repoussé cet instant pendant des jours, mais le geste d'Ettie m'apporta le réconfort dont j'avais besoin pour rassembler mon courage. L'heure était venue. Je marchai jusqu'au bureau de l'état civil à St Olave, où je rejoignis la file d'attente. J'entendais tout ce que les personnes devant moi expliquaient à l'employé aux écritures, un vieillard qui écrivait lentement, leur demandait leurs papiers tout aussi lentement et trempait et retrempait sa plume dans l'encrier, couvrant le registre de taches d'encre. Parmi les plus pauvres, certains ne savaient pas épeler leur nom, et il suggérait alors une possible orthographe, lettre à lettre, afin d'accomplir sa besogne.

— Que souhaitez-vous faire inscrire sur le registre ? demanda-t-il lorsque ce fut mon tour.

Les mots ne voulaient pas sortir de ma gorge. Je cillai pour chasser les larmes. Il hocha la tête lentement et m'observa gentiment derrière les verres épais de ses besicles. Il se gratta la moustache.

— Un décès ?

J'acquiesçai.

— Pouvez-vous me donner le nom, monsieur ?

— Elizab…

Je pris une longue inspiration, et me passai la main sur les yeux.

— Prenez votre temps, monsieur.

Je déglutis avec difficulté et tentai de me ressaisir.

— Elizabeth Barnett.

Sa pluma gratta le papier.

— Et vous êtes son mari ?

Je confirmai d'un signe de tête.

Il me demanda notre adresse, sa date de naissance, son métier — chapelière. Ma vue était troublée, ma voix tremblait. Il remplit le papier avec ces renseignements et maintes taches d'encre.

— Quelles est la cause du décès ?

De nouveau, les mots me manquaient. Je lui tendis donc l'enveloppe avec le certificat. Il le parcourut scrupuleusement.

— Elle est morte à Derby, monsieur ?

— Je ne savais même pas qu'elle était malade.

Il fronça les sourcils.

— D'après la loi, vous devez enregistrer cela là-haut. Vous auriez dû le faire dans les cinq jours suivant le décès. A-t-elle été enterrée ?

Je hochai la tête ; ses mots glissaient sur moi sans que j'arrive à en capter le sens. Elizabeth était en visite chez sa sœur quand cela était arrivé, une semaine seulement avant la première visite de Mlle Cousture à Coin Street. Elle avait attrapé la fièvre. Elle n'était jamais revenue à la maison.

— Pourtant, les enterrements ne sont pas permis dans ce genre de cas, dit doucement le vieillard.

Je me tins au bord de la table, sentant mes jambes se dérober sous moi.

— Monsieur ?

— Le médecin est aussi tombé malade. Je viens de recevoir la lettre.

Il fixa ses mains en silence, puis, après avoir griffonné quelques mots encore sur le registre, déchira un bordereau et me le tendit.

— Je sais que c'est dur, monsieur. Bon courage.

J'entrai dans le pub le plus proche et demandai un brandy à l'eau chaude. Je saisis la tasse d'une main tremblante et la vidai d'un trait, puis j'en commandai un autre que je ne pus finir. Je ressortis dans la rue pleine de monde et marchai le long des quais, où le Toper Bridge s'élevait au milieu des bruits de Katharine Dock et de l'odeur de sel et de goudron des grands navires. Lorsque j'avais reçu la lettre, je m'étais senti incapable d'en parler au patron, incapable d'en parler à quiconque. Je craignais, je pense, ce qu'il adviendrait si je disais les mots à voix haute, si je les entendais de ma propre voix. Ainsi, un jour était passé, puis un autre, et encore un autre, et je ne parvenais toujours pas à annoncer la nouvelle. Je voulais tout simplement rester en mouvement. Je savais que le patron et Ettie se montreraient d'une extrême gentillesse

216 | Mick Finlay

avec moi et que ce serait encore pire. Pourtant, je savais aussi qu'il faudrait un jour que j'annonce la nouvelle.

Je marchai et marchai sur Western Dock, je longeai l'enceinte de la Tour et, finalement, je retrouvai Lower Themes Street, où à nouveau je commençai à distinguer les visages des gens et à entendre leurs voix. Quand je me sentis enfin redevenu moi-même, je traversai le London Bridge et mis le cap vers le sud et les rues familières de Southwark.

Un long samedi s'offrait à moi, mais la solitude me pesait trop et je décidai d'aller rendre visite à mon vieil ami Nobber Sugg. Nobber vivait encore à Bermondsey, au coin de la rue où nous avions grandi. Il avait réussi mieux que quiconque parmi nos connaissances de l'époque : il travaillait comme coltineur au marché depuis la mort de son père et occupait avec sa famille une maison de quatre pièces au-dessus de l'atelier d'un chandelier. Nobber et moi bûmes quelques pintes au Bag o'Nails et j'oubliai pour un temps mon chagrin. J'éprouvais même un sentiment de sérénité, sans doute à cause de la bière et du Black Drop. Alors, quand Nobber suggéra d'aller du côté d'East Ferry Road, où le Millwall jouait contre le Royal Ordnance, je ne me fis pas prier.

Il était plus de 7 h 30 lorsque je m'en retournai à Coin Street. Le patron, fatigué et abattu, était affalé dans son fauteuil, la chemise ouverte jusqu'au ventre. À sa mollesse, je compris qu'il venait de prendre du laudanum. Il me raconta que Lafferty l'avait retenu toute la nuit, enfermé dans cette salle froide, sans rien à manger ni à boire, et sans même pouvoir sortir se soulager. Sa crise de goutte avait redoublé. Il était excédé.

— Au moins, nous avons appris quelque chose, dit-il avec un soupir. Cette balle est assurément d'une grande importance.

— Lafferty n'a-t-il pas dit le contraire ?

— Si. Justement. Il a même insisté sur ce point, il tenait de façon suspecte à ce que nous croyions que, parmi tout ce que nous lui avions dit, la balle était un détail insignifiant, voire un leurre. Ne vous méprenez pas, Barnett, ce projectile est un élément clé de leur enquête.

Quand je lui racontai que j'avais vu l'assassin de Martha avec Coyle, il sortit soudain de sa torpeur.

— Enfin, nous avons quelque chose.

— Mais quoi ?

— Une conspiration, Barnett, dit-il en allumant un cigare. Je crois qu'il est temps de rendre une petite visite au colonel Longmire.

23

Je retrouvai le patron le lendemain à l'heure convenue devant Whitehall, alors qu'une pluie douce comme une bénédiction commençait à tomber. Les rues étaient pleines de visiteurs d'un jour venus admirer Big Ben et le Parlement, et qui se promenaient heureux sous cette pluie tiède. La sentinelle qui montait la garde dans la guérite du Bureau de la Guerre nous annonça que Longmire était absent, car, expliqua-t-il, personne, à l'administration, ne travaillait le dimanche.

— Revenez demain, messieurs, fit-il en posant la ration de pain et fromage qu'il s'apprêtait à manger. Nous verrons ce que nous pouvons faire pour vous.

Il ne devait pas être loin de la retraite et n'avait pas l'air d'un mauvais bougre, quoique ses yeux jaunes auraient sans doute inquiété un médecin.

— Je croyais que le Bureau de la Guerre ne se reposait jamais, dit le patron, irrité. Nous sommes toujours engagés dans une guerre quelque part, n'est-ce pas ?

— Ce sont nos soldats qui se battent, dit le vieil homme. Pas ces gens-là.

Il repoussa son plateau vers le bord de la table, laissant bien en vue le *Daily Chronicle*. Le patron ne put s'empêcher d'y jeter un œil et son expression changea quand il déchiffra les mots à l'envers. En gros caractères, le titre annonçait :

*Sherlock Holmes résout le mystère des oreilles
coupées en seulement deux jours ! L'assassin des
deux victimes arrêté
à Albert Dock !*

Il déglutit avec difficulté et, comme si de rien n'était, il insista :

— C'est une affaire extrêmement urgente. Pourriez-vous nous donner l'adresse du colonel Longmire ?

— Je ne l'ai pas. Revenez demain et nous ferons passer votre message.

— Il n'y aurait pas une personne qui pourrait nous renseigner ?

— Il y a que moi. Revenez demain.

Nous restâmes un instant sous le grand portail du Bureau de la Guerre, le temps de décider, à l'abri de la pluie, où nous irions ensuite. Nous nous étions résignés à rentrer bredouille quand Arrowood pointa sa canne vers l'autre extrémité de l'esplanade. Une file de fiacres bordait le trottoir.

Le premier cocher n'avait jamais entendu parler du colonel Longmire, le deuxième non plus, ni le troisième. Nous eûmes enfin de la chance avec le quatrième, qui était en train d'accrocher un sac de foin au bridon de son cheval.

— On m'a envoyé le chercher l'autre jour, dit-il. Un homme élégant, hein ? Avec une tache au coin de l'œil ?

— Vous connaissez donc son adresse ?

— Peux pas vous aider avec ça. J'l'ai amené ici.

— Et vous savez si l'un des autres cochers le connaît ?

— Il y a beaucoup d'officiers et de gradés comme ça qui travaillent ici, fit-il en flattant l'encolure du cheval. On sait pas comme qu'ils s'appellent, vous savez.

— Allons-y, Barnett, se résigna le patron. Il faudra revenir demain.

— Je l'ai pris au Junior Carlton Club, poursuivit le conducteur. Vous connaissez ? Celui qu'les Irlandais ont fait sauter il y a quelques années ?

— Je connais, oui.

— St James's Square. C'est là qu'ils vont, les politiciens et les autres.

Un quart d'heure plus tard, nous arrivions au club, où rien ne rappelait l'explosion qui avait eu lieu onze ans plus tôt. À travers les fenêtres habillées de velours, nous pûmes voir les hauts plafonds ornementés de salons somptueux que des dizaines de lustres éclairaient.

Le portier refusa obstinément de nous laisser entrer.

— Je peux lui donner vos noms, dit-il en fixant ostensiblement mon pantalon reprisé et la chemise du patron tachée de sueur.

Cela faisait partie de son métier que de savoir d'un coup d'œil qu'en dépit du parler aristocratique du patron, nous n'appartenions pas à la caste sélecte des clubs de gentlemen.

Le patron donna son alias habituel, M. Locksher, en insistant sur le caractère urgent de la situation. Le portier le transmit à un valet, lequel disparut derrière les portes vitrées et revint un instant plus tard.

— Le colonel vous demande de passer prendre rendez-vous demain à ses bureaux.

— C'est de la plus haute importance, insista le patron. Nous devons lui parler séance tenante.

— Je suis désolé, monsieur. Il a demandé à ne pas être dérangé. Il est en réunion.

Le patron fouilla dans la poche de son gilet et en sortit la balle.

— Donnez-lui ceci. On verra s'il refuse toujours de nous recevoir.

— C'est une plaisanterie, monsieur ? demanda le valet, outré.

— Il comprendra, je vous assure. Il faut absolument que je lui parle.

Le domestique, faisant fi de sa demande, tourna les talons et nous planta là.

— Vous ne l'avez pas donnée à Lafferty ? dis-je.

— Je me suis arrêté à la boutique de Lewis en rentrant et j'en ai récupéré une pour la leur donner. Je me doutais que nous aurions besoin de celle-ci lorsque nous parlerions avec Longmire.

— Lewis en avait des semblables ?

— Oh. Disons que la couleur était la même… Le monde n'est pas parfait, mon cher ami. On n'obtient pas toujours exactement ce que l'on demande.

Je ne pus que rire.

— Écoutez, quand le colonel sortira, aurez-vous l'obligeance de lui donner ce message ? demanda-t-il au portier en griffonnant quelques mots sur une feuille de son carnet.

Le cerbère fixa le bout de papier d'un œil morne et garda les mains derrière le dos. Dans un suprême effort, le patron joignit un shilling à la note et glissa le tout dans une poche de la livrée.

— Nous sommes des détectives, expliqua-t-il. Nous enquêtons sur une affaire très sérieuse.

— Police ?

— Des agents privés.

Le portier sembla déconcerté.

— Comme Holmes et Wat…

— Quand le colonel lira ce mot, m'interrompit le patron, il voudra nous parler. Il serait très contrarié si d'aventure il ne la recevait pas. Alors n'oubliez pas. C'est important pour notre pays.

Sur les coups de 7 heures, un bel attelage tiré par deux chevaux s'arrêta devant le café de Willows ; c'était la voiture de Longmire. Un homme de taille moyenne en descendit. Il portait un chapeau melon brun, une moustache en fer à cheval et un monocle qui ne parvenait pas à cacher la tache couleur lie-de-vin qui lui mangeait le coin de l'œil. Il avait l'air de très mauvaise humeur.

Il se tint sur le seuil du café ; ses yeux s'attardèrent sur Rena qui briquait le comptoir. Je me levai et l'invitai à s'approcher. Son cocher, posté près de la fenêtre, nous surveillait.

— Vous prendrez un café, colonel ? proposa le patron.

Avant de répondre et de s'asseoir, Longmire épousseta le tabouret de son mouchoir, soucieux, sans doute, du devenir de ses pantalons à carreaux. Il regarda les autres clients : quatre dames qui sortaient de l'église, un conducteur d'omnibus qui prenait le thé, une famille qui se partageait quelques tranches de quatre-quarts.

— La note disait que M. Cream souhaitait me voir, dit-il sèchement.

Il avait une voix nasale et hautaine ; il était évident qu'il craignait de contracter une maladie dans ce café miteux et qu'il tenait à nous le faire savoir. Une chaîne en or pendait à son gilet.

— Qui êtes-vous ?

— Des associés de M. Cream, dit le patron.

— Pourquoi nous voyons-nous ici et non pas au Beef ?

— C'était plus commode pour nous.

— Comment vous appelez-vous ?

Le patron mordit dans son sandwich et mastiqua lentement en fixant le monocle de Longmire. La sueur commençait à perler sur le front de l'officier.

— Je suis M. Locksher, dit le patron. Et voici M. Stone. Je dois avouer que j'ai menti dans ma lettre. M. Cream n'est pas au courant de notre rendez-vous. J'ai préféré qu'il en soit ainsi.

— Je ne discute qu'avec Cream, fulmina Longmire. Vous comprenez ?

Il s'était relevé, prêt à partir, mais le patron sortit la balle de son gilet et la posa sur la table avec un clin d'œil. Longmire se figea, sa bouche frémit, mais aucun mot n'en sortit.

— Vous ne voulez pas savoir comment cette balle est parvenue entre nos mains ? demanda enfin le patron.

— Qu'est-ce que j'en ai à faire ? C'est une balle. Vous l'avez peut-être achetée ?

Le patron haussa les sourcils.

— Vous savez qu'on ne trouve pas ces balles-là dans le commerce.

— Je ne sais strictement rien. Maintenant, si vous essayez de me contacter de nouveau, je vous ferai arrêter.

Le patron rit. Je ris avec lui. C'était l'un de ses stratagèmes, rire quand quelqu'un mentait effrontément. Rire longtemps, comme si on ne pouvait pas s'en empêcher. Les têtes se tournèrent vers nous et vers Longmire, dont les narines palpitaient de colère.

— Je vous en prie, colonel, dit le patron. Cela ne vous fait pas honneur. Nous savons que ce n'est pas une balle ordinaire et nous savons d'où elle vient. Aussi bien que vous. Voulez-vous vraiment que je le dise à voix haute ?

Le colonel pinça les lèvres, regarda son cocher du coin de l'œil et s'assit. Il tendit la main vers la balle, mais le patron l'attrapa avant qu'il n'ait pu la prendre.

— Où l'avez-vous trouvée ? demanda Longmire.

— Dans la main d'une jeune fille morte.

— Une fille ? Quelle fille ?

— Elle s'appelait Martha, dit le patron. Elle était serveuse au Beef. Vous la connaissiez ?

— Vous voulez dire la fille assassinée ? J'ai lu quelque chose dans la presse à ce sujet.

— Connaissiez-vous Martha, colonel ?

— Je ne traite qu'avec Cream.

— Vous fréquentez aussi les salles de jeu.

— Les filles de service sont nombreuses, je ne connais pas leurs noms.

— Savez-vous qui l'a tuée ?

Longmire leva les mains.

— Non ! Je ne vois pas comment je le saurais, et vous êtes en train d'épuiser ma patience avec vos questions.

— Pourtant, vous restez à table avec nous, fit le patron avec un sourire des plus aimables.

Là résidait le véritable talent du patron : la façon dont il travaillait les gens au corps. Et tant qu'il ne se laissait pas emporter par ses émotions, il se montrait doué, voire très doué à cet exercice.

— Vous restez donc à cause de la balle, continua le patron. Car seule l'armée l'utilise, pour les nouveaux fusils à répétition Enfield. Cela ferait une histoire formidable pour la *Gazette*, vous ne croyez pas ? Je gage que vos supérieurs seraient fort curieux de savoir comment ce projectile a fini dans la main d'une serveuse.

Longmire soupira.

— Très bien, dit-il. Je la connaissais. C'est moi qui la lui ai donnée.

— Mais encore ?

— Nous nous fréquentions, murmura-t-il. Voilà. Je l'avoue. Quand j'ai mis fin à notre liaison, elle m'a demandé de lui donner quelque chose. Un souvenir. Je pense que c'était une façon voilée de me demander un bijou. Ça m'a amusé de lui donner ça.

Le patron laissa planer un long silence. Ce n'était pas une de ses tactiques, cette fois-ci, et je compris qu'il songeait à la même chose que moi : si Longmire disait vrai, ce que nous pensions être l'élément clé de l'enquête n'était qu'une fausse piste.

— Vous allez me demander de l'argent, je suppose, fit Longmire.

— Nous ne voulons pas de votre argent, dis-je.

— Je paierais cher pour ne pas voir mon nom dans les journaux.

— Nous ne voulons pas de votre argent, répéta le patron. Pourquoi aurait-elle voulu nous donner cette balle, alors ?

— C'est elle qui vous l'a donnée ?

— Elle était dans sa main quand elle a été tuée. Elle nous attendait.

— Peut-être parce qu'elle était amoureuse de moi, et que cela l'a réconfortée au moment de sa mort ?

— Vous l'aimiez ? demanda le patron.

— Bien sûr que non !

— Pourquoi l'a-t-on tuée ?

— Comment le saurais-je, bon sang ? Les journaux disent que c'était l'Éventreur. Un vol qui a mal tourné ? Maintenant, monsieur Locksher, je vous le demande une bonne fois pour toutes : que voulez-vous de moi ?

Le patron réfléchissait ; il semblait perdu.

— Monsieur ?

Il cilla et prit une longue inspiration.

— Pour l'instant, vous allez nous aider à retrouver un jeune homme, dit-il. Thierry, un Français qui était pâtissier au Beef. Il a disparu et sa famille est inquiète. Vous le connaissez ?

— Mais enfin, vous croyez que je sais qui travaille dans les cuisines ? Je n'y ai jamais mis les pieds ! Je ne connais pas de Français ! Je ne parle qu'à Cream et à certains de ses hommes.

— Vous ne comprenez pas, colonel, dit le patron avec un sourire aimable. Nous signalerons ce que nous savons, d'abord à vos supérieurs, et ensuite aux journaux. J'ai de nombreux amis dans la presse. Votre épouse trouvera l'histoire édifiante, j'en suis certain.

— Écoutez-moi : je ne connais pas ce garçon. C'est la vérité, je ne le connais pas.

— J'espère que vous me pardonnerez de ne pas vous croire. Mais si vous l'ignorez vraiment, alors vous allez devoir trouver.

— Comment diable ferais-je cela ?

— Demandez à vos amis du Beef. Vous avez deux jours.

Le colonel enfouit le visage dans ses mains et prit plusieurs longues inspirations. Finalement, il demanda :

— Comment puis-je vous joindre ?

— C'est nous qui vous contacterons. Dites à votre bureau et à votre club d'accepter nos messages la prochaine fois. Et notez votre adresse ici, je vous prie.

Le patron poussa vers lui son carnet.

— Vous avez dit « pour l'instant », dit-il avec un regard hargneux lorsqu'il eut terminé. Qu'allez-vous me demander de plus ?

— Nous vous le dirons un autre jour, répondit le patron.

Longmire se releva et envoya valdinguer son tabouret. Il sortit en claquant la porte, et les carreaux tremblèrent longuement dans leurs croisillons.

24

Dès que la voiture de Longmire se mit en mouvement, nous courûmes retrouver le fiacre de Sidney qui nous attendait au coin de la rue. Nous descendîmes St George's Circus et remontâmes Waterloo Road. Longmire s'arrêta juste devant le Beef. Il n'y resta qu'une dizaine de minutes. Sa voiture repartit au grand trot, nous derrière.

— Je me demande s'ils ont parlé de Thierry ou de la balle, fit le patron.

— Il a très probablement demandé à Cream de nous jeter dans le fleuve dans un sac à charbon, grommelai-je.

— Vous avez sans doute raison.

Nous traversions Waterloo Bridge, et le soleil rasant de fin de journée dardait ses rayons entre les nuages mauves. Après avoir longé le Mall, nous gagnâmes Green Park pour suivre ensuite le bord sud de Hyde Park. La course dans le fiacre n'était pas de tout repos et chaque secousse me faisait l'effet d'un coup sur mon bras, encore plus enflé et douloureux que la veille. J'avalai un autre Black Drop et serrai les dents. À Kensington, l'attelage se dirigea vers Notting Hill pour s'arrêter finalement devant une grande demeure sur Holland Park Avenue.

Longmire monta les larges marches et sonna. Un major-dome vint lui ouvrir.

La nuit venait de tomber et la rue était sombre. Je descendis du fiacre et m'approchai de l'entrée en espérant trouver une plaque avec le nom du propriétaire. Il n'y en avait pas, et je n'aperçus personne à qui demander dans la rue déserte. Je retournai dans le fiacre, où nous attendîmes.

Au bout de quelques minutes, le patron se pencha vers moi.

— Je dois vous demander une chose, Norman, dit-il en posant une main sur mon genou. J'ai remarqué que vous n'étiez pas tout à fait vous-même ces jours-ci. Ettie vous trouve d'humeur maussade. Êtes-vous malade ?

— C'est le Black Drop, William, répondis-je. Ce roussin m'a méchamment esquinté.

— Et il n'y a rien d'autre ?

— Je vais bien, articulai-je en dépit de ma gorge soudain nouée.

— Je vois.

Ma réponse semblait l'avoir déçu. Persévérer dans le mensonge commençait à peser sur ma conscience, mais je ne pouvais me résoudre à lui annoncer la nouvelle.

— Je vais suivre Longmire, dit-il. Restez ici pour voir ce que vous pouvez découvrir sur le propriétaire de la maison. Retrouvons-nous chez moi demain matin. Et je vous en prie, Norman : faites attention à vous. Vous savez de quoi ils sont capables.

L'image du corps à la morgue — la peau en lambeaux, les chevilles écrasées — me revint à l'esprit et je frissonnai. Le patron me pressa l'épaule : il s'en souvenait aussi.

Nous attendîmes encore quinze minutes. Quand Longmire sortit et remonta dans la berline, je sautai du fiacre pour me poster à l'affût sur le trottoir d'en face.

La demeure était en retrait de la rue, séparée du trottoir par une haie soignée. Je comptai cinq étages, avec la cave ; un balcon surplombait la porte d'entrée ; la lumière coulait à flots des fenêtres. C'était une fort belle maison, mais la façade avait besoin d'être ravalée et elle faisait pâle figure à côté de ses voisines immaculées.

Il n'y avait pas beaucoup de trafic dans la rue. Quelques omnibus roulaient vers le West End ; de temps en temps passait un fiacre ou un tombereau chargé de produits sur le chemin du marché. Mon bras ne voulait pas se faire oublier, aussi, je repris une autre dragée de Black Drop.

Après une heure, un homme sortit par une porte latérale et s'élança dans Shepherd's Bush. Je l'appelai et m'approchai de lui.

— Excusez-moi, mon ami.

C'était un jeune homme aux cheveux coupés très court et plaqués sur la tête. Il portait un simple costume brun.

— Est-ce que vous êtes de la maison ?

— Oui, je suis valet de pied.

— C'est votre soirée de repos ?

— C'est ça. Vous cherchez du travail ?

— Je suis peintre en bâtiments. La maison aurait bien besoin d'un bon coup de peinture.

— Faudrait voir avec M. Castairs. Le majordome.

— Que diriez-vous de me laisser vous payer un verre pour vous poser quelques questions, l'ami ? Ça aide toujours de connaître un peu la maison avant de demander.

— Eh bien…

Il n'hésita pas longtemps.

— Un petit, alors, vite fait.

Il m'emmena au Rising Sun, un petit pub sur Walmer Road, où nous prîmes une pinte d'Old Six chacun et un bol de bigorneaux. Il m'apprit que son maître était Sir Herbert Venning, l'intendant général des armées. Il était responsable, au Bureau de la Guerre, du matériel fourni aux forces britanniques. Je commandai deux autres pintes et lui demandai si d'autres dépendances avaient besoin d'être ravalées.

— Il y a que la maison.

— Et les écuries ?

— Au coin de Stewart Street.

— En tous les cas, la maison a l'air de ne pas avoir été repeinte depuis un bon moment.

— On allait le faire, il y a deux ou trois mois. Un peintre avait commencé à l'arrière. Mais il y a eu un cambriolage et ils l'ont flanqué à la porte. Ils ont dû penser qu'il était impliqué, je suppose.

— Et vous, qu'en pensez-vous ? C'était lui ?

Ayant compris que je me montrerai généreux, il éclusait sa pinte allègrement.

— Je sais pas. Le maître s'est mis dans une colère épouvantable. Il a aussi flanqué le majordome dehors, alors qu'il était dans la maison depuis plus de vingt ans. On était tous surpris. Mais le maître était dans tous ses états. Il nous aurait tous cassés aux gages s'il avait pu, je pense.

— Et comment sont-ils entrés, les cambrioleurs ?

— Par une fenêtre, au milieu de la nuit. Personne n'a rien entendu. Il y en a qui dorment en bas, et d'autres dans la mansarde. La chambre du majordome est sous l'escalier et il n'a rien entendu, c'est ce qu'il a dit. Les maîtres non plus, pas un bruit. Quelqu'un a dû laisser une fenêtre ouverte, ya qu'ça. C'est pour ça que le peintre a été renvoyé.

— Mais pourquoi le majordome ? La police pensait que c'était lui ?

— C'est ça que personne pige, justement. Le maître n'a pas fait venir la police.

Il finit sa pinte et j'en commandai deux autres. Avec la bière et le Black Drop, j'avais la tête qui tournait, mais ce n'était pas désagréable, et je me sentais à l'aise dans ce petit pub accueillant. Quelqu'un commença à chanter dans l'autre salle, vite rejoint par d'autres voix.

— Quoi ? Il n'a pas appelé les argousins ? Les voleurs n'ont rien pris, alors ?

— Seulement quelques papiers dans le cabinet du maître. On pense qu'ils ont entendu du bruit et qu'ils ont plié les gaules. La cuisinière commence de bonne heure, c'est peut-être ça. Ils sont passés par la fenêtre de la salle de musique et ils sont allés directement à l'étude. Mais ils n'ont rien pris de valeur, alors que dans le salon il y a plein de tableaux, et des pendules et des choses comme ça.

— Ils devaient avoir beaucoup de valeur, ces documents.

Il alluma une Capstan sans m'en proposer.

— Le maître était hors de lui, fit-il en exhalant des ronds de fumée. Je l'avais jamais vu comme ça. Je l'avais jamais vu boire comme ça non plus. Et il nous engueulait pour rien.

— Qu'est-ce que c'était, ces documents ?

— On ne sait pas. Les gens de la maison, on parlait que de ça, mais on a rien su. Mais on pense que c'était des documents de l'armée. C'est c'qu'on pense. Que c'était très important.

— Et il n'a pas appelé la police ?

— Non. Jamais.

Le lendemain, le patron accueillit ces nouvelles avec enthousiasme.

— Ainsi, les deux personnes que Longmire a tenu à prévenir de notre existence en premier lieu sont Stanley Cream et Sir Herbert Venning, fit-il en marchant d'un bout à l'autre du salon en tirant pensivement sur sa pipe. Excellent. À présent, nous avons un lien entre ces trois hommes. La balle les relie.

— Mais il se peut qu'il soit allé voir Cream à propos de Thierry, et pas de la balle, non ?

Il s'arrêta net au milieu du salon.

— Vous avez raison, bien sûr. Merci, Norman. Allons-y.

Il éteignit sa pipe et prit son chapeau.

— Le métropolitain serait plus rapide, monsieur, suggérai-je, comme je le faisais d'habitude.

Et comme d'habitude, il ignora ma suggestion.

Nous retrouvâmes notre ami le vieux soldat dans sa guérite devant le Bureau de la Guerre. Il envoya un message au secrétaire de Venning dont la réponse nous parvint aussitôt : Sir Venning ne pouvait pas nous recevoir, mais nous pouvions lui écrire une lettre si l'affaire était importante. Nous ne nous attendions pas à ce qu'il en soit autrement.

Nous passâmes donc lui rendre visite chez lui, en fin de journée.

— Sir Herbert a demandé à ce qu'on ne le dérange pas, fit le majordome.

Il était plus petit et plus gras que ne le sont d'habitude les hommes de sa fonction.

— C'est une affaire urgente, dit le patron.

— Il vous faut alors lui écrire une lettre, monsieur. Son secrétaire s'en occupera.

— Dites-lui que nous avons des informations à propos du cambriolage qui a eu lieu il y a quelques mois. Je suis certain qu'il voudra nous recevoir.

Le majordome réfléchit un court instant.

— Je vais demander.

Il referma la porte. À son retour, il annonça :

— Sir Herbert dit qu'il n'y a pas eu de cambriolage dans cette maison. Vous vous êtes peut-être trompé d'adresse ?

— Mais il y a eu un cambriolage, insista le patron. Vous le savez.

— Je suis nouveau dans la maison, monsieur.

— Mais êtes au courant ! C'est pour cela que votre prédécesseur a été congédié !

— Bonne soirée, messieurs.

Il nous claqua la porte au nez.

25

Le soleil ne s'était pas encore levé lorsque nous arrivâmes aux écuries de Venning le lendemain. Sydney avait accepté de nous accompagner afin de jouer le rôle du cocher.

J'entrai sans frapper dans la seule étable éclairée, où un cocher complètement chauve étrillait un magnifique cheval noir à la lumière de cinq bougies fichées dans les poteaux de la grange.

— Bonjour, l'ami, dis-je. Je suis bien à l'écurie de Venning ?

— Oui, monsieur, répondit-il d'une voix enrouée, comme s'il avait un rhume.

— J'ai une livraison pour vous.

Sidney, qui attendait derrière la porte, lui assena un habile coup de trique. Nous freinâmes sa chute juste à temps pour éviter qu'il se fende le crâne sur les pavés et le portâmes dans la stalle.

— Bien joué, Sydney.

— Merci, Norman.

Nous lui attachâmes les bras et les jambes et je lui fourrai une étoffe dans la bouche. Il se débattit, mais nous maîtrisions largement la situation. Ensuite, nous le harnachâmes à l'un des poteaux du fond avec un jeu de rênes. Le patron, toujours rétif à la violence, s'approcha alors du pauvre bougre et glissa quelques shillings dans sa poche.

— Pour votre peine, dit-il avec une gentillesse qui ahurit davantage notre victime. J'espère que vous saurez nous pardonner. Dites, à quelle heure vous attend votre maître ?

234 | Mick Finlay

Le cocher gémit et j'ôtai le chiffon de sa bouche.

— Ne me faites pas de mal, nous supplia-t-il, les yeux humides.

— Répondez à la question.

— Il m'attend à 6 h 30. Il doit partir de bonne heure aujourd'hui.

— Quel est votre nom ? demanda le patron.

— Bert.

— À qui appartient l'écurie d'à côté ?

— À M. Warner.

Je lui remis le bâillon, et le patron lui tapota l'épaule.

— Ne donnez pas notre description à la police. D'accord, Bert ?

Bert hocha la tête.

— Dites qu'on vous a attaqué par-derrière.

Il hocha de nouveau la tête.

Sidney attela le cheval noir au landau de Venning tandis que j'abaissais la capote. Nous soufflâmes les bougies avant de fermer l'étable. Je savais que Bert essaierait d'attirer l'attention dès qu'il entendrait les autres cochers arriver, mais nous n'y pouvions rien. Je montai dans le landau avec le patron et nous tirâmes les rideaux en même temps que Sidney démarrait.

Nous comprîmes que Venning attendait déjà à l'extérieur car Sidney sauta à terre aussitôt la voiture arrêtée. Nous tendîmes l'oreille.

— Bert est malade, m'sieur, expliqua Sidney d'une voix enjouée. C'est le foie. Il m'a demandé de le remplacer. Je travaille pour M. Warner, m'sieur. Le maître a dit qu'on n'avait pas besoin de moi aujourd'hui.

— Je vois, fit Venning. Vous pourrez me ramener cet après-midi aussi ?

Il parlait de façon à la fois arrogante et quelque peu efféminée.

— Oui, m'sieur, assura Sidney.

La porte du landau s'ouvrit. J'aperçus fugacement Venning qui se hissait sur le marchepied, un visage arrondi avec un nez effilé et une bouche de bébé, et je l'attirai brusquement à nous, le faisant tomber sur le plancher de la voiture.

— Que diantre…

Je m'assis sur lui, Sydney claqua la porte. Nous repartîmes.

Venning était assez petit et sa chair flasque, déplaisante au toucher. Éprouvant cependant une agréable chaleur au séant, je songeai que c'était la première fois de ma vie que je m'asseyais sur un aristo. Je dois dire que, vu les cahots, j'y prenais un certain plaisir.

Jusqu'à ce qu'il me morde la main.

Je la retirai avec un juron et lui assenai un soufflet bien senti. Il cria à l'aide. En un clin d'œil, le patron avait fourré dans sa bouche son vieux mouchoir rouge.

— Ecoutez-moi bien, Sir Herbert, dit-il d'un ton placide. Nous n'allons ni vous blesser ni vous dépouiller ; mais, n'ayant pu obtenir un rendez-vous avec vous, nous avons été obligés de recourir à ce stratagème peu agréable pour vous rencontrer. Nous voulons juste vous poser quelques questions. Mon collègue vous libérera de son poids et moi du mouchoir si vous nous donnez votre parole de ne pas crier, et quand nous gagnerons Whitehall, vous pourrez partir. Ai-je votre parole, Sir Herbert ?

L'intendant général des armées acquiesça vigoureusement.

Dès que je me relevai, il s'assit et secoua ses vêtements, son visage de hibou blanc comme sa chemise.

— Que me voulez-vous ? demanda-t-il, le souffle court et la voix tremblante.

— Nous sommes des détectives privés, monsieur, et nous recherchons une personne disparue, dit le patron. Connaissez-vous un jeune pâtissier français appelé Thierry Cousture, ou Terry ? Il travaillait au Barrel of Beef.

— Vous êtes les hommes qui font du chantage au colonel Longmire !

— Je n'utiliserais pas ce vilain mot, mais nous nous sommes en effet entretenus hier avec lui.

— Je n'aime pas ça, fit l'intendant. Pas du tout.

Il aperçut alors son chapeau et se pencha pour le prendre, mais ses mains gantées tremblaient tellement qu'il dût s'y reprendre à trois fois.

— Je vous prie de croire que nous déplorons cette situation tout autant que vous, fit le patron. C'est extrêmement inconvenant.

— Que diriez-vous alors de poursuivre cette conversation dans mon bureau, messieurs ? Ce serait bien plus commode. Nous pourrions avoir du thé. Encore mieux : je ferai apporter le petit déjeuner.

— Je vous ai demandé si vous connaissez Thierry Cousture.

— Non, monsieur, répondit Sir Herbert avec véhémence, comme si sa vie en dépendait. Je ne le connais pas. Un homme de ma position n'est pas souvent amené à rencontrer des pâtissiers.

Il porta la main vers le rideau pour le tirer ; je l'en empêchai en lui faisant comprendre du regard que je n'hésiterais pas à le frapper s'il recommençait.

— Connaissez-vous Stanley Cream ? poursuivit le patron. Sir Herbert hésita.

— Stanley Cream ? répéta-t-il en tâtant sa moustache.

— Oui, Sir Herbert. Le connaissez-vous ?

— J'ai entendu parler de lui. C'est le propriétaire du Barrel of Beef et d'une grande propriété sur la rive sud de la Tamise.

— L'avez-vous déjà rencontré ?

— Je ne pense pas.

— Et le colonel Longmire ?

— Qu'est-ce que vous voulez dire ?

— Connaît-il Stanley Cream ?

— C'est fort possible.

— Pourquoi le colonel est-il passé chez vous hier soir ?

Sir Herbert toucha de nouveau sa moustache en reculant sur son siège pour éviter que nos genoux se touchent. Puis il lustra son chapeau du revers de la manche.

— Venu chez moi, vous dites ?

— Allons, allons. Nous l'avons suivi.

— Il était inquiet de se retrouver au cœur d'un scandale. Il voulait me demander conseil.

— Et que lui avez-vous conseillé, Sir Herbert ?

— De vous aider à mettre la main sur le jeune homme disparu.

J'entrebâillai le rideau ; nous traversions Hyde Park. Le patron croisa les bras.

— Parlez-nous du cambriolage.

— Vous êtes au courant de cela aussi, fit Sir Herbert en hochant la tête avec un soupir. Eh bien, j'ignore ce qui s'est passé. Je n'ai pas souhaité impliquer la police.

— Qu'ont-ils pris ?

— Quelques babioles dans le salon. Pas grand-chose.

— Quelles babioles, exactement ?

— Oh ! fit-il en feignant de chercher dans sa mémoire. Un réveil de voyage, un porte-pipes, ce genre de chose.

Le patron souffla longuement par les narines. Sa bouche n'était qu'une ligne fine et sévère, mais il avait la tête penchée en un geste aussi amical que le regard qu'il portait sur l'aristocrate. Personne ne parla. Sir Herbert nous regardait tour à tour en grattant nerveusement l'accoudoir. On aurait pu entendre une mouche voler.

— Une petite aquarelle, continua-t-il, un encrier en argent. Un globe, il me semble.

— Il vous semble ?

— Non, j'en suis sûr. C'est ma femme qui s'en est occupée.

— Pourquoi ne pas rapporter le vol à la police ?

— Ces objets étaient sans valeur. Mais pourquoi ces questions ? Quel rapport avec le jeune Français ?

— Nous explorons toutes les pistes, dit le patron en se

238 | Mick Finlay

frottant un pied avec une grimace de douleur. Le cambriolage chez vous a eu lieu en même temps que sa disparition,
et nous savons que M. Cream fait du trafic d'objets volés.
Il pourrait y avoir un lien.

— Quoi qu'il ait pu arriver à ce Français, cela n'a rien
à voir avec moi.

— Pourquoi avez-vous congédié votre majordome ?

— Qui vous a dit ça ? Comment avez-vous su ?

— Nous faisons notre métier. Alors, pourquoi ?

— Cela ne vous regarde pas, répondit Sir Herbert en
retrouvant son aplomb. Maintenant je vous demande d'arrêter
ma voiture et de descendre. J'en ai assez. Demandez au
cocher d'arrêter.

— Non, dit le patron. Vous allez répondre à toutes nos
questions, monsieur. Dois-je vous rappeler que nous possé-
dons des informations sur votre ami le colonel Longmire ?
Pourquoi avez-vous congédié le majordome ?

Sir Herbert soupira.

— Je suis persuadé qu'il a aidé les cambrioleurs.

— Pourquoi n'êtes-vous pas allé voir la police ?

— Cet homme a travaillé pour moi durant vingt ans.
Il avait commencé comme valet. J'imagine qu'il éprouvait
quelque ressentiment envers moi, bien que j'aie toujours été
bon pour lui. Peut-être l'a-t-on forcé à aider. Je ne voulais
pas qu'il aille en prison, c'était déjà assez de le renvoyer
sans lettre de recommandation.

— C'est tout à votre honneur, dis-je.

Il haussa les épaules. Un bref silence s'ensuivit.

— Dites-moi, Sir Herbert, demanda le patron. Combien
de régiments sont à présent dotés du nouveau fusil de répétition Enfield ?

Venning écarquilla les yeux, effaré.

— Combien ? insista le patron.

— Où voulez-vous en venir ? demanda Sir Herbert, le
visage décomposé.

Le patron laissa planer un long silence stratégique, Venning m'interrogea du regard. En vain, naturellement.

— Quel rapport avec votre affaire ? demanda-t-il finalement.

Le patron fronça les lèvres, mais ne lâcha pas un seul mot.

— Quelqu'un vous a demandé de me poser cette question ? fit Sir Herbert. C'est cela ? Vous travaillez pour Cream ?

— J'avais cru comprendre que vous ne le connaissiez pas.

— Arrêtez de me prendre pour un imbécile ! C'est lui qui vous a envoyés ?

Le patron haussa les épaules avec un sourire énigmatique.

— Peut-être.

— Essayez-vous de faire passer un message ?

— Je vous ai juste posé une question. Combien de régiments ?

— C'est une information confidentielle, connue seulement des membres du cabinet, dit Venning en coinçant ses mains entre ses genoux pour dissimuler leur tremblement.

— Dites-nous ce que les membres du gouvernement ignorent, alors.

— Je ne sais pas de quoi vous parlez. Il n'y a rien.

— Pourtant, nous sommes déjà au courant.

— Au courant de quoi ? Que savez-vous ?

— Plus que nous ne devrions, mon ami, fit le patron avec un clin d'œil.

Sir Herbert nous dévisagea un court instant.

— Vous ne savez rien, déclara-t-il. C'est de l'esbroufe. Dites-moi ce que vous savez… ce que vous croyez savoir.

— Ce serait assez stupide de notre part.

— Vous ne savez rien. Il n'y a rien à savoir.

— Vraiment ?

Le landau s'arrêta et Sidney cria :

— Piccadilly !

— Ah ! C'est ici que nous vous quittons, dit le patron en ouvrant la porte.

L'air du matin était encore frais.

— Je ne comprends pas, bafouilla Venning. Êtes-vous des détectives ou travaillez-vous pour Cream ?

— Bonne journée, monsieur.

— C'est tout ? s'alarma Sir Herbert.

Arrowood était trop occupé à descendre précautionneusement les petites marches pour lui répondre.

— Bonne journée, monsieur, dis-je à mon tour avant de descendre. Je suis confus de m'être assis sur vous.

Venning sortit la moitié du corps par la portière, affolé.

— Mais qui êtes-vous ? Avez-vous un message pour moi ?

— Nous n'avons pas d'autres affaires à traiter avec vous pour aujourd'hui, fit le patron.

— Vous allez devoir continuer à pied à partir d'ici, monsieur, cria alors Sidney depuis sa plate-forme. Je dois rendre la voiture.

— Oh ! Seigneur, gémit Sir Herbert, son corps grassouillet tremblant comme un pudding en gelée.

Une fois sur les pavés, il regarda autour de lui comme s'il ne savait pas où il se trouvait.

Je grimpai à côté de Sidney et murmurai :

— Essaie de soutirer l'adresse du dernier majordome au cocher.

— J'y manquerai pas.

— Comment vont les enfants ?

— Aussi bien qu'on peut l'espérer. Tu passes dimanche ? Ils aimeraient te voir.

— Trop de boulot, mon frère. Mais bientôt.

— Tu lui as dit, alors ? dit-il tout bas pour éviter que le patron l'entende.

Je secouai la tête.

— Tu veux que je le fasse ?

— Ça ira.

Je redescendis en même temps que Venning lui demandait :

— Mais vous viendrez bien me chercher cet après-midi

comme vous avez dit, cocher ? fit-il en assurant son chapeau sur sa tête. 2 h 30 ?

— Je suis avec eux, monsieur, dit Sidney.

— Fichtre Dieu ! jura Sir Herbert.

Nous avions pris le chemin de Leicester Square quand le patron éclata de rire.

— Qu'il est nigaud, ce pauvre bonhomme. Dieu sait dans quelle galère il est allé se fourrer !

26

Le cocher de Sir Herbert ne connaissait pas l'adresse de l'ancien majordome, mais Sidney apprit grâce à lui que sa nièce travaillait encore dans la maison comme blanchisseuse. Nous envoyâmes Neddy se cacher dans les buissons près des cordes à linge ce même après-midi et, lorsqu'elle arriva avec son baluchon, il lui expliqua qu'il avait un message urgent pour son oncle à propos d'une somme d'argent qu'on lui devait. Il revint avec l'adresse à peine trois heures plus tard.

George Gullen habitait près d'Earl's Court. La rue commençait dans un quartier assez respectable, mais au fur et à mesure qu'on avançait, elle devenait de plus en plus étroite et encombrée, et vers la fin, elle n'était qu'un entassement de taudis encore plus misérable que celui auquel Ettie consacrait ses journées. Des gueux dormaient par terre à chaque coin ; des vieilles édentées, la tête enturbannée de loques, nous regardaient passer presque accroupies sur leurs tabourets ; une harde de marmots en haillons se jeta sur nous en réclamant des pennies et nous fourrâmes les mains dans nos poches pour nous prémunir contre les pickpockets.

La chambre du majordome se trouvait au deuxième étage d'un immeuble sans porte d'entrée. La rampe d'escalier avait dû être arrachée pour faire du feu, et par cette chaleur, les mouches bourdonnaient au-dessus des tas d'ordures sur le palier.

Une femme vint nous ouvrir, ses cheveux emmêlés retombant en grosses touffes sur ses épaules ; la morve lui coulait du nez. Elle s'essuya vaguement du revers de la main et nous regarda en reniflant. Quelque part, un bébé pleurait.

— Nous cherchons George Gullen, dis-je. Sa nièce nous a dit qu'il habitait ici.

— Il est pas là, fit-elle d'une voix cassée.

Une fillette appela dans le gourbi.

— Tais-toi, Mary ! aboya la femme.

— Mais il habite ici, n'est-ce pas ?

— Quand il est pas au pub.

— Quel pub, s'il vous plaît ?

Un petit garçon se faufila entre les jupons de sa mère.

— Un penny, m'sieur ? demanda-il en tendant sa menotte sale.

— Quémande pas, Alfred, fit-elle. Je te l'ai déjà dit.

Le gamin dévala l'escalier.

— Tu reviens pas sans quelque chose pour le thé ! cria-t-elle après lui.

Elle croisa les bras et s'appuya contre le chambranle, l'air maussade.

— Mais vous, qu'est-ce que vous lui voulez ?

— Nous recherchons quelqu'un qui a disparu, dis-je. Nous pensons que George pourrait nous aider.

— Il a rien fait.

— Nous le savons. Nous essayons de le retrouver, c'est tout.

— Vous pouvez l'aider à trouver un travail ?

— Nous voulons juste lui poser quelques questions.

— Il doit être au Crosskeys. Faut traverser la cour et descendre en face. Et vous lui dites de pas revenir sans quelque chose à manger pour les mioches.

Le pub était en réalité une pièce sombre avec un trou dans le mur en guise de comptoir. Le sol était couvert de coquilles et de cendres ; le tout empestait la bière rance. Une femme aux cheveux gris, accoudée dans l'ouverture, écoutait la conversation des quatre clients assis sur un banc

244 | Mick Finlay

vers la porte. Deux lévriers efflanqués se levèrent et vinrent vers nous, la tête basse.

— George Gullen ? demandai-je à la ronde.

— C'est moi, fit un homme assis au bout du banc, une pinte à la main.

Il avait un torse rond, le visage plat. Il portait une casquette de feutre brun, une blouse en toile et un foulard rouge autour du cou, mais sa façon de parler montrait qu'il n'était pas ouvrier, comme son vêtement aurait pu le laisser croire.

— Qui êtes-vous ? dit-il.

— Des détectives privés, répondit le patron. Nous recherchons un homme qui a disparu et nous pensons que vous pourriez nous aider.

— Des quoi ? demanda le vieillard à côté de Gullen. Qu'est-ce qui se passe ? C'est des roussins ?

Il n'avait pas de dents et son corps était si déjeté qu'il ne pouvait même pas tourner la tête pour nous regarder.

— Des détectives privés, dit la patronne. Comme Sherlock Holmes.

— C'est la vérité ? demanda Gullen d'un ton amer.

— Qu'est-ce que vous prendrez, m'sieurs ? demanda la femme.

Je commandai deux pintes de brune pour le patron et moi.

— Et pour vous, George ?

— La même chose, dit-il en finissant celle qu'il avait dans la main. Et pour eux aussi, ajouta-t-il en désignant ses compagnons.

— Voyons, protesta le patron. C'est à vous que nous souhaitons parler.

— Peut-être que moi, je ne veux pas vous parler.

Une fois que le patron eut payé et que les pintes furent tirées, Gullen s'assit avec nous à la table du fond.

— Votre femme nous a demandé de vous dire de ne pas rentrer sans apporter à manger aux enfants.

— Ce sont pas les miens, fit-il en buvant si goulûment qu'il renversa de la bière sur sa blouse.

Je m'aperçus alors qu'il était déjà passablement ivre.

— Nous avons parlé à Sir Herbert, dis-je. Il semble croire que vous étiez impliqué dans le cambriolage.

— Je n'ai rien à voir avec ça ! rugit-il en abattant son poing sur la table. Vous m'entendez ? Rien. C'est pour ça que vous êtes là ? C'est lui qui vous envoie ?

— Non, l'ami. En vérité, il ne voulait pas nous parler. Nous n'avons rien contre vous, nous voulons juste savoir ce qui s'est passé. Nous pensons qu'il y a un lien avec notre affaire.

La porte s'ouvrit d'un grand coup et un colosse à l'air féroce, l'homme le plus grand que j'aie jamais vu, entra d'un pas incertain. Les trois hommes sur le banc mirent leurs chopes sous la table. Il regarda autour de lui et vint lentement vers nous ; Gullen serra la pinte contre son torse, la main dessus.

Le géant prit la chope du patron et cracha dedans.

— Que diable…, bafouilla le patron.

Mais l'homme venait de cracher aussi dans mon verre. Gullen ricana.

— Nous ne pouvons plus boire, maintenant ! s'exclama le patron. J'exige que vous les remplaciez, monsieur !

Le géant se redressa ; sa tête touchait pratiquement les poutres. Sa peau était couverte d'une croûte ulcérée qui commençait en dessous ses yeux et se perdait sous la chemise effilochée qui couvrait son torse.

— Pas de sous, marmonna-t-il.

Il pointa les pintes du doigt.

— Vous allez les boire ?

— Bien sûr que non ! s'offusqua le patron.

Le type prit les deux chopes et les emporta avec lui à une table à l'autre bout de la pièce.

— J'aurais dû vous prévenir, à propos de Cocko, dit Gullen. J'en prendrai une autre, pour vous accompagner.

Le patron me donna un shilling. Quand je revins avec les boissons, Gullen commença son récit.

— Il était 3 heures du matin à peu près, tout le monde dormait. J'ai entendu du bruit en haut et je suis monté pour voir ce qui se passait. Ils étaient dans le cabinet du maître. Ils étaient trois, ils avaient forcé tous les tiroirs du bureau.

Il parlait lentement, les yeux mi-clos, marquant de longues pauses entre les phrases.

— Il était 4 heures du matin, ou un peu plus tôt, je crois.

— Vous l'avez déjà dit, fit le patron, un œil sur Cocko, la chope contre son ventre.

— C'est vrai. L'un d'eux a sorti un couteau en me voyant et m'a dit de ne pas appeler si je tenais à la vie. Ils m'ont obligé à leur ouvrir la porte d'entrée et ils sont partis. Comme ça, fit-il en claquant des doigts.

— Qu'est-ce qu'ils ont pris ?

— Ils n'avaient qu'un sac de toile. Rien d'autre.

— Ils n'ont pas emporté un globe ?

— Aucun objet de valeur, ils sont même pas entrés dans le salon. La patronne a tout vérifié, il ne manquait rien.

Il prit une longue lampée de bière et rota bruyamment. Il avait le regard vitreux.

— C'est pas mes enfants, fit-il avec un reniflement. Mais elle veut que je les nourrisse.

— Oui, nous avons compris, répondit le patron. Sir Herbert a-t-il dit si quelque chose avait été volé ?

— Non, mais il a commencé à boire cette nuit-là, et il buvait encore dans l'après-midi quand il m'a flanqué dehors.

Une grimace tordit son visage à ce souvenir, et quand il reprit la parole, il parut moins ivre, comme si, jusqu'à ce moment, il avait joué la comédie.

— Je ne l'avais jamais vu aussi bouleversé. Il tremblait, il tournait comme un lion en cage dans la pièce, ça a duré toute la nuit. Il ne m'a pas laissé appeler la police. J'ai compris que les gars devaient avoir pris quelque chose d'important dans les tiroirs, mais quand je lui ai demandé ce que c'était, il s'est mis à crier comme un damné.

— Pourquoi pensait-il que vous étiez complice ? demanda le patron.

— Il savait très bien que j'avais rien à voir avec les voleurs.

— C'est ce qu'il nous a dit.

— Il a dit ça à toute la maisonnée. Mais c'est pas vrai.

— Alors pourquoi vous a-t-il congédié ?

— Parce que j'avais vu les voleurs et que je voulais appeler la police. Dites donc, vous, m'apostropha-t-il en me regardant, allez nous chercher pour un penny de gin. Vous me ramenez de mauvais souvenirs. Il a ruiné ma vie, cette pourriture, il a refusé de me donner une lettre de recommandation. J'ai pas pu retravailler depuis. Vous avez vu où je vis ! Regardez-moi ce trou à rats ! La moitié de ces gars vole pour vivre, l'autre moitié envoie leurs femmes faire le trottoir.

Il serrait si fort la chope que les jointures de ses doigts étaient blanches.

— Si je le croise, je le tue. Comme ça. J'ai été un serviteur loyal pendant vingt ans.

— Je ne comprends toujours pas pourquoi il vous a renvoyé, dis-je en lui apportant son gin.

— Ça lui donnait une excuse pour pas faire venir la police.

— Une excuse ?

— Une excuse devant sa famille et devant tout le service. Il a dit qu'il voulait pas me dénoncer pour m'éviter la prison. Il a feint de le faire par bonté de cœur.

— Peut-être y croyait-il vraiment ?

— Je travaillais pour lui depuis vingt ans ! fulmina Gullen. Il me connaissait. Il savait que je n'étais pas comme ça. Non, c'était une excuse, une excuse minable, et vous savez pourquoi ? Parce qu'il savait que j'avais reconnu un des types.

Un rire strident se fit entendre au-dehors et la porte s'ouvrit pour laisser entrer une femme en robe verte, le bonnet de guingois, pourchassée par un homme en knickerbockers qui poussait des hennissements. Le vieillard bossu se mit à crier et une dispute éclata.

— Qui était l'homme que vous avez reconnu ? demandai-je sans faire cas du bruit.

— Je le connais des courses de chevaux. Il est toujours fourré là-bas, au Frying Pan. On l'appelle Paddler Bill. C'est un Américain. Un grand rouquin, bouclé, avec un gros ventre.

— Et il vous a reconnu, lui ?

Gullen éclusa la moitié de son gin et secoua frénétiquement la tête, comme un chien qui s'ébroue.

— Non, moi je suis un type normal, personne me remarque. Alors que lui, il parle fort, il fait son grand seigneur. Des femmes, du champagne... On peut pas le louper.

— Et ses complices ?

— Je les connaissais pas. Il y avait un chauve avec une grosse barbe noire, pas plus grand que moi.

— Américain aussi ?

— Il n'a pas ouvert la bouche. L'autre était plutôt freluquet, blond. Il lui manquait une oreille.

— Mais pourquoi Sir Herbert ne voulait-il pas les faire arrêter ? demanda le patron, qui avait fini sa pinte.

— J'y réfléchis depuis qu'il m'a renvoyé. Ils ont dû prendre quelque chose que le maître n'était pas censé avoir. Et il fallait pas que ça se sache. C'est ce que je pense.

Le patron se releva.

— Vous nous avez été d'une grande aide, M. Gullen. Une dernière question : d'après vous, qu'est-ce qu'ils ont pris, les cambrioleurs ?

Gullen secoua la tête.

— Aucune idée. J'ai jamais su ce qu'il y avait dans les tiroirs. Dites, vous pourriez pas me prêter un shilling, pour les enfants ?

— Vous allez le dépenser en gin, fit le patron.

— Je vous jure que non, monsieur. Ces gosses ont besoin de manger.

Le patron mit la main à la poche ; je l'arrêtai.

— Nous allons passer dans une échoppe et leur apporter quelque chose, dis-je. Pas besoin de vous déranger pour ça.

Au regard qu'il me lança, je sus que je ne m'étais pas fait un ami.

27

Nous rebroussâmes chemin vers Earl's Court en silence. Je ne voulais pas interrompre les réflexions du patron, qui se mordait pensivement la lèvre.

En arrivant au grand carrefour encombré d'omnibus et de fourgons, il se mit à renifler comme un limier flaire le fumet d'un renard. J'entendis son ventre gargouiller et sentis alors une odeur de poisson frit.

— Que pensez-vous de Gullen, Barnett ? demanda-t-il en cherchant la source de l'alléchant arôme.

— Je pense qu'il dit vrai. Son histoire coïncide en tout point avec celle du valet.

— Saviez-vous, mon ami, que les signaux de la colère sont universels ? Un Anglais exprime sa rage de la même façon qu'un Peau-Rouge.

— Je veux bien le croire, monsieur.

— C'est ce que dit M. Darwin. Ces signes, je les ai tous observés chez Gullen lorsque j'ai dit que Sir Herbert l'accusait du cambriolage : les narines dilatées, le regard injecté de sang, le visage congestionné. De façon instinctive, immédiate, c'est-à-dire qu'il ne feignait pas. Cela me pousse à penser que Sir Herbert voulait nous leurrer.

Je me résolus alors à dire quelque chose qui me trottait dans la tête depuis quelques jours.

— Et si le cambriolage n'avait aucun lien avec notre affaire, monsieur ? Nous trouvons un indice et nous le suivons jusqu'à en trouver un autre et ainsi de suite, mais il se pourrait que chacun nous éloigne un peu plus de la vérité. Il se pourrait que les Fenians n'aient aucun rapport avec la disparition de Thierry. Ou que Martha n'ait pas eu l'intention de nous donner cette balle. Ou que Venning cherche à cacher quelque chose à sa famille.

— Mais il nous faut suivre ces indices, dit-il doucement.

— Parfois, je ne sais plus pourquoi nous enquêtons.

— Nous devons trouver l'assassin de Martha, Barnett. Honorer sa mémoire. Et Mlle Cousture nous paie pour retrouver son frère.

Soudain, un cheval lança des ruades, le regard fou ; il bouscula le chariot d'un vendeur ambulant, et une cascade de boîtes de dragées pour la toux et d'onguents se renversa sur la rue ; une bande de garnements se précipita sur les remèdes et le pauvre camelot essaya de les chasser à coups de pied tout en hurlant sur le cocher dont le cheval avait provoqué tout ce ramdam.

— Vous croyez que Longmire mentait à propos de la balle ? demandai-je tandis que nous nous éloignions de la confusion.

— Je ne sais pas, répondit le patron, toujours à l'affût d'un vendeur de poisson frit. Mais il est évident que mentir est sa seconde nature. Et, Barnett, si nous ne suivons pas ces pistes-là, que ferons-nous alors ? Il faudrait tout recommencer du début.

— Nous devrions essayer de trouver les compagnons de beuverie de Thierry. Ou de découvrir pourquoi Coyle connaît l'assassin.

— Nous aurions dû chercher les amis de Thierry en tout premier lieu, c'est juste, dit-il âprement. Pourquoi ne l'avez-vous pas suggéré plus tôt ?

— Et vous ? rétorquai-je.

— Nul besoin de s'emporter, mon ami. Vous vous en occuperez demain. Quant à Coyle, je dois encore y réfléchir. Dans l'immédiat, cependant, nous devons reparler à Sir Herbert.

— Il ne voudra pas nous recevoir, après ce qui s'est passé ! Nous l'avons tout de même séquestré dans son propre landau !

— Dès qu'il saura que nous avons parlé à Gullen, il changera d'avis. Ah, enfin ! Là-bas.

Il désigna de l'index la bouche du métropolitain, où se trouvait l'échoppe du vendeur de poisson frit. Nous en apportâmes un paquet aux enfants de Gullen et mangeâmes le nôtre en attendant l'omnibus pour Notting Hill. Il était plein à craquer en ce début de soirée et nous fûmes obligés de rester debout tout le trajet. La nuit commençait à tomber lorsque nous arrivâmes chez Venning.

Nous montions les marches du perron lorsque la porte s'ouvrit d'un coup. Un très jeune garçon sortit précipitamment, si pressé qu'il nous bouscula au passage.

— Attention, garnement ! protesta le patron.

Le garçon l'ignora et cavala vers Notting Hill Gate aussi vite que le lui permettaient ses jambes.

La porte était restée ouverte ; d'un geste, le patron me fit signe de le suivre à l'intérieur. Un silence suspect régnait dans la maison.

— Essayons de le trouver, murmura-t-il.

Le grand vestibule était équipé d'électricité, les lampadaires brillaient comme à Piccadilly Circus. Un escalier monumental menait à une galerie qui surplombait l'entrée ; très haut au-dessus de nos têtes, un lustre en cristal brillait de mille feux. Les portraits de nobles ancêtres à l'air sévère couvraient les murs, de délicates porcelaines aux couleurs vives étincelaient dans leurs niches. Nous tendîmes l'oreille. Il semblait se passer quelque chose à l'étage : des pas rapides sur les tapis, des conversations derrière les portes. Mais aucun bruit ne venait du salon.

À notre droite, une porte entrebâillée donnait sur le cabinet de travail. Le patron la poussa doucement, je le suivis et fermai derrière nous.

Sir Herbert était affalé sur son bureau, la tête tournée

vers la cheminée. Sa tempe gauche était percée d'un horrible trou rouge. Le sang avait coulé sur son front et sur ses yeux exorbités et formait sur la table une flaque écarlate que le buvard épongeait. Sa bouche était ouverte, sa langue pendait. Il y avait un revolver à côté de sa main.

Nous entendîmes des pas dans l'escalier, une voix féminine qui murmurait ; puis un homme, le majordome :

— Je resterai avec lui jusqu'à l'arrivée de la police, madame. Vous seriez trop bouleversée de le voir ainsi. C'est... c'est très déplaisant.

— Merci, Castairs, répondit Lady Venning d'un ton neutre. Avez-vous envoyé le garçon ?

— Oui, madame, dit-il, déjà devant le cabinet.

Il poussa la porte, et resta interdit.

— Qui êtes-vous ? s'exclama-t-il dans un sursaut.

— Nous sommes venus voir Sir Herbert, répondit le patron. Que s'est-il passé ?

Le majordome recula vers la porte, blême.

— À l'aide !

— Non, non, fit calmement le patron. Vous faites erreur. Nous arrivons à l'instant.

— À l'aide ! À l'aide !

Ses cris ameutèrent la maisonnée.

— J'arrive ! cria un homme. Qu'est-ce qui se passe ?

— Ici ! Ici !

Le valet, celui-là même avec qui j'avais partagé un verre, fit irruption dans la pièce, suivi d'un autre homme, puis d'une bonne et, finalement, de la maîtresse de la maison. Je craignis que le valet ne révèle sur-le-champ que, la veille, je rôdais en posant des questions, mais il n'en fit rien. Je lui en sus gré.

— Arrêtez-les ! ordonna Lady Venning.

— Voyons, madame, vous faites erreur, répéta le patron. Nous arrivons à l'instant. Nous n'avons rien fait.

— Oh ! mon Dieu, s'exclama Lady Venning en posant enfin le regard sur le corps son mari. Herbert !

— Mes condoléances, madame, fit le patron. Mais nous sommes tout à fait innocents. Quand il reviendra, le jeune garçon que vous avez envoyé pourra confirmer qu'il nous a vus arriver lorsqu'il est sorti pour prévenir la police.

Devançant les longues explications qui allaient s'ensuivre, je m'assis sur le canapé.

— Nous verrons tout cela avec la police, dit Lady Venning lorsque le patron eut fini. Vous resterez ici jusqu'à leur arrivée. Mes hommes vous empêcheront de partir.

Le garçon revint peu de temps après avec un policier et ce ne fut qu'une fois qu'il eut corroboré les dires du patron que les domestiques qui avaient accouru cessèrent de nous surveiller d'un air aussi craintif que suspicieux.

L'agent de police, un Gallois pétulant dont le ventre mettait à l'épreuve les coutures de son uniforme, imposa le silence et procéda à l'examen du cadavre. Ensuite, muni d'un calepin où il griffonnait ses observations, il passa en revue la pièce, le tapis, les étagères et même la sculpture grandeur nature d'un athlète dont les parties intimes s'exhibaient au grand air, ainsi que le globe terrestre près de la fenêtre. Il demanda à chacun des domestiques ce qu'ils avaient fait au cours des dernières heures et s'ils avaient vu quelque chose. Personne n'avait rien remarqué. Le patron vint s'assoir à côté de moi sur le canapé.

Sur ces entrefaites, la sonnette de l'entrée retentit et une des bonnes fit entrer dans le cabinet Petleigh et Bentham, le médecin légiste.

Petleigh secoua la tête d'un air las lorsqu'il nous vit, mais quand le patron se leva, prêt à répéter ses explications, il l'interrompit sans façons.

— Asseyez-vous ! Je vous verrai après.

Il discuta avec l'agent tandis que le légiste examinait le corps.

— La mort provient clairement d'une blessure par balle, dit ce dernier. C'est très récent.

— Avez-vous trouvé un mot, une lettre ? demanda Petleigh au constable.

— Non, monsieur. J'ai pourtant bien cherché.

Petleigh se tourna vers le majordome.

— Quand avez-vous entendu la détonation ?

— À 8 h 30 environ, monsieur.

— À quel moment avez-vous vu Lord Venning en vie pour la dernière fois ?

— Vers 5 heures, monsieur. Il a demandé à ne pas être dérangé. Nous étions tous dans la cuisine lorsque nous avons entendu le tir. Madame s'était retirée dans sa chambre.

— Des enfants ?

— Deux garçons, monsieur. Ils sont adultes. L'un est en Inde, l'autre dans l'armée.

— Lord Venning vous a-t-il semblé perturbé aujourd'hui ?

— Un télégramme est arrivé cet après-midi. Après cela, monsieur n'est pas sorti de l'étude.

— A-t-il eu de la visite ?

— Pas que je sache, monsieur.

— Où étiez-vous cet après-midi ?

— À mon office, monsieur. J'aurais entendu la sonnette si quelqu'un était venu. Toutes les cloches de la maison sonnent là-bas.

Petleigh soupira et fit lentement le tour de la pièce, les mains dans les poches.

— Avez-vous remarqué des changements chez lui dernièrement ?

— Je ne travaille ici que depuis peu, monsieur. Mais il semblerait que le comportement du maître ces derniers temps ait été quelque peu inhabituel

— Inhabituel ? C'est-à-dire ?

— Des crises de colère. Des disputes avec madame. Il s'emportait souvent contre les domestiques.

— Des accès de mélancolie ?

— Il buvait, intervint la gouvernante, disons-le clairement. Il buvait plus que de raison depuis le cambriolage.

— Le cambriolage ? Quel cambriolage ? demanda Petleigh.

— La maison a été cambriolée il y a environ deux mois.

L'inspecteur réfléchit.

— Je vois. À présent, je vais vous demander de quitter la pièce. Tous. Prévenez madame que je souhaiterais lui parler sous peu au salon. Si je peux me permettre, je vous suggère de préparer du thé.

Les domestiques nous laissèrent seuls.

— Qu'est-ce que vous fichez ici, nom d'un chien ? fulmina Petleigh une fois la porte fermée. Dès qu'il y a un cadavre, je peux être sûr de vous trouver dans les parages !

— Nous avions quelques questions à poser à Lord Venning, déclara le patron. Nous sommes arrivés après les faits.

— Quelles questions ? Que savez-vous de Sir Herbert ?

— Nous pensons qu'il s'inquiétait à propos de ce que les cambrioleurs lui ont volé, mais nous ignorons de quoi il s'agit. Ce qui est certain, c'est qu'il ne voulait pas impliquer la police. L'ancien majordome, un dénommé George Gullen, a vu les voleurs et a pu en identifier un. Pourtant, plutôt que d'aller à la police, Venning l'a congédié. Quelque chose devait donc le tracasser.

— Le tracasser au point de s'ôter la vie ?

— C'est possible. Mais il ne s'est pas ôté la vie, Petleigh.

Le légiste, qui dessinait un croquis du corps, s'arrêta net.

— Il a été assassiné, affirma le patron.

— Assassiné ? Qu'est-ce qui vous fait dire ça ?

Le patron s'approcha du cadavre. La blessure était sur la tempe gauche et le revolver près de la main gauche du cadavre. Il la souleva doucement et nous la montra. Le pouce était normal, mais à la place des autres doigts, il n'y avait que de petits moignons de peau lisse. Une déformation de naissance, probablement.

— Mon Dieu, dis-je.

— Vous n'aviez pas remarqué, Barnett ? demanda le patron.

— Il portait des gants, monsieur, répondis-je en secouant la tête.

— Je ne l'avais pas remarqué non plus, reconnut Petleigh, visiblement contrarié de devoir l'admettre. Je ne sais pas comment j'ai pu rater ça.

— J'ai préféré ne rien dire en présence des domestiques.

Petleigh fixa longuement le cadavre, puis s'assit sur l'un des fauteuils, les jambes croisées comme à son habitude, et alluma une cigarette.

— Dites-moi tout, fit-il dans un nuage de fumée. Sans omettre le moindre détail.

28

Lorsque nous eûmes fini notre récit, Petleigh se leva et fit quelques pas devant la cheminée.

— Est-ce que Gullen aurait pu arriver ici avant vous ? demanda-t-il.

— C'est possible, répondit le patron. Cela nous a pris quelque temps d'apporter la nourriture aux enfants. Mais n'oublions pas le télégramme, inspecteur, ce télégramme que Sir Herbert a reçu avant de s'enfermer dans l'étude. Ce n'est certainement pas Gullen qui l'a envoyé.

L'inspecteur hocha la tête.

— Il faut mettre la main dessus.

Nous fouillâmes les poches de Sir Herbert et les tiroirs de la bibliothèque, l'âtre, toute la pièce. Rien.

— Il doit pourtant être encore ici, dit Petleigh.

— À moins que le tueur ne l'ait emporté ? suggéra le patron. Voici une possibilité : le message annonçait l'arrivée d'un visiteur. Un visiteur que Sir Herbert était impatient de voir.

Le patron s'approcha de la fenêtre.

— Confirmez-vous, Barnett, que personne n'a touché aux fenêtres depuis notre arrivée ?

J'acquiesçai.

— Vous remarquerez que les rideaux de toutes les fenêtres sont tirés, à l'exception de celle-ci. Or, d'ici, on voit la rue et la porte d'entrée. Alors pourquoi Sir Herbert a-t-il laissé ces rideaux ouverts ? Peut-être parce qu'il guettait l'arrivée du visiteur. Il voulait lui ouvrir la porte avant qu'il ait eu à sonner.

— Afin que les serviteurs ne soient pas alertés de cette visite, continua Petleigh.

— Exactement. Il est possible que Sir Herbert ait ouvert lui-même la porte à son assassin.

— C'est lui qui a ouvert la porte à son assassin, affirma Petleigh, comme si l'idée venait de lui. Celui-ci lui a tiré dessus et a emporté le télégramme avec lui. Oui, c'est fort possible que les choses se soient déroulées ainsi. Qui soupçonnez-vous, Arrowood ?

— Ma supposition, inspecteur, c'est qu'on l'a tué pour l'empêcher de nous dire ce que les cambrioleurs avaient volé.

— Oui, dit Petleigh en reprenant son chapeau. C'est tout à fait possible, bien que Gullen reste notre premier suspect. J'enverrai mes hommes le chercher ce soir, et demain, j'irai personnellement rendre visite au colonel Longmire, nous verrons ce qu'il a à dire. Quant à vous, je vous demande de ne plus vous mêler de cette affaire. Je suis sérieux, Arrowood. Sir Herbert est un homme très important. Laissez faire la police.

— Nous devons retrouver le frère de Mlle Cousture, rétorqua le patron. Nous nous y sommes engagés.

— Soit. Mais tenez-vous-en strictement à votre affaire. Ce meurtre est désormais une enquête policière. Vous avez compris ?

Le patron grommela quelque chose.

— Maintenant, William, poursuivit Petleigh d'un ton plus conciliant.

Il lissa le col de la chemise, l'air soudain hésitant.

— Dites-moi, hum… comment va votre sœur ?

— Ma sœur ? fit le patron sans cacher sa surprise.

— Je suis passé l'autre jour, vous étiez absent… Elle habite bien avec vous ?

En dépit de la pénombre, je vis la couleur lui monter aux joues. Petleigh piquait un fard comme une jeune fille.

— Pour l'instant, oui, répondit le patron. Jusqu'à ce qu'elle trouve un nouveau poste.

— Elle n'est donc pas mariée ?

L'inspecteur se tortillait, serrant son chapeau contre lui. Sa prestance habituelle s'était volatilisée, comme si son élégant costume noir était tout d'un coup trop petit pour lui.

— Non, fit le patron.

Il regardait Petleigh, toujours abasourdi, quand un fin sourire apparut peu à peu sur ses lèvres.

— Je me demandais… Accepteriez-vous de venir déjeuner avec nous un jour prochain, inspecteur ?

— Avec le plus grand plaisir, William. Si cela convient à votre sœur, bien entendu.

— Splendide. Je dois la consulter pour la date, mais je suis sûr qu'elle sera ravie de vous voir. Maintenant, Barnett, allons-y. Nous avons à faire.

Il se dirigea vers la porte.

— Oh ! dit-il comme si quelque chose lui était revenu à l'esprit. J'allais oublier, Petleigh, je voulais vous poser une question : connaissez-vous deux détectives du CID, Lafferty et Coyle ? Des Irlandais.

— J'ai entendu parler d'eux, oui.

— Ils nous ont emmenés de force vendredi à Scotland Yard pour nous interroger. Il semble que l'officier assassiné faisait partie des leurs. Et je dois vous dire, Petleigh, qu'ils nous ont brutalisés. Ils m'ont gardé toute la nuit sans me donner de quoi me sustenter. Et Barnett a été frappé avec une matraque, de façon très sadique. Ce Coyle a bien failli lui casser le bras.

— Leurs méthodes sont différentes des nôtres, grogna Petleigh.

— Qui diable sont ces gens ? Ils n'ont même pas daigné nous dire sur quelle affaire ils travaillaient.

— Oh ! non. Ce n'est pas dans leurs façons.

— Mais pourquoi ?

— Ce ne sont pas des agents du CID, William, mais de la SIB.

Le patron écarquilla les yeux.

— C'est la brigade spéciale pour l'Irlande, expliqua l'inspecteur.

— Je connais la SIB, Petleigh, merci, s'agaça le patron. J'ai couvert les attaques des Fenians pendant dix ans, rappelez-vous. Mais je pensais qu'ils avaient été dissous après la fin de la campagne de dynamite ?

— C'est ce que le Home Office veut faire croire à l'opinion publique. Ils travaillent dans l'ombre, et en dehors du commissaire adjoint et de quelques hommes comme Lafferty et Coyle, rien n'est officiel. Ils disposent d'un réseau d'agents secrets, dont même le CID ignore l'identité. La plupart d'entre eux sont des criminels, d'anciens membres de Clan na' Gael, ou de vulgaires voleurs : autant dire, leur passé importe peu tant qu'ils remplissent leur mission.

— Quel type de mission ? demandai-je avec un regard vers le corps sans vie de Sir Herbert.

— Surveillance, renseignements, infiltration, répondit Petleigh. Certains ont un rôle d'agents provocateurs. Mais il n'y a aucune trace écrite, ils opèrent avec des fonds secrets. Comme vous le savez, William, ils ont toujours travaillé en marge de la loi.

— Cela expliquerait pourquoi ils ont pris un malin plaisir à tabasser Barnett.

— Je le crains.

— Ils ont essayé de me recruter, dis-je.

— Vous ne me l'aviez pas dit, fit le patron avec un froncement de sourcils. Et qu'avez-vous répondu ?

— Rien du tout. Je me suis dit que cela pourrait nous être utile le moment venu.

— Bien vu. Je suppose, inspecteur, que vous parlerez avec Lafferty du meurtre de Sir Herbert.

— Oui, mais je doute qu'ils me rendent la pareille. La SIB ne partage jamais d'information avec la police, comme s'ils avaient peur que l'on ne ruine leurs enquêtes. Cela cause de nombreux problèmes à Scotland Yard.

— Il y a autre chose, inspecteur, dit le patron.

— Quoi encore ? fit Petleigh qui avait retrouvé son aplomb habituel. Qu'est-ce que vous avez fait ?

— Barnett a vu Coyle avec l'assassin de la jeune serveuse.

Petleigh resta interdit.

— Vous en êtes sûr ? demanda-t-il enfin.

— Certain. Et ils semblaient s'entendre comme larrons en foire.

Petleigh hocha la tête pendant un moment qui parut interminable. Une pendulette carillonna dans le silence pesant de la pièce.

— Cela, messieurs, dit-il enfin, est une fâcheuse nouvelle.

Il était 9 heures quand l'omnibus qui nous ramenait traversa le fleuve vers notre quartier. Nous étions tassés l'un contre l'autre sur un strapontin, car tous les autres sièges étaient déjà pris. À vrai dire, à cause de la taille du séant du patron, mon équilibre était plus que précaire.

— Puis-je vous demander pourquoi vous avez invité Petleigh chez vous ? Je croyais que vous ne l'appréciiez pas.

— Je l'ai peut-être jugé trop durement.

— C'est tout de même étonnant, que vous ayez changé d'avis aussi vite.

Il soupira, prit ses aises, et je faillis tomber par terre. L'omnibus marqua un arrêt et une nouvelle cohue de passagers se pressa à l'intérieur.

— Nous sommes dans une mauvaise passe, Norman. Nous allons avoir besoin d'un allié dans la police.

— Petleigh n'est pas un mauvais bougre. C'est juste que vous n'avez jamais voulu le reconnaître.

Le patron renifla.

À la fin du trajet, nous étions convenus de nous lancer le soir même à la recherche de Thierry dans les pubs et tavernes aux alentours du Beef. Il était temps. C'était ce qu'il aurait fallu faire en tout premier lieu, et nous n'aurions pas négligé une question aussi élémentaire si le meurtre de Martha n'était venu dévier le cours de l'enquête.

Nous nous quittâmes à St George's Circus en nous recommandant mutuellement la plus haute prudence. Nous savions d'ailleurs qu'il aurait été plus judicieux de rester ensemble, car le risque de finir comme l'officier de la morgue était bien réel, mais le terrain à couvrir était vaste et le temps nous était compté : Cream ou les Fenians ne tarderaient pas à nous identifier comme les deux hommes qui, ces jours-ci, posaient trop de questions à leur sujet.

Je devais quadriller les rues à l'intérieur du triangle formé par le fleuve, Blackfriars Road et Waterloo Road. Le patron, toujours à l'agonie dans ses chaussures trop serrées, alla enquêter dans la zone entre Waterloo Road et Westminster Bridge Road, où les établissements étaient moins nombreux. Je pris une pinte et une tourte au mouton dans le premier pub, où ils ne connaissaient pas de jeune Français blond. Je n'eus pas plus de chance dans les cinq pubs que je visitai ensuite. J'avais avalé un Black Drop avec une bière pour tromper la douleur à mon bras, et l'agréable sensation que le mélange procurait m'empêcha de me décourager. Mais nul ne semblait avoir le souvenir d'un Français qui aimait boire sur New Cut, ni sur Cornwall Road, pas plus que dans les pubs crasseux et mal famés de Broad Wall. Je me retrouvai sur Commercial Road, tout près du fleuve, où venaient s'abreuver les hommes des docks et des entrepôts. Après avoir cherché dans les six pubs qu'il me restait sur mon parcours, je rentrai, fourbu. Personne ne se souvenait de Thierry Cousture.

29

Une foule envahissait la rue le lendemain matin quand j'arrivai à Coin Street. La police avait installé des barrières pour couper le passage des véhicules, deux fourgons de pompiers occupaient le milieu de la chaussée. L'air sentait le bois brûlé, et en m'approchant, je vis que la fumée venait du toit de la boulangerie. Des pompiers entraient et sortaient de l'immeuble, d'autres pompaient de l'eau pour alimenter deux lances, l'une qui partait vers la ruelle latérale, l'autre dirigée vers la porte d'entrée. Les carreaux des fenêtres avaient explosé, tout était noir à l'intérieur.

Je jouai des coudes pour me frayer un chemin jusqu'au bout de la rue, où je trouvai Ettie et le patron devant le café de Church. Le patron dévorait une épaisse tranche de pain avec du fromage, le visage noir de suie, les cheveux en bataille et une couverture jetée sur les épaules. Ettie, silencieuse et pâle, tremblait, enveloppée dans une couverture identique à celle du patron.

— Norman ! s'exclama-t-elle en serrant ma main comme si sa vie en dépendait. C'était horrible. Ils ont dû nous sortir par la fenêtre !

Elle toussa sans lâcher ma main.

— La fumée, fit le patron, la bouche pleine.

— Qu'est-ce qui s'est passé ?

— Nous avons été réveillés quand les pompiers ont brisé la fenêtre de la chambre, dit-il, la respiration sifflante. Ils nous ont descendus par l'échelle, nous leur devons la vie.

— Ils ont dû vous porter ?

— Nous étions pratiquement inconscients à cause de la fumée, Norman.

Une quinte de toux l'empêcha de continuer et, tout en essayant de la contenir, il poussa vers moi son assiette.

— Mais d'où est parti le feu ? demandai-je.

— Les pompiers ont trouvé des boîtes de paraffine, fit Ettie. Les coupables sont entrés par la fenêtre de la boutique.

Elle me lâcha la main, mais ses yeux restèrent rivés aux miens, et ce fut alors que mon regard sur elle changea. Sur le tabouret, vulnérable et couverte de suie, elle me sembla auréolée d'une grâce irréelle. Elle ne ressemblait plus du tout à la femme qui était arrivée chez le patron avec son tuba sous le bras.

L'accès de toux passé, le patron reprit son pain et son fromage.

— Qui soupçonnez-vous ? demandai-je.

Le patron mit un doigt sur ses lèvres.

— Allons à l'intérieur un instant, Barnett, murmura-t-il.

— Bon sang de bonsoir, William ! s'écria Ettie en luttant contre le besoin de tousser. Quand vas-tu arrêter de vouloir me protéger ? J'ai vu des horreurs dont tu n'as même pas idée en Afghanistan. Et là, j'ai failli mourir. Je pense que j'ai le droit de savoir ce qui se passe !

Le patron prit une expression blessée, puis, finalement, il parla.

— Il semble que les gens que nous suivons aient découvert où je vis, Ettie. Nous ne sommes plus en sécurité chez nous.

— Mais qui sont-ils ?

— Cream et ses hommes, les Fenians, Longmire, répliqua le patron avec un soupir. On a l'embarras du choix.

— Oh mon Dieu, dit-elle. Ils veulent nous tuer.

— Ils ne nous tueront pas, Ettie. Nous n'allons pas nous laisser faire. Mais il faut de toute façon trouver un toit jusqu'à ce que les dégâts soient réparés, ils ne sauront pas où nous sommes.

Une bande de petits voyous surgit de la foule et passa en courant devant nous.

— Est-ce que nous sommes assurés ? demanda Ettie au milieu des cris des sacripants.

Arrowood baissa les yeux.

— Je t'en prie, Ettie, ne te fâche pas, mais je dois avouer que je n'avais pas les moyens de payer la prime l'année dernière. Nous étions à court de travail à ce moment-là.

— Oh ! William ! fit-elle en resserrant la couverture autour de ses épaules. C'est stupide.

— Je n'avais pas l'argent.

— Eh bien, je paierai les travaux. J'ai quelques économies.

— Des économies ? s'étonna le patron. Tu ne me l'avais jamais dit.

— J'ai dit que je paierais, dit-elle sèchement.

Le patron toqua à la vitre du café.

— Albert ! Venez, s'il vous plaît.

Albert apparut, l'air encore plus maussade et fatigué que d'habitude.

— Où habitez-vous, Albert ?

— À Mint Street. Vers la maison de correction.

— Pouvez-vous nous accueillir, ma sœur et moi, pendant quelques semaines ? Combien de chambres avez-vous ?

— Seulement deux pièces pour nous quatre, monsieur Arrowood. Nous sommes déjà bien serrés.

— Eh bien, tes fils peuvent dormir avec toi et Mme Pudding, Ettie et moi prendrons l'autre chambre.

Albert semblait perplexe : il n'aimait pas prendre des décisions importantes sans le concours de son épouse.

— Nous paierons la moitié du loyer pendant que nous sommes là, évidemment, continua le patron.

Albert se gratta la tête.

268 | MICK FINLAY

— Eh bien, fit-il lentement. Je suppose qu'on peut faire comme ça. Mais seulement en attendant.

— Merci, Albert, dit Ettie.

— En fait, la moitié du loyer ne serait pas juste, déclara le patron. Vous êtes quatre, alors que nous sommes que deux. Cela en fera un tiers du loyer. D'accord ?

Albert tâchait de faire ses calculs, le visage plissé par l'effort.

— C'est entendu, fit le patron sans lui laisser la chance de répondre. Vous le direz à Mme Pudding.

Mais Mme Pudding avait tout entendu et se tenait devant la porte du café.

— C'est hors de question, monsieur Arrowood, dit-elle avec fermeté. Ma sœur et ses trois petits arrivent demain. Nous n'avons pas la place.

— Eh bien, fit le patron avec un grand soupir, nous irons chez Lewis, alors. Il possède une maison à Elephant and Castle.

— Une maison ? dis-je, interloqué. Comment cela se peut-il ? Il achète plus qu'il ne vend, dans sa boutique.

— Son père était orfèvre, expliqua le patron. Lewis a hérité de la maison.

— Pourquoi est-ce qu'il n'est pas orfèvre, lui, alors ? Pourquoi vit-il de cette boutique miséreuse ?

Le patron enleva la couverture et la posa sur les genoux de sa sœur.

— Son père lui a appris le métier, mais Lewis dit qu'il manquait de précision, même quand il avait encore deux mains. Et il a toujours aimé les armes. Déjà enfant, c'est la seule chose qui l'intéressait vraiment.

À ce moment-là, une silhouette que nous ne connaissions que trop bien se détacha de la foule : chapeau melon brun, pantalon à carreaux, lévite bleue. Une belle canne en cerisier. Le patron m'agrippa le bras.

— Eh bien, messieurs, nos chemins se croisent de nouveau, déclara l'homme.

C'était Stanley Cream. Il nous sourit de toutes ses dents, les dents les plus blanches et les plus régulières de Londres. Il était rasé de près et sentait la cocotte. Derrière lui, Boots, goguenard, cherchait mon regard, voulant sans doute me rappeler qu'il m'avait méchamment rossé lors de notre dernière rencontre quatre ans plus tôt. Il n'avait pris le dessus que parce que j'avais glissé sur une flaque de bière, un détail qu'il avait certainement choisi d'oublier. Je ne cillai pas, ma peur refluant sous l'envie rageuse d'écraser son vilain visage.

— Vous paierez pour ça, Cream, dit le patron d'une voix que l'appréhension rendait encore plus sifflante.

Il toussa, le mouchoir devant la bouche.

— Sauf erreur de ma part, c'est vous qui devrez payer, monsieur Arrowood, ricana Cream.

Son accent huppé n'était pas feint, ce voyou venait d'une bonne famille. Je n'avais jamais su comment il en était venu à œuvrer dans ce drôle de milieu.

— Il faudra une belle somme pour remettre ce gourbi d'aplomb, je le crains. Je dois dire que vous faites peine à voir, avec toute cette crasse sur la figure. Madame est-elle votre épouse ?

— Je suis sa sœur, répondit Ettie.

— Oh ! fit-il avec une voix qui suintait l'hypocrisie. Dire que vous auriez pu mourir.

— C'est vous qui avez fait ça ? demanda-t-elle en se relevant.

— Êtes-vous détective, vous aussi, chère petite madame ?

— Infirmière.

— C'est admirable, absolument admirable.

Il se tourna vers moi, sa voix soudain dure et froide comme l'acier.

— Je vous avais dit de ne plus jamais vous approcher de moi, monsieur Barnett. J'avais été très clair à ce sujet. Et voilà que j'apprends que vous importunez certains de mes amis. Je veux que vous m'écoutiez avec attention : oubliez tout cela. Laissez tomber ou je serai obligé de me montrer désagréable. Vraiment désagréable. Vous comprenez ? Ou dois-je demander à Boots ici présent de vous traduire ?

— Nous cherchons Thierry Cousture, dis-je. Il travaillait dans vos cuisines. Savez-vous où il est ?

Cream secoua la tête en donnant de petits coups de canne contre sa botte.

— Le jeune Terry a disparu il y a quelques semaines sans prévenir. Il nous a fait faux bond. Cela m'a mis en colère. Oui, très en colère. J'aimerais le retrouver, moi aussi.

— Que faisait-il pour vous, au juste ? demandai-je.

Il claqua la langue et m'ignora.

— Monsieur Arrowood, si jamais vous parvenez à le retrouver, j'aimerais en être informé. Il est important que je lui parle, voyez-vous. Mais ne vous approchez plus de mes amis. Vous avez de la chance d'être en vie. Vous n'en aurez pas autant la prochaine fois. Je vous le garantis.

En guise de point final, il enfonça le bout de sa canne dans le ventre du patron, tourna les talons et disparut dans la foule, Boots toujours dans son sillage.

— Barnett, allez voir si ses sbires sont encore dans le coin, demanda le patron, le souffle court.

Je me mêlai aux passants en scrutant les visages pour m'assurer que les hommes de Cream ne nous cherchaient pas. Je tombai nez à nez sur Neddy.

— M. Arrowood va bien ? demanda-t-il, l'air effrayé.

Il portait une casquette d'homme sur sa petite tête sale ; un bout de tissu déchiré lui tombait sur les yeux.

— Oui, Neddy, et Ettie aussi. Et ta bouche, comment elle va ?

Il sourit pour me montrer le trou noir au milieu de sa gencive.

— C'est joli, non ?

Je feignis un éclat de rire. La visite de Cream m'avait mis sur les nerfs.

— Et ta mère, fiston ? Elle travaille ?

— Elle est dans un de ses mauvais jours, m'sieur. Il faut que je trouve des sous pour elle.

— Je crois que M. Arrowood va avoir besoin de toi. Viens avec moi.

— Je suis désolé de vos soucis, m'sieur, dit Neddy quand nous l'eûmes rejoint.

Le patron sourit et lui tapota la tête.

— Tu vas vendre des muffins aujourd'hui, mon petit ?

— À 4 heures. Je peux vous aider avant, m'sieur.

— Nous allons avoir besoin de toi pour pousser une brouette. Tu vas y arriver, avec ces chaussures ? Elles sont très grandes. Et si tu faisais tes lacets ?

Neddy s'accroupit pour nouer les deux bouts de ficelle qui pendaient de ses godillots dépareillés.

— Quand les pompiers nous permettront d'entrer, nous prendrons quelques affaires qu'il faudra apporter à notre nouveau logement, dit le patron. Mais raconte-moi d'abord comment tu te sens après ta grande aventure, fiston. Tu sais que ces choses-là peuvent affecter notre esprit plus rudement que notre corps. Tu fais des cauchemars ?

— Pas que je me rappelle, m'sieur. Je crois pas.

— Tant mieux. Tu es triste, parfois ? Est-ce qu'il t'arrive d'avoir peur ?

— C'est tout pareil qu'avant. Vous en faites pas pour moi.

— Excellent. Tu es un bon soldat, un bon petit soldat. Et une armée doit prendre soin de ses soldats, affirma le patron en se tenant à mon bras pour se hisser du tabouret. Bien, je vais aller régler les détails avec Lewis. Ettie, reste ici avec Neddy. Quand les pompiers te laisseront passer, préparez nos bagages, mais fais en sorte qu'un policier soit à tes côtés. Nous devons désormais nous montrer d'une extrême prudence. Ouvre l'œil, tu pourrais être suivie.

— Ne t'inquiète pas pour moi, mon frère. Je suis capable de me défendre.

— Pense à prendre mon portrait. Je reviens bientôt te chercher.

— Je serai aux aguets, m'sieur, dit Neddy.

— Brave garçon. Et rappelez-vous, pas un mot, à personne, de notre nouvelle adresse. Barnett, vous pourriez aussi continuer à faire le tour des pubs. Mais faites attention, je vous prie. Ces lâches pourraient vous attaquer quand vous êtes seul.

— Comment va votre bras, Norman ? demanda Ettie.

— Beaucoup mieux, tant qu'on ne me bouscule pas.

Un sourire illumina son visage noirci par la suie, et je baissai les yeux : sa douce prévenance me rendait mélancolique.

— Prenez soin d'éviter cela.

— Retrouvez-moi chez Fontaine à 6 heures, Barnett, ordonna le patron. Nous devons faire notre rapport à Mlle Couture. Elle nous a envoyé plusieurs messages.

— Avez-vous besoin de moi chez Fontaine ? demanda Neddy.

— Non, mon garçon. Seulement jusqu'à 4 heures. Après, tu as des muffins à vendre.

Cette fois-ci, je visitai les pubs entre Blackfriars et Borough High Street. À la fin de l'après-midi, j'avais les pieds en compote et n'avais rien appris de nouveau. Personne ne se souvenait d'un jeune Français avec les cheveux de la couleur du blé.

À l'heure convenue, nous poussâmes la porte de la boutique de Fontaine. Mlle Couture était derrière le comptoir.

— Messieurs, dit-elle sèchement. J'ai cherché à vous voir, je vous ai envoyé deux messages. Pourquoi n'êtes-vous pas venus plus tôt ?

— Nous avons eu à faire, lança le patron. Il fallait battre le fer tant qu'il était chaud.

— Vous avez parlé à Milky Sal ?

— On ne nous a pas laissés la voir.

Son expression sévère se changea en une moue de déception.

— M. Fontaine est-il ici ? demanda le patron.

— Il est allé porter des photographies à l'un de ses clients.

— Des photographies… privées ?

— Je crois.

— Vous en avez déjà vu, de ces photographies ?

— Il traite cette partie-là du travail à part. Mais la réponse est oui. Une fois. J'ai fouillé dans son sac.

— Où les garde-t-il habituellement ?

— Chez lui. Les séances de pose, il les fait la nuit, quand je ne suis pas là.

— Est-ce qu'il vous a déjà demandé de poser pour lui ?

— Non ! s'écria-t-elle. Comment osez-vous me poser cette question ?

— Ne soyez pas offensée. Je cherche seulement à comprendre.

Elle ferma les yeux et secoua la tête, comme si elle essayait de chasser l'image de son esprit.

— Maintenant, monsieur Arrowood, dites-moi ce que vous avez découvert.

Le patron lui expliqua ce qui s'était passé avec Longmire, lui parla de la façon dont nous avions séquestré Venning et de ce que Gullen nous avait appris sur le cambriolage. Elle l'interrompit.

— Parlez-moi de ce Sir Herbert.

— Il travaille au Bureau de la Guerre, c'est l'intendant général des armées. Grande demeure, landau luxueux.

— Quel âge a-t-il ?

— Une cinquantaine d'années.

— Et à quoi est-ce qu'il ressemble ?

Le patron me lança un coup d'œil perplexe.

— Assez petit, chauve, le visage rond.

— Et gros, ajoutai-je.

— Aviez-vous déjà entendu parler de Sir Herbert Venning, mademoiselle ? demanda le patron.

— Non.

Il tenta sa tactique du silence aimable. En vain.

— Il y a quelque chose que vous ne nous dites pas, assena-t-il alors.

— Non.

— Vous nous avez déjà menti.

— Je ne vous mens pas, monsieur Arrowood, fit-elle en croisant les bras sur sa poitrine, le visage durci par la colère. Parlez-moi de ce Longmire. Est-il petit, lui aussi ?

— Pourquoi ces questions, Mlle Cousture ? Ce nom vous dit quelque chose ?

— Je pourrais l'avoir vu avec mon frère.

— Il est de taille moyenne.

Une quinte de toux empêcha le patron de continuer ; il se tint au comptoir, plié en deux, jusqu'à ce que l'accès passe.

— Plutôt élancé, précisai-je. Il porte un monocle et il a une tache de vin au coin de l'œil.

Une lueur éclaira le regard de Mlle Cousture.

— Cela vous dit quelque chose ? fit le patron en déplaçant un cadre pour s'asseoir sur le tabouret près de la porte.

Elle secoua la tête une seule fois.

Le patron lui raconta alors la mort de Venning, mais elle fixait la rue, distraite. Elle toussota deux fois, but une gorgée d'eau. J'avais l'impression qu'elle n'écoutait pas, et lorsqu'il fut question de l'incendie de la boulangerie, ce fut à peine si elle hocha la tête.

— Est-ce que vous avez rencontré les compagnons de beuverie de votre frère ? demandai-je.

— Non, dit-elle d'une voix étranglée. Je ne l'ai jamais vu avec qui que ce soit.

— Savez-vous au moins où il aimait passer ses soirées ?

Elle haussa les épaules. Ses joues étaient blanches comme le papier, et je crus qu'elle allait s'évanouir.

— Avec moi, il faisait comme s'il n'allait jamais dans les pubs, dit-elle tout bas.

Après un silence pesant, elle reprit :

— Eric ne va pas tarder pas à revenir. Vous devriez partir.

— Nous allons le retrouver, mademoiselle, affirma le patron en se relevant. Nous reviendrons quand nous en saurons plus.

Je lui tins la porte et attendis qu'il soit sorti. Mlle Cousture me regardait, mais ses yeux semblaient vides, éteints. Elle avait relevé ses cheveux en chignon, et le col de sa blouse, garni d'une dentelle simple, était un peu effiloché — ce qui, curieusement, ajoutait à son charme. Une goutte de sueur glissa sur ma nuque.

— Nous avons besoin d'un autre paiement, mademoiselle, dis-je, finalement.

30

Le lendemain, nous recommençâmes la tournée des pubs. Je sillonnai la zone entre New Kent Road et Great Dover Street, tandis que le patron arpentait les rues au sud de Westminster Bridge Road. Il avait perdu ses chaussures dans l'incendie et portait à présent une paire empruntée à Lewis. Cela lui offrit de nouvelles raisons de se plaindre, mais il ne claudiquait pas autant que lorsqu'il souffrait vraiment de la goutte, et je fis la sourde oreille.

Nous nous retrouvâmes pour le dîner au café de Mme Willows. En sortant, le ciel s'était couvert de nuages d'un gris menaçant. Le patron était attendu à Coin Street pour s'entretenir avec le maçon, et je poursuivis les recherches dans les rues qui menaient de Bethlem jusqu'à l'Oval. Je m'offris quelques pintes pour rendre la soirée plus supportable. Encore une fois, personne ne semblait connaître le jeune Français.

Dans un endroit appelé The Bear, je remarquai un maigre petit bonhomme assis dans un coin sombre, que j'étais sûr d'avoir déjà vu tantôt dans la rue : je sentais ses yeux sur moi alors que je buvais au comptoir, et chaque fois que je bougeais, il détournait la tête en feignant de parler tout seul. Je finis vite ma pinte et quittai le pub pour aller me cacher derrière un fourgon stationné deux portes plus bas.

Il sortit juste après moi, regarda de tous les côtés et s'élança avec un juron vers le croisement, où il regarda de nouveau dans tous les sens avant de revenir au pub d'un pas traînant. Je songeai à y entrer moi aussi pour lui demander à quoi il jouait, mais cela n'aurait fait que rendre les choses plus pénibles encore. Je décidai de continuer mes recherches. Lorsque la pluie commença à tomber, mon bras se mit à me relancer et je pris une dose de Black Drop. À 6 heures, j'avais visité tous les bars situés à moins d'une demi-heure du Beef, et je décidai d'aller vers l'est, du côté de Tabard Street. À 10 heures, dans un caboulot au sous-sol d'un immeuble de guingois, j'eus enfin de la chance.

— Je vois le bonhomme, dit le barman. Un soiffard, faut dire, ça fait un bout de temps que je l'ai pas vu.

Il avait à l'épaule le chiffon le plus sale que je n'aie jamais vu.

— Vous savez où je peux le trouver ?

— Demandez à ce zigue, fit-il en pointant une silhouette isolée vers le piano. Ils étaient toujours fourrés ensemble.

L'homme en question était maigre comme un clou et portait un gilet qui aurait pu en contenir trois comme lui. Son haut-de-forme était plié en accordéon, sa barbe galeuse et clairsemée. Je commandai deux pintes et m'approchai de sa table.

Il me fixa de ses yeux aqueux. Il était beaucoup plus jeune qu'il ne le paraissait, vingt ans tout au plus. Il avait trop bu et n'avait pas dû manger à sa faim depuis des semaines. Une vilaine croûte lui déformait le coin de la bouche.

— Je cherche Terry, dis-je en posant une pinte sur la table. Le patron dit que tu es son ami.

— L'ai pas vu, murmura-t-il faiblement.

— Où est-ce que je peux le trouver ?

— Nulle part.

— Sa sœur le cherche. Elle est inquiète.

Il lâcha un rire bref et vida la moitié de la pinte. Sous son gilet trop grand, il portait un tricot crasseux.

— Qu'est-ce qui te fait rire ? demandai-je.

Il secoua la tête comme si j'étais fou.

— Quand est-ce que tu l'as vu pour la dernière fois ?

— L'ai vu, euh…

Il dodelina de la tête en levant une main qu'il agita mollement devant son visage, comme s'il chassait une mouche.

— Peut-être un mois… ou deux. Il est parti, d'toute façon.

— Parti ? Où ?

— Sais pas. Il est parti.

— Pourquoi est-il parti ?

— Sais pas, mon vieux, sais pas, dit-il en vidant la chope.
Il a disparu.

Je mis un shilling sur la table ; il le fixa, l'air hébété.

— Il est pour toi si tu me dis où est Terry.

Il prit son temps avant de parler.

— Il est à Hassocks, près de Brighton, répondit-il finalement. Il bosse dans une boulangerie.

— Comment le sais-tu ?

— Il me l'a dit, quoi.

— Pourquoi a-t-il quitté Londres ?

— Du tintouin avec son patron, je crois.

— Quel genre de tintouin ?

— Sais pas. Il avait une sacrée frousse, ça oui. Ça, j'vous
l'dit pour rien.

Il allongea le bras pour prendre la pièce, mais j'aplatis
ma main par-dessus.

— Il t'a dit quelque chose à propos du Beef ? De ce qui
s'y passait ?

Il me lança un regard mauvais, puis ferma les yeux.

— On parlait pas boutique, murmura-t-il. On faisait
que boire, courir le jupon, parler chevaux. Il m'a juste dit
qu'il était dans le pétrin. C'est tout.

— Tu n'as pas demandé ?

— Il aurait rien dit.

Il se tint le ventre avec une grimace, puis il éructa et
rouvrit brusquement les yeux.

Je poussai la pièce vers lui.

— Un shilling, dis-je. Le prix de ton amitié. Heureusement que je ne lui veux pas de mal.

Il me fixa de ses yeux rougis, vexé mais trop ivre pour s'en soucier. Quand je quittai la gargote, il était déjà au bar.

Nous prîmes le train de midi pour Brighton. Il avait plu toute la matinée, et peu de gens voyageaient vers le Sud. Le patron se tenait sur le bord du siège, l'air agité et soucieux. La veille au soir, il avait reçu une nouvelle lettre d'Isabel, dans laquelle elle lui proposait de la retrouver le lendemain à l'Imperial Restaurant, un restaurant du West End. Un endroit chic et beaucoup plus cher que ceux que nous fréquentions d'habitude. Mais Isabel avait toujours pensé qu'elle méritait ce qu'il y avait de mieux.

— Si elle revient, ma sœur va devoir trouver un logement, dit-il, les yeux sur les rangées de toits gris qui défilaient par la fenêtre. Pourriez-vous l'accueillir, avec Mme Barnett, jusqu'à ce qu'elle trouve quelque chose ?

— Nous n'avons qu'une seule pièce.

— Une seule ? s'écria-t-il. Vous plaisantez, Barnett !

— C'est tout ce que je peux me permettre, dis-je de mon ton le plus froid.

Il soupira.

— Je vous demande pardon, Norman. J'ignorais que les temps étaient aussi durs.

Nous ne dîmes plus rien pendant un long moment. Le train avait laissé derrière nous les faubourgs et s'arrêta dans une gare de campagne, où aucun passager ne monta.

— Vous savez qu'il est possible qu'elle ne revienne pas, William, dis-je alors.

C'est l'inquiétude qui me faisait dire cela, mais j'entendis dans ma voix une note de cruauté qui me surprit moi-même.

— Je sais, répondit-il tandis que les champs verts du Sussex défilaient par la fenêtre. Je suis juste heureux de la revoir.

***

Hassocks était un joli village ; l'unique boulangerie était située au bout de la grande rue qui partait de la gare. La femme derrière le comptoir, un bébé dans les bras, nous indiqua que Thierry était au fournil, dans la cour arrière. Nous fîmes le tour de la maison et longeâmes le mur jusqu'à trouver l'entrée. Les portes du petit fournil, qui se trouvait au milieu d'une cour herbeuse, étaient ouvertes aux quatre vents ; un jeune homme en sortit, un plateau de pain sur l'épaule. Il avait un tablier blanc, des cheveux blonds comme le blé, et une vilaine cicatrice à l'oreille du côté du plateau.

— Thierry, fit le patron.

Le jeune homme s'arrêta et nous regarda avec appréhension.

— Qui êtes-vous ? fit-il avec un lourd accent français.

— Je suis M. Arrowood. Et voici mon assistant, M. Barnett. Votre sœur nous a embauchés pour vous retrouver.

— Je vais porter le pain, dit-il poliment. Attendez-moi ici, je reviens.

Il franchit la porte.

— Suivez-le, Barnett, me glissa le patron.

Je sortis dans la rue juste à temps pour voir Thierry lâcher le plateau devant la boulangerie et se mettre à courir. Dans sa précipitation, il se jeta pratiquement sur moi. Je lui tordis le bras dans le dos jusqu'à ce qu'il crie et le poussai dans la cour. Il était plus jeune que moi, mais n'était pas habitué à en découdre.

— Il a tenté de s'enfuir, monsieur.

— C'est fâcheux. Thierry, nous sommes venus de Londres pour vous voir.

Le visage du jeune homme était blême et sa blouse trempée de sueur.

— S'il vous plaît, monsieur, supplia-t-il. Je ne causerai aucun problème à M. Cream. Je suis venu ici pour me cacher. Je le jure, monsieur. Je veux juste rester ici.

— Nous ne travaillons pas pour M. Cream, expliqua calmement le patron. C'est votre sœur qui nous a envoyés. Vous n'avez rien à craindre de nous, Thierry.

De son bras libre, Thierry me frappa alors brusquement au visage. Pris au dépourvu, je le lâchai et il en profita pour s'échapper, mais je lui fis un croc-en-jambe et il s'étala dans l'herbe de tout son long. Je bondis sur lui, ce qui ne fit aucun bien à mon bras, mais mon nez brûlait comme s'il saignait ; j'avais une furieuse envie de démolir ce fichu Français.

— Petit imbécile ! hurlai-je dans son oreille alors qu'il se débattait en vain. Nous venons en amis, je te dis. C'est ta sœur qui nous envoie.

Je me relevai et le tirai pour qu'il se mette debout.

— Je sais que vous venez de la part de Cream, fit-il, au bord des larmes.

— Vous allez vous calmer, oui ? s'impatienta le patron. Nous travaillons pour votre sœur. Nous voulons vous aider.

— Mais ma sœur sait que je suis ici !

— Voyons, Thierry, elle nous a embauchés pour vous retrouver.

Il secoua frénétiquement la tête.

— C'est pas vrai ! C'est elle qui m'a aidé à trouver ce travail !

Ce n'était pas souvent que le patron et moi nous retrouvions en même temps à court de mots, mais nous restâmes cette fois-ci tous les deux sans voix. Nous nous regardâmes, interloqués.

— Elle sait que je suis là, gémit encore Thierry.

— Ne dites pas n'importe quoi, dit enfin le patron. Votre sœur nous a déjà menti.

— Je le jure, monsieur. Elle m'a accompagné jusqu'ici ! C'est elle qui a payé le loyer la première semaine.

C'en fut trop : je le secouai comme un prunier avant de le gifler à toute volée. Il tomba par terre en poussant un cri.

— Était-ce vraiment nécessaire, Barnett ? soupira le patron.

— Tous ces mensonges, ça devient insupportable ! m'écriai-je.

Thierry rampa pour se prémunir d'un éventuel coup de pied et se pelotonna entre un tonneau et le mur de la cour.

— Je vous le jure, fit-il, désespéré. C'est la vérité. Elle sait que je suis ici, je ne sais pas pourquoi elle dit qu'elle me cherche.

— Alors, pourquoi nous paie-t-elle ? tonna le patron.

Le garçon avait la bouche en sang, les mains devant son visage, l'air d'un chiot qui a fait une sottise.

— Demandez-lui ! Je sais pas !

— Essayez de deviner, alors. Aidez-nous un peu, Thierry.

— Je ne sais pas, monsieur.

Le patron me fit un geste, puis nous tourna le dos.

J'attrapai Thierry par le col et le traînai jusqu'au fournil en dépit de sa résistance acharnée. Les braises rougeoyaient à l'intérieur du four.

— Il fait chaud là-dedans, n'est-ce pas, Thierry ?

— Non, je vous en supplie, sanglota-t-il.

Je l'empoignai par les cheveux et le tirai sans pitié en arrière, puis, de l'autre main, j'ouvris la porte du four. Une bouffée d'air brûlant nous assaillit. Thierry se débattait, mais j'avais plus de force. J'approchai lentement sa tête vers la gueule du four, quand finalement, il capitula.

— D'accord ! Je vais vous le dire !

Je le poussai dehors, soulagé. Le patron, assis sur un cageot, fumait un cigare.

— Nous voulons la vérité, mon garçon.

Je lâchai le bonhomme tremblant de la tête aux pieds, le visage humide de larmes et de sueur, la bouche pleine de sang.

— Pourquoi nous a-t-elle engagés ?

— Elle en a après M. Cream, répondit-il en essayant

de retrouver son souffle. Je voulais l'aider, mais j'ai dû fuir. C'était trop dangereux pour moi de rester.

— Pourquoi cela ?

— Ils me faisaient livrer des caisses, les hommes du Beef, ils surveillaient toujours la cave. Un jour, j'ai ouvert une caisse, il y avait des fusils et des munitions dedans. J'étais en train de regarder quand M. Piser est descendu et m'a vu. Il était en colère, il m'a frappé, puis il m'a enfermé jusqu'à ce que M. Cream arrive. Mais j'avais un ami en cuisine, et comme je ne revenais pas, il est descendu me chercher.

— Harry ? demanda le patron.

— Oui. Il m'a aidé à sortir. C'est tout, je n'ai plus remis les pieds au Beef. Je sais que j'ai vu quelque chose qu'il fallait pas voir. C'est pour ça que je suis venu ici, pour qu'ils ne me retrouvent pas.

— Mais vous avez pris une balle dans cette caisse ?

Il hocha la tête.

— Au cas où je pourrais l'utiliser contre eux.

— Nous avons parlé avec Harry, il ne nous a rien dit de tout cela.

— Je lui ai demandé de rien dire à personne.

— C'est un ami fidèle, dit le patron. Maintenant, les armes : elles étaient pour qui ?

— Je ne sais pas, monsieur.

— Où Cream les a-t-il trouvées ?

— Je ne sais pas, je ne savais même pas que c'était des armes avant d'ouvrir la caisse.

— Vous avez donné le projectile à Martha ?

— Vous lui avez parlé ? dit-il, soudain alerte. Comment va-t-elle ? Elle n'est jamais venue me voir depuis que je suis ici. Pas une seule fois pendant tout ce temps.

Le patron chercha ses mots.

— Vous… Vous n'êtes pas au courant ?

— Au courant ? murmura Thierry en le regardant avec effroi.

— Je suis terriblement désolé, mon garçon, dit Arrowood d'une voix emplie de compassion en lui posant une main sur l'épaule. Martha a été assassinée. Nous avions rendez-vous avec elle, un homme l'a poignardée pendant qu'elle nous attendait.

Le visage de Thierry se crispa. Il essuya le sang de sa bouche, essaya de dire quelque chose, mais n'y parvint pas. Finalement, les larmes commencèrent à glisser sur ses joues.

Nous le laissâmes pleurer en silence. La boulangère vint voir ce qui se passait, mais en découvrant la scène elle fronça les lèvres et fit demi-tour.

La brise avait dégagé le ciel, mais elle amena ensuite des nuages blancs, qui prirent peu à peu une lourdeur grise. Le patron poussa un long soupir et dit :

— Je suis sincèrement navré, Thierry. Nous sommes en train de faire de notre mieux pour retrouver son assassin. Mais j'ai encore besoin de vous poser quelques questions. Pouvez-vous me répondre ?

Le garçon acquiesça sans ouvrir les yeux.

— Pourquoi lui avez-vous donné la balle ?

— Au cas où quelque chose m'arriverait, répondit-il d'une voix brisée.

— Pourquoi à elle, et pas à votre sœur ?

— Je voulais que Martha comprenne que j'étais en danger, murmura Thierry. Elle pensait que je la quittais, elle ne voulait pas croire que je l'aimais. Parce que je suis français, et que tout le monde pense que les Français aiment juste séduire les femmes.

De nouveau, il éclata en sanglots.

— Thierry, soyez certain qu'elle savait que vous l'aimiez, dit le patron avec cette tendresse qui lui venait toujours devant le chagrin. Elle était venue au rendez-vous, l'assassin est arrivé juste avant nous. Elle tenait la balle dans sa main au moment de sa mort.

Il s'assit à côté du jeune homme et le prit dans ses bras, lui caressant les cheveux et le consolant comme si c'était un enfant. Les pleurs de Thierry redoublèrent, puis s'apaisèrent peu à peu. Le patron reprit :

— Pourquoi votre sœur cherche-t-elle des informations sur Cream ?

— Ce n'est pas ma sœur. C'est une amie. Je l'ai aidée à s'échapper et à revenir ici.

— Je vous demande pardon ?

Finalement, Thierry releva la tête, les yeux rougis.

— Elle est anglaise. Sa mère avait entendu dire qu'on cherchait des jeunes filles pour aller servir en France et l'a laissée partir, mais quand elle est arrivée à Rouen, elle s'est retrouvée dans un bordel. La femme qui le tenait s'appelle Milky Sal, elle travaille pour Cream. Caroline avait treize ans à son arrivée, elle y a passé onze ans. Je l'ai aidée à s'échapper.

— Comment vous êtes-vous connus ?

— Je livrais le pain et les gâteaux, c'était mon travail, avant que j'apprenne le métier.

— Mais pourquoi ne nous a-t-elle pas raconté la vérité ?

— Elle a honte, honte d'avoir été une prostituée. Elle est allée voir la police, mais ils n'ont rien fait. Elle voulait se venger, c'est pour ça qu'elle cherchait à se renseigner sur Cream, et c'est pour ça que j'ai pris le travail au Beef. Je n'ai rien trouvé sur la traite des jeunes filles, mais Cream est un receleur, vous savez ? Nous voulions trouver des preuves et le faire arrêter. Nous voulions qu'il aille en prison.

— Donc, quand vous êtes parti, elle nous a embauchés dans l'espoir que nous en apprenions davantage sur les activités de Cream, fit le patron d'un ton las. Elle aurait pu nous raconter tout cela. Vous n'êtes pas de taille à vous mesurer à lui. C'est un homme dangereux, très dangereux.

Thierry se plia en deux sur la caisse avec un sanglot déchiré.

— Je sais, dit-il, le visage entre les mains. Qu'est-ce que vous croyez ?

Nous le quittâmes dans la petite cour, sous la douce pluie d'août qui avait commencé à tomber.

31

Nous discutâmes de l'affaire en attendant le train. J'en avais plus qu'assez d'être dupé encore et encore par Mlle Cousture. Le patron, lui, n'en paraissait aucunement fâché, et cela m'agaçait encore plus. C'était toujours ainsi : j'étais incapable de deviner sur quel point d'honneur allait buter sa fierté. Alors qu'une vétille pouvait susciter chez lui une véritable éruption de rage, il semblait accepter tout naturellement le fait que Mlle Cousture ait su depuis le début où se trouvait Thierry. Comme si ce n'était qu'une pièce de plus dans le casse-tête qu'était cette enquête. Sans doute la perspective de revoir Isabel le lendemain le rendait-elle aussi particulièrement magnanime.

Il y avait plus de passagers dans le train sur le trajet de retour à Londres. Nous nous installâmes face à une plaisante jeune femme qui portait une légère robe d'été ; un petit chapeau de paille, de la même couleur que le panier de pique-nique à ses pieds, lui cachait les yeux. Elle lisait un vieil illustré ouvert sur ses genoux et quand elle tourna la page jaunie, je pus voir qu'il s'agissait d'une aventure de Holmes. Le patron le vit, lui aussi, et émit un grognement désapprobateur. La jeune femme leva les yeux, rougit et retourna à sa lecture.

— Puis-je vous demander ce que vous lisez, mademoiselle ? demanda-t-il.

— Une vieille affaire de Sherlock Holmes, monsieur : *Un scandale en Bohême.*

— Ah, oui. Et comment la trouvez-vous ?

— Très divertissante ; à vrai dire, je l'ai déjà lue.

— C'est l'histoire avec Irene Adler ?

— Oui, elle faisait du chantage au roi de Bohême.

— Je sais, le roi de la maison d'Autriche, von Ormstein, n'est-ce pas ?

Elle acquiesça.

— Elle veut le discréditer parce qu'il a rompu avec elle.

— Oui, c'est cela, répondit le patron en croisant les bras. Von Ormstein est sur le point d'épouser la fille du roi de Scandinavie quand Mlle Adler menace d'envoyer une photographie compromettante à la famille de sa fiancée ; Von Ormstein craint que le scandale ne ruine ses projets nuptiaux et offre sept cents livres à Holmes pour qu'il récupère la photographie.

— Mille, répondit-elle vivement en se redressant.

Une secousse du train l'incita à s'agripper à l'accoudoir.

— Sept cents en billets et trois cents en or, monsieur.

— Un millier de livres, fit le patron en me lançant un regard dégoûté. Bien sûr. Holmes file surveiller la maison de Mlle Adler et, en moins de deux jours, il retrouve la photographie.

— Il a tout organisé, c'est un véritable génie, dit la jeune femme à mon intention. Sherlock Holmes paie des gens pour qu'ils créent du grabuge devant la maison d'Irene Adler, et prétend ensuite être blessé pour qu'elle l'emmène à l'intérieur. Alors, Watson lance un fumigène par la fenêtre et tout le monde crie au feu. Mlle Adler, tel que Holmes l'avait prévu, court sauver la photographie et révèle ainsi sa cachette. Pile à ce moment, Holmes dit que c'est une fausse alerte.

Elle se tourna alors vers le patron :

— Mais il ne récupère pas la photographie, monsieur, car Irene Adler s'est rendu compte que l'homme blessé est Sherlock Holmes et demande à son cocher de le surveiller pour qu'il ne puisse pas s'en emparer. Mais il réussit tout de même à déjouer le chantage. Elle part à l'étranger avec son nouveau mari, laissant une lettre où elle promet de ne pas publier la photographie.

— Et pour vous, mademoiselle, l'affaire est donc résolue ? demanda aimablement le patron.

— Mais oui. L'honneur du roi est sauvé, il croit qu'Irene Adler tiendra parole.

— Il le croit, exactement. Dites-moi, mademoiselle, il n'y a rien qui vous étonne là-dedans ?

— Que voulez-vous dire ?

— Eh bien, comme vous le soulignez, le roi croit qu'elle ne se dédira pas, c'est-à-dire qu'il a confiance en elle. Mais comment se fait-il qu'une femme aussi honorable, une femme dont la parole est digne de confiance, ait pu ne serait-ce que songer à s'abaisser au chantage ? Cela ne vous paraît pas contradictoire ?

— Si, je suppose… Je n'y avais pas pensé.

— D'après vous, qu'est-ce qui l'a poussée à agir de la sorte ?

— Elle voulait ruiner les plans du roi.

— Mais pourquoi ? insista-t-il en se penchant en avant.

— Parce qu'il avait mis fin à leur histoire ! C'est écrit noir sur blanc.

— Pourtant, elle a un nouveau mari, elle l'a épousé la veille. Dans sa lettre à Holmes, elle explique qu'elle est amoureuse et que cet homme est meilleur que le roi.

La jeune fille acquiesça d'un air pensif.

— C'est ça que je ne comprends pas bien. Si elle a tout pour être heureuse, pourquoi le roi lui importe-t-il encore au point de tout risquer ?

— C'est exactement la question que je me posais, s'écria le patron, triomphant.

Il s'avança encore, ses gros genoux touchant presque ceux de notre compagne de voyage qui se rencogna contre le dossier, effarée par tant de véhémence.

Le patron se lança dans une tirade enflammée.

— Irene Adler est une célèbre chanteuse d'opéra, elle possède une magnifique demeure, elle est adorée de tous et elle a trouvé l'amour. Une femme dans sa situation n'agirait pas ainsi ! Et que dit-elle dans sa lettre à Holmes ? Que le roi l'a cruellement offensée. Cruellement, mademoiselle. Si c'était moi qui menais l'enquête, je me demanderais ce que cela veut dire. Je ne tirerais pas ma révérence en déclarant l'affaire résolue, non, bien sûr que non ! Je voudrais savoir !

— Que croyez-vous que cela voulait dire, alors ? demanda-t-elle, visiblement tiraillée entre la crainte d'exciter encore davantage ce gros inconnu et la curiosité d'en savoir plus.

— Eh bien, mademoiselle, laissez-moi vous raconter quelque chose. Le roi s'était engagé avec Mlle Adler deux ans plus tôt, il lui avait même offert une bague, qu'elle portait. Mais ce qu'elle ne savait pas, c'était que le roi faisait en même temps la cour à la princesse scandinave.

— Elle voulait donc se venger ?

— Non. Rappelez-vous, elle est à présent mariée à un homme admirable. La vérité, c'est qu'elle voulait dénoncer la duperie du roi. Elle voulait que sa nouvelle fiancée sache quel type d'homme il était.

La jeune fille fit la moue ; je pus voir qu'elle n'était pas convaincue.

— Mais il a fait un choix, il a décidé d'épouser une autre femme ! Ce n'est pas si cruel que cela. Chacun peut changer d'avis avant de se marier.

— C'est une opinion fort moderne, si je puis me permettre, rétorqua le patron d'un air pincé. Mais ce n'est pas tout, mademoiselle. Avant qu'il rompe son engagement avec Mlle Adler, elle le soupçonnait déjà. Elle l'avait fait suivre par un détective, lequel a découvert que le roi fricotait en même temps avec deux autres femmes, dont l'une était actrice.

— Une actrice !

— Absolument. Mais ce n'est pas tout. La troisième était femme de chambre au Langham, où le roi avait une suite.

Après quelques mois, cette fille découvre qu'elle attend un enfant, et quand elle l'annonce au roi, il fait en sorte que le directeur de l'hôtel congédie cette pauvre créature.

Le patron prit ici un ton dramatique.

— Cette nuit-là, mademoiselle, la fille s'est jetée du Waterloo Bridge. Le détective a appris tout cela par les amies de la femme de chambre. C'est la raison pour laquelle Irene Adler voulait dénoncer le roi. Elle voulait mettre en garde sa fiancée, elle voulait qu'elle sache qu'il était un homme duplice et cruel. Le chantage est le seul moyen qu'elle a trouvé pour le faire sans s'exposer elle-même au scandale.

— Donc, le vilain de l'histoire, c'est le roi ? demanda la jeune femme alors que le train ralentissait.

— En effet, mademoiselle. Irene Adler essayait noblement de protéger sa rivale. La suite des événements a prouvé qu'elle disait vrai. Il est de notoriété publique que le roi entretient la cousine de son épouse dans un hôtel particulier à Prague. Il le fait au vu et au su de tous. Sa femme est malheureuse comme les pierres.

Secouant la tête, la jeune fille ferma l'illustré et le posa sur la banquette. Le train s'arrêta au quai et un homme avec une mallette de médecin monta dans le compartiment.

— Mais comment Sherlock Holmes n'a-t-il pas vu que le roi le trompait ? s'enquit-elle.

Le train repartit.

— Peut-être n'a-t-il pas su lire les indices. Son fameux flair a peut-être été affecté par la position de l'homme qui demandait son aide. Sherlock Holmes n'est pas, après tout, le seul à croire que la noblesse est plus fiable que nous autres, communs des mortels. Ou peut-être, bien que j'hésite à le suggérer, peut-être le Grand Détective a-t-il été aveuglé par la somme faramineuse qui lui était promise. Il voit les femmes comme des créatures émotives, Watson l'écrit à maintes reprises. Holmes ne les prend pas au sérieux.

— Oh ! Seigneur, soupira la jeune femme. Mais alors

pourquoi Mlle Adler promet-elle que le roi n'a plus rien à redouter d'elle ?

Le patron haussa les épaules.

— Sans doute qu'elle était intimidée de se confronter au célèbre Sherlock Holmes. Après tout, il avait échafaudé un fameux plan pour s'introduire chez elle, et tout le monde sait qu'il est respecté dans les hautes sphères de notre société. Elle n'avait peut-être plus la force de se battre. Je ne sais pas.

Elle prit le panier sur ses genoux d'un geste suspicieux.

— Comment savez-vous tout ça ? demanda-t-elle.

— Oh ! je ne sais rien, fit le patron en croisant les mains sur son ventre. Je viens de l'inventer.

La jeune femme resta bouche bée, et son visage dépeignait une telle surprise que je ne pus qu'éclater de rire.

— Mais cela aurait pu être vrai, ajouta-t-il avec bonhomie. C'est cela que je voulais vous montrer. Il y a tellement de zones d'ombre dans cette affaire qu'il aurait fallu continuer l'enquête. Holmes n'a pas songé un instant à mettre en doute la parole du roi. Il s'est simplement fié à son rang en ignorant les nombreux indices qui montraient qu'il y avait une histoire derrière l'histoire officielle. Ce qui est vrai dans mon récit, cependant, c'est que le roi, après avoir épousé celle qu'il convoitait, entretient la cousine de sa femme. Tout le monde le sait. Sa pauvre épouse est si humiliée qu'elle mène une vie de recluse.

Le train approchait de nouveau d'une gare. La demoiselle, secouant la tête comme si sa partie de campagne avait été complètement ruinée, se releva et ajusta son petit chapeau.

— Voilà mon arrêt, murmura-t-elle.

— Bonne journée, mademoiselle, répondit le patron, gai comme un pinson.

Quand la porte se referma, le courant d'air agita les pages de l'illustré abandonné.

Comme nous approchions de Croydon, le patron sortit de son manteau une petite boîte en velours rouge.

— Je l'ai achetée ce matin, dit-il en l'ouvrant. Pensez-vous qu'Isabel va aimer ?

C'était une fine chaîne en or de laquelle pendait une opale en forme de larme. Je contemplai son visage bouffi, rayonnant d'espoir.

— Certainement, répondis-je.

Il sourit et rangea le bijou.

— Que ferez-vous si elle ne revient pas ? demandai-je.

— Nous avons été très heureux. Nous pouvons l'être à nouveau.

— La vie avec vous n'était pas facile. Elle a pu rencontrer un autre homme. Plus riche que vous.

— J'ai appris la leçon, mon ami.

Il s'accouda à la fenêtre et regarda les rangées de cottages en contrebas, les toits de chaume et les cheminées noircies qui luisaient sous la pluie.

— Je serai différent, cette fois-ci.

— Comment cela ? rétorquai-je, plus durement que je ne l'entendais. Vous n'avez pas changé. L'argent continue à manquer.

— Je suis arrivé à un tournant décisif, Norman, grâce à tout ce que nous avons fait et à tout ce que j'ai appris de ce métier. Si nous découvrons par quel moyen Cream dérobe des fusils de l'armée britannique, nous serons des héros.

— Mais nous ne savons fichtre rien !

— Nous sommes de plus en plus près de la vérité. Venning et Longmire sont impliqués, il nous faut juste relier tous les éléments entre eux. Et une fois que nous l'aurons fait, la presse parlera de nous pendant des mois. Les gens comprendront que Holmes n'est pas le seul détective de Londres, on nous sollicitera pour des affaires intéressantes. Vous pourrez même être mon chroniqueur, comme Watson, s'esclaffa-t-il. Si seulement vous saviez écrire, vieille branche.

— Ce n'est pas seulement à cause de l'argent qu'Isabel est partie, dis-je en ignorant sa blague.

— Mais c'est le manque d'argent qui a rendu la situation aussi difficile. Si elle voit que je réussis...

Il baissa la tête.

— Si seulement elle pouvait être fière de moi.

— Je l'espère, William.

— C'est ma seule chance.

Le voyant ainsi sur le bord du siège, tendu vers l'espoir du lendemain comme un homme qui se noie vers la surface, mon cœur se serra.

— Mais il vous faut garder les pieds sur terre, William. Je ne voudrais pas que vous souffriez.

Il cilla plusieurs fois et rajusta ses lunettes, comme s'il se retenait de pleurer. Je lui offris un caramel. Il l'accepta avec reconnaissance.

— Dites-moi, Norman, qu'avez-vous pensé hier de la réaction de Mlle Cousture ?

— J'en ai déduit qu'elle avait reconnu Longmire d'après votre description.

Il acquiesça.

— Son visage l'a trahie. D'après M. Darwin, l'expression est aux passions ce que le langage est à la pensée. Mlle Cousture est une bonne menteuse, il devait s'agir d'une émotion puissante puisqu'elle n'a pas su la maîtriser alors qu'elle tenait évidemment à nous la cacher. Comment interprétez-vous sa réaction ?

— Je ne sais pas. Elle a perdu pied, peut-être ?

— Je peux vous le dire, Barnett : c'était de la haine. J'ai lu la haine dans ses yeux.

— Sauf votre respect, monsieur, je ne suis pas certain qu'on puisse lire dans les yeux d'une personne.

— Laissez-moi vous expliquer le mécanisme, dit-il d'un ton docte. Il fait sombre, dans la boutique de Fontaine. Dans le noir, la pupille s'ouvre, avide de capter le moindre rayon de lumière. Au soleil, au contraire, elle se rétrécit afin d'éviter l'éblouissement. C'est de la physiologie pure et simple. Avez-vous observé les yeux de Mlle Cousture ?

— Pas plus que ça.

— Quand nous sommes arrivés, ses pupilles étaient larges comme des boulets de charbon. Comme les vôtres, et sans doute les miennes, mais lorsque j'ai décrit Longmire et la tache sur son visage, elles sont devenues de la taille d'un grain de poivre. Aussi prestement qu'une main qui frôle un poêle brûlant et se retire.

— C'est un nouveau stratagème que vous avez trouvé ?

— Ce n'est pas un stratagème, mais une façon de lire les émotions. Je lui ai proposé une image et son œil a cherché à la refouler. Mais ensuite, la haine a disparu et quelque chose de différent l'a remplacée. Avez-vous remarqué qu'elle ne parvenait pas à s'éclaircir la gorge ? Dites-moi ce que vous avez ressenti à ce moment-là.

— Je ne me souviens pas bien.

— Eh bien, moi, je me suis senti mal à l'aise. J'avais le sentiment distinct d'être en train d'éprouver ce qu'elle éprouvait. C'était très étrange, Barnett. Croyez-vous que ce soit possible ?

— Je ne sais pas. Tout est possible, je suppose.

— Disons que c'est possible. Pourquoi aurait-elle réagi de la sorte ?

— Elle avait peur, peut-être ? On peut être malade de peur.

— Malade de peur, répéta-t-il, songeur. Intéressant. Gardons cette idée à l'esprit. À présent que nous avons trouvé Thierry, elle va peut-être enfin nous raconter sa véritable histoire et se montrer honnête envers nous.

Il poussa un soupir.

— Il semble que la moitié de l'affaire consiste à résoudre l'énigme Mlle Cousture.

Nous traversions à présent les faubourgs et, ruminant ces

idées en même temps que nos caramels, nous gardâmes le silence jusqu'à l'arrivée à la gare Victoria.

— Nous avons retrouvé Thierry, mais cette affaire n'est pas résolue, Barnett. Vous le savez, n'est-ce pas ?

— Oui, William.

— Nous allons trouver l'assassin de Martha et le faire traduire en justice. Si nous échouons, je ne pourrai plus me regarder dans la glace.

Le train s'arrêta ; nous suivîmes la foule le long de la plate-forme jusqu'à la sortie.

— Et si nous parvenons à aider Mlle Cousture dans son projet d'accuser Cream, tant mieux, dit-il une fois que nous eûmes franchi le portillon de contrôle des billets.

— Demain, je serai avec Isabel. Je veux que vous alliez à Alexandra Park. Allez chercher Gullen, offrez-lui quelques shillings et emmenez-le avec vous, voyez s'il peut identifier les cambrioleurs. Vous vous souvenez de la description de Paddler Bill, n'est-ce pas ? Grand, roux, un accent américain. Lui, c'est le chef, suivez-le et repérez où il loge. S'il n'y est pas, Gullen pourra éventuellement reconnaître un de ses complices. Et prenez aussi Neddy avec vous. Vous passerez pour un père et un fils en goguette.

— C'est noté, monsieur.

— Et Norman, s'il vous plaît, soyez prudent, très prudent. Ma sœur et moi avons de la chance d'être en vie. S'il y a le moindre soupçon de danger, éloignez aussitôt Neddy. Ne vous laissez pas attraper.

32

Le lendemain, Neddy et Gullen furent plus qu'heureux de m'accompagner déjeuner au Frying Pan. Nous prîmes ensuite le train bondé pour gagner Alexandra Park. En sortant de la gare, nous tombâmes sur une manifestation de la Ligue nationale contre le jeu ; deux hommes et une douzaine de femmes brandissaient des pancartes : « Le jeu avilit l'humanité ! » ; « Parier mène à la ruine » et autres demi-vérités bien intentionnées. Au moment où nous passions, un homme avec une moustache hérissée m'interpella :

— Comment osez-vous emmener un enfant dans un pareil lieu, monsieur ! aboya-t-il.

Il portait un haut-de-forme en satin flambant neuf et des bottines qui brillaient autant que son chapeau. Neddy tremblait presque, intimidé par sa sainte colère.

— Votre fils sera contaminé par la même folie qui a corrompu les aliénés qui dilapident ici leurs salaires ! continua-t-il, agrippé à mon bras. Soyez responsable, monsieur ! N'exposez pas cet esprit impressionnable aux affres du vice !

Trois femmes vinrent lui prêter main-forte.

— Honte à vous ! s'écria l'une d'elles.

— Ramenez le garçon à la maison ! exigea la deuxième.

— Il devrait être à l'école ! s'insurgea la dernière.

Je pris Neddy par la main et nous nous éloignâmes d'un pas vif. Lorsque nous entrâmes dans l'hippodrome, le départ de la première course était imminent ; le champ était plein à craquer. Neddy sautait dans tous les sens pour essayer d'apercevoir les chevaux, mais la foule était trop compacte et lui, trop petit. Un puissant brouhaha emplit l'air comme les chevaux dévalaient la piste, puis ce fut fini ; des tickets déchirés furent jetés à terre ; des grappes d'hommes retournèrent se presser aux comptoirs à bière.

— Où l'avez-vous vu pour la dernière fois ? demandai-je à Gullen.

— Je me mets toujours là-bas, à droite de la tribune, dit-il en montrant l'autre bout du turf. Il y a moins de monde et les arbres ne bloquent pas la vue sur les stalles. Ils sont toujours par là, eux aussi.

Il nous fallut plus de dix minutes pour nous faufiler à travers cette masse d'hommes qui parlaient fort et consultaient les pronostics, et dont une bonne partie était déjà passablement ivre. Finalement, nous atteignîmes l'autre côté du turf. Les parieurs étaient assis sur des bancs entre le long comptoir à bière et les baraques des bookmakers.

— Là-bas, vers le paddock, dit Gullen en rabattant sa casquette pour dissimuler son visage.

Ils correspondaient en tout point à la description qu'Ernest m'en avait donnée. Le plus grand ne pouvait être que Paddler Bill ; sa tignasse cuivrée s'échappait de sa casquette noire et se confondait avec une barbe rousse fournie ; son rire tonitruait au-dessus du bourdonnement des conversations. À côté de lui, un homme massif était plongé dans un journal. Il avait une barbe soignée et portait un complet qui semblait sortir de chez le tailleur ; le troisième larron, dont le pantalon trop grand traînait dans la boue, avait une allure de gardien de cochons et de longs cheveux jaunes. Un frisson me parcourut l'échine quand je songeai à ce dont ils étaient capables.

— Qu'est-ce qu'il y a ? demanda Gullen.

— Rien.

Un type en costume marron, un foulard rouge rentré dans la chemise, arriva avec quatre chopes à la main. Bill prit la sienne et se dirigea vers les bookmakers.

— Alors, cette pinte ? demanda Gullen.

Nous passâmes au comptoir et nous installâmes avec nos brunes sur un banc depuis lequel nous pouvions suivre, sans être repérés, les mouvements des Fenians. Neddy se faufila jusqu'à la lice pour regarder la course suivante.

Nous finîmes nos bières.

— Je peux avoir mes deux shillings, maintenant ? réclama Gullen.

Je les lui donnai.

— Vous avez encore besoin de moi ?

— Merci, l'ami. Vous pouvez rentrer chez vous.

Il grimaça, indécis, les yeux rivés sur le bar.

— Je vais peut-être rester. Une autre, ça ne ferait pas de mal, hein ?

La bande resta au même endroit tout l'après-midi. De temps en temps, l'un d'eux allait au bar, posait un pari ou partait aux toilettes. Il était facile de les surveiller puisqu'ils ne soupçonnaient même pas que nous étions là ; nous n'étions que deux hommes et un gamin parmi des milliers. Gullen resta avec moi, caché derrière un poteau ; il s'avéra qu'il n'était pas aussi mauvais bougre qu'il en avait l'air : il était, en fait, de bonne compagnie.

— Si jamais vous avez besoin d'un coup de main, je serai content d'aider, dit-il vers la fin de l'après-midi.

Nous venions de reprendre une pinte.

— Je le dirai au patron.

— Vous devez avoir une vie très intéressante. J'ai lu toutes les aventures de Sherlock Holmes. Il est extraordinaire, oh que oui. Un vrai génie.

— Vous feriez mieux de garder cet avis pour vous si vous voulez travailler avec nous, dis-je. Le patron ne peut pas l'encadrer.

***

Après la dernière course, les Fenians gagnèrent la sortie au milieu du flot de turfistes. Nous les suivîmes jusqu'au train et montâmes dans la même voiture qu'eux en prenant soin de rester en retrait. Arrivés à King's Cross, Gullen nous quitta pour rentrer chez lui, et Neddy et moi descendîmes dans le métropolitain derrière les Fenians. Il me parut plus prudent de ne pas prendre le même wagon et de les observer par l'entrebâillement des portes. Ils semblaient être de très bonne humeur, parlant sans discontinuer et riant aux éclats avec force gesticulation. Je crus comprendre que l'un d'eux avait eu de la chance aux courses. Ils descendirent à Westbourne Park et traversèrent le canal pour entrer dans un pub. Je laissai Neddy posté dans la rue avec la mission de suivre le grand roux si jamais il sortait. C'était le début de la soirée et il y avait déjà vingt ou trente clients ; je pus ainsi m'installer discrètement avec une pinte à l'autre bout de la salle. Un bookmaker arriva et fit le tour des groupes, les Fenians prirent encore d'autres paris ; ensuite arriva le vendeur de bigorneaux et je m'offris un pot de gelée d'anguille. Personne ne remarquait ma présence. Toutes les têtes se tournèrent vers la porte lorsque deux jeunes femmes en jupons à volant entrèrent, des fleurs sur leurs chapeaux d'été. Paddler Bill se leva.

— Polly ! Mary ! Venez avec nous que je vous offre un verre !

Les demoiselles éclatèrent de rire et les hommes les accueillirent avec des embrassades et des baisers. Leur conversation était des plus animées.

Peu après, l'homme à la barbe noire partit, et j'allai me ravitailler au comptoir. Juste comme je retournai à ma place, la porte s'ouvrit : sur le seuil, dans la même redingote d'hiver, se tenait l'homme que nous cherchions depuis des semaines. C'était l'assassin de Martha. Son visage était luisant de sueur. Il avait l'air à cran, et il serrait *The Times* dans son poing.

J'ignorais s'il saurait reconnaître en moi l'homme qui l'avait coursé après son horrible crime. Mon sang se glaça et, la main sur le gourdin dans ma poche, je me glissai derrière un charbonnier à la carrure imposante pour essayer de me dérober à sa vue. Les yeux du meurtrier balayèrent la salle, se posèrent sur moi, hésitèrent. J'étais prêt à bondir vers la porte lorsqu'il se tourna vers les Fenians. Je respirai.

Il avança vers eux en jouant des coudes et jeta le journal sur la table. Bill le prit, le lut et, soudain en colère, le lâcha et marmonna quelque chose que je ne pus entendre. Comme un seul homme, ils finirent leurs whiskies cul sec, prirent leurs chapeaux et sortirent du pub sans faire cas des protestations de Polly et Mary devant ce départ précipité.

Je rendis ma chope vide au comptoir pour ne pas éveiller les soupçons et en profitai pour jeter un œil sur la table. Sur cinq colonnes à la une, le titre annonçait :

SIR HERBERT VENNING ASSASSINÉ !

Je retrouvai Neddy dans la rue et nous suivîmes les Fenians d'aussi loin que possible. En dépit de l'animation des rues, des omnibus bondés et des voitures en grand nombre, il y avait de plus en plus de risques qu'ils nous remarquent. Il suffisait que l'un d'eux nous ait repérés aux courses pour éveiller leurs soupçons.

Ils s'arrêtèrent dans une rue proche, devant une petite boutique dont l'enseigne indiquait Gaunt's Booksellers. Tapis sur le pas d'une porte, nous vîmes l'assassin de Martha introduire la clé dans la porte. Ils y entrèrent tous ; une fenêtre à l'étage s'éclaira l'instant d'après. Je demandai à un garçon de bar qui passait par là à qui appartenait la boutique.

— C'est la librairie de John Gaunt, m'sieur, dit-il.

— Il est Irlandais ?

— Par ici, nous le sommes presque tous, m'sieur.

— Il y a une rue qui passe derrière ?

— Pas que je sache, fit-il en repartant avec son chariot de bouteilles.

Il commençait à faire sombre. Nous traversâmes la rue pour nous cacher dans l'escalier du bureau d'un avocat. Une heure s'était écoulée lorsque Paddler Bill ressortit, seul. Lorsqu'il tourna au bout de la rue, Neddy courut derrière lui et m'attendit à l'angle.

— Il a pris par là, fit-il en pointant une ruelle du doigt.

— Vas-y.

Il trotta jusqu'au coin de la petite rue, m'attendit de nouveau. Nous continuâmes de la sorte pendant quelques minutes, jusqu'à ce que Bill entre dans une maison située en face d'une école.

La nuit était tombée à présent. Nous nous installâmes derrière un des piliers de la cour de l'école. Des lueurs blafardes miroitaient à trois des quatre fenêtres de la façade, et un instant plus tard l'éclair d'une lumière à gaz apparut au sous-sol. Nous attendîmes une bonne demi-heure, mais rien ne bougea. Paddler Bill allait probablement passer la nuit à cet endroit.

Je me relevai. Toute la journée durant, je n'avais cessé de penser au patron, à son rendez-vous avec Isabel, et je craignais qu'il ne soit malade de chagrin et ait besoin d'une épaule pour se confier.

— Allons-nous en, petit, dis-je. Je vais retourner chez M. Arrowood.

— Mais il pourrait ressortir, monsieur Barnett.

— Il pourrait, oui, mais nous allons rentrer.

— Je peux rester, m'sieur.

— Non, Neddy. Tu viens avec moi. Je ne veux pas te laisser ici tout seul.

— Mais je l'ai fait plein de fois ! Et M. Arrowood a dit que j'étais un bon soldat.

— Je sais, mais…

— Vous pouvez me faire confiance, m'sieur, dit-il, le visage grave, les mains dans les poches de sa jaquette. Je ne laisserai personne me voir. Ce n'est pas dangereux.

— Non, Neddy. J'ai dit non.

— S'il vous plaît, monsieur Barnett ! Je vous le jure, il va rien m'arriver. S'il vous plaît.

La rue était calme, il semblait plausible qu'il ne se passerait rien dans les heures à venir. Je songeai à ce que le patron avait dit du désir qu'avait Neddy de lui être agréable, et je sentais que rester était important pour le petit.

— D'accord, fiston, dis-je. Notre homme est probablement allé se coucher, mais tu peux rester au cas où il recevrait de la visite. Si rien n'arrive d'ici une demi-heure, tu rentres chez toi. Mais tu dois être très prudent. Ne prends aucun risque et, surtout, ne suis personne, cette fois-ci. Reste bien caché ici dans l'ombre et ne laisse personne te voir.

Je m'accroupis pour avoir le visage au même niveau que lui et lui posai une main sur l'épaule. Il avait une mine sérieuse et déterminée.

— Tu me promets que tu ne prendras aucun risque ?

— Je ferai très attention, monsieur. Il ne saura pas que je suis là.

— Tu me le promets ?

— C'est promis, dit-il, puis, plus bas : monsieur Barnett ?

— Oui ?

— Vous croyez qu'ils ont tué Terry ?

— Non, Neddy. Nous avons retrouvé Terry hier, à la campagne. J'aurais dû penser à te le dire, il va bien et il a trouvé un travail. Dans une boulangerie.

— Alors, nous avons résolu l'affaire ?

— Presque. Il reste encore quelques questions à clarifier.

Je commençai à avoir mal aux genoux, et je me redressai en donnant une pichenette à la visière de sa casquette.

— Tu devrais t'en trouver une autre, celle-ci est pour un homme.

— Je l'aime bien.

— Elle est trop grande pour toi. Et elle est déchirée.

— Elle est mieux que la vôtre, m'sieur, dit-il, piqué au vif.

J'éclatai de rire.

— Viens nous voir demain chez Lewis.

Je me rappelai alors qu'il n'avait rien mangé. J'allai lui acheter une pomme de terre chaude à l'angle, lui donnai de l'argent pour l'omnibus, et le laissai en train de mâchouiller la peau du tubercule, accroupi dans la cour de l'école.

33

Dix heures du soir sonnaient quand j'arrivai chez Lewis. Ce fut lui qui m'ouvrit la porte, mais Ettie se tenait derrière lui, dans le petit couloir.

— Il n'est pas encore revenu de son déjeuner, dit-il en m'invitant à entrer d'un geste.

Le couloir était froid malgré la douceur de la nuit estivale, et plongé dans la pénombre ; un seul des becs à gaz fonctionnait.

— Quand l'avez-vous vu pour la dernière fois, Norman ? demanda Ettie.

— Hier, quand nous rentrions du Sussex.

— Croyez-vous qu'il soit encore avec elle ?

Je secouai la tête.

— Je ne vois pas où ils seraient allés si longtemps, Ettie. Isabel n'a pas de demeure établie à Londres, et elle n'a jamais approuvé les pubs.

— Oh mon Dieu, dit-elle en se tordant les mains. Cream n'a pas pu le trouver, n'est-ce pas ?

— Je vais aller voir au Hog. Si Isabel lui a dit qu'elle ne revenait pas, il est certainement là-bas, noyé dans le gin.

— Je viens ? demanda Lewis.

— Ce n'est pas nécessaire.

Ettie me prit la main.

— Vous semblez fatigué. Voulez-vous manger quelque chose ?

— Ne vous inquiétez pas. J'aimerais autant aller le chercher tout de suite.

— Merci, Norman, nous vous attendrons.

La vérité est que j'étais harassé, et le Hog se trouvait à plus d'une demi-heure à pied. Si l'inflammation à mon bras avait diminué, la douleur redoublait en fin de journée ; une dose de Black Drop m'aurait fait le plus grand bien, mais je savais aussi que le remède m'aurait donné encore plus envie de retrouver mon lit.

Au Hog, un nuage de fumée âcre emplissait la salle bondée de clients pour la plupart déjà ivres. Un large groupe de gens de tous âges, tous en noir, sortait vraisemblablement d'un enterrement. Il était évident qu'ils buvaient depuis des heures ; quelques hommes retenaient à chaque bout d'une table deux jeunes qui tentaient de se jeter l'un sur l'autre en jurant et en blasphémant, le regard haineux et injecté de sang. Leurs chemises étaient déchirées et l'un d'eux avait le nez en sang ; une femme menue, les cheveux jusqu'à la taille, chantait un hymne, un verre de gin dans sa main levée ; sous un banc, un gamin qui n'avait pas douze ans dormait à côté d'une flaque de vomi.

La même grosse femme que la dernière fois se tenait derrière le comptoir.

— M. Arrowood ? demandai-je.

Sans rien dire, elle releva le battant du bar et désigna d'un geste une petite porte en retrait. Je m'engouffrai dans un couloir sombre encombré de caisses et de tonneaux et poussai la porte au fond.

Une femme entre deux âges, vêtue seulement de ses dessous, était assise au bord d'un matelas ignoble ; elle avait des cheveux bouclés et gris, des lèvres fardées de rouge.

— Nous sommes occupés, mon beau, dit-elle avec un sourire goguenard.

Une bougie de suif tremblotait sur le lavabo à côté d'une bouteille de gin à moitié vide.

Le patron était avachi sur le lit, son gros ventre blanchâtre et hérissé de poils noirs à l'air, ses pectoraux retombant de chaque côté, comme des mamelles. Je vis son pantalon froissé par terre, mais son caleçon gris et ravaudé était, Dieu merci, encore à sa place. Cela au moins me fut épargné. Rien ne masquait, en revanche, sa puanteur.

Il avait les yeux fermés et la bouche ouverte. La petite boîte rouge qu'il m'avait montrée dans le train était par terre, à côté du lit.

— Si tu cherches de la compagnie, tu peux attendre dehors, dit la femme d'une voix cassée mais amicale. Là, je suis embesognée avec ce monsieur.

— Il dort ?

Le patron émit un grognement. La femme se releva et me poussa vers la porte.

— Allez, chéri. Je viens te chercher dans une demi-heure.

— Non, la belle. Je suis venu chercher M. Arrowood pour le ramener chez lui. Je suis Barnett, son assistant. Vous êtes Betts, n'est-ce pas ?

— C'est moi, mon chou. Il t'a parlé de moi ?

— Bien sûr.

— Eh bé, fit-elle avec une moue, c'qu'y a, c'est qu'il m'a pas payée.

— Combien tu veux ?

— Une couronne.

Je cherchai dans les poches du pantalon.

— Arrowood ! dis-je en le secouant. Il est temps de rentrer à la maison.

Il marmonna quelques jurons puis se tourna vers le mur.

— Allez ! Debout !

— Il est là depuis 2 heures de l'après-midi, fit Betts en montrant la bouteille de gin. C'est la deuxième.

Elle m'aida à le rhabiller et je profitai du moment où elle boutonnait le pantalon du patron pour glisser dans ma poche la boîte à bijou. Non sans grands efforts, nous parvînmes à soutenir le patron et à le faire avancer jusqu'à la rue. Une fois dehors, Betts héla un fiacre et nous le hissâmes à l'intérieur.

Il rendit tripes et boyaux à quelques yards de chez Lewis, souillant ses vêtements et jusqu'au sol du fiacre. Le cocher fulminait quand il s'arrêta devant la maison.

— C'est la troisième fois que ça m'arrive cette semaine ! se plaignit-il. C'est une infection !

— Désolé, l'ami. Vous voulez bien me donner un coup de main pour le sortir avant qu'il ne recommence ?

— Ça va m'coûter deux pennies de faire nettoyer tout ça. J'en peux plus, moi !

— Vous m'aidez à le sortir, je vous prie ? insistai-je.

Il ne bougea pas d'un pouce. Il était vieux, chétif et manifestement las de l'existence.

— Payez-moi d'abord. Avec les deux pennies en sus.

Ce ne fut qu'après avoir reçu et compté ses sous qu'il m'aida à traîner le patron jusqu'à la porte de Lewis.

À mon retour le lendemain matin, je le trouvai dans le salon. Il pressait une feuille de papier brun trempée de vinaigre contre son front, et tenait un bol en équilibre sur les genoux. Ses mains tremblaient, son visage était blême. Assis face à lui, Lewis lisait un journal, le gilet ouvert. Un élastique maintenait sa manche juste au-dessus du coude sur son bras valide, comme s'il était croupier.

— Une tasse de thé, Norman ? demanda Ettie.

Elle portait les cheveux relevés sur la tête et une belle robe de soie bleu pâle qui dessinait bien sa taille. Je me rappelai alors qu'on était dimanche.

— Oui, merci beaucoup, Ettie.

— Et pour vous, Lewis ?

— Avec plaisir, Ettie. Il y a aussi des biscuits dans la cuisine.

— Double ration de sucre pour moi, ma sœur, s'il te plaît, murmura le patron.

Elle lui lança un regard peu amène.

— Neddy est passé ? demandai-je.

— Nous ne l'avons pas vu, répondit Ettie. Peut-être qu'il est à l'église ?

— Si c'est le cas, il est chez les unitariens. Le prêtre donne deux pennies à ceux dans le besoin chaque deuxième dimanche du mois.

Je le dis d'un ton optimiste, cherchant à me persuader qu'il n'y avait pas de souci à se faire. J'avais commencé à me demander si j'avais bien fait de le laisser seul. J'avais bu, mon jugement en avait peut-être été affecté ; et puis le petit avait plus d'un tour dans son sac quand il s'agissait d'obtenir ce qu'il voulait. Je me rassurai en songeant qu'il avait souvent fait le guet pour nous et que nous lui avions appris comment ne pas se faire prendre. Je consultai la pendule sur la cheminée : il était encore tôt.

Lorsque Ettie partit préparer le thé, le patron se tourna vers moi.

— Qu'est-ce qui s'est passé hier, Barnett ?

Après avoir écouté mon récit, il dit de sa voix chevrotante :

— Vous n'auriez pas dû le laisser là-bas.

— Il sait comment s'y prendre.

— Peu importe. C'est vous qui auriez dû rester.

— Je l'aurais fait si je n'avais pas eu à aller vous sortir de la panade, rétorquai-je sèchement.

— Je n'avais pas besoin de votre aide hier soir !

Nous nous regardâmes avec acrimonie.

— Il sera là d'un moment à l'autre, de toute façon.

— J'espère que vous avez raison, Barnett. Je l'espère vraiment.

Lewis brisa le silence lourd qui s'ensuivit.

— Alors, l'assassin de la fille est avec les Fenians ?

— On dirait bien que oui, répondis-je. Mais il n'y a pas que ça. Je l'ai vu l'autre jour avec Coyle, Arrowood vous l'a dit ? Coyle, l'un des hommes de la SIB. Ils avaient l'air copains comme cochons.

— Celui qui vous a rossé ?

— Tout juste.

— Nom d'un chien.

Ettie arriva avec le plateau du thé.

— William m'a raconté votre voyage à Hassocks, dit-elle en me passant une tasse. Vous n'aviez pas soupçonné un seul instant que Mlle Cousture puisse être une prostituée ?

— Non, du tout. Ni moi ni William.

Elle fronça les sourcils et passa une tasse à Lewis, mais pas à son frère.

— Cette maison dans laquelle elle vit, le foyer pour femmes. Où avez-vous dit qu'elle se trouve ?

— À Lorrimore Road. Derrière le parc Kennington.

— Est-ce qu'il y a une plaque à la porte ?

— Oui, avec une croix et trois lettres : CSJ.

— Ah, le Christian Sanctuary and Justice. Nous y avons conduit une fille la semaine dernière. C'est un refuge pour les femmes déchues. Le directeur est un jeune homme très sérieux, le révérend Jebb.

— Grands dieux ! s'écria le patron en revenant soudain à la vie. Pourquoi tu ne l'as pas dit avant, nom de nom ?

— Je ne savais pas qu'elle habitait là-bas.

— Oh ! Ettie ! Cette information aurait pu nous aider !

Elle l'ignora et se tourna vers moi.

— C'est tout à fait logique, à présent que nous connais-sons son passé. Mais racontez-moi ce qui s'est produit hier aux courses.

Lorsque j'eus fini, elle demanda :

— Alors, la nouvelle de la mort de Lord Venning était vraiment une surprise pour eux, n'est-ce pas ?

— Ils s'amusaient en galante compagnie jusqu'à ce que l'autre arrive avec le journal. Là, Paddler Bill s'est mis dans une colère noire.

— Bien sûr qu'il était en colère, intervint Lewis en prenant une poignée de Peek Freans. Sir Herbert est un homme très important. La police va mettre ses meilleurs hommes sur le coup et la presse en fera ses choux gras. Les Fenians se passeraient bien de tant d'attention, ça risque de nuire à leurs plans.

— Nolan dit qu'ils ont cambriolé des ambassades et d'autres lieux comme ça auparavant, et ça n'a pas eu l'air de leur porter préjudice.

Lewis engloutit un biscuit.

— C'est vrai, dit-il. Mais là, nous parlons d'un membre haut placé du gouvernement.

— Tu as raison, Lewis, fit le patron en prenant une tasse sur le plateau.

Son visage commençait à reprendre des couleurs.

— Mais il y a une autre raison pour laquelle ils sont en colère. Longmire nous a menti à propos de sa relation avec Martha et aussi à propos de la balle, il voulait nous faire croire que c'était sans importance. Les fusils que Thierry a vus proviennent, je pense, du Bureau de la Guerre, puisqu'il n'y a que l'armée qui utilise ces Enfield. Et lorsque nous avons montré la balle à Longmire, il s'est rendu d'abord au Beef et ensuite chez Venning.

— Venning a dit que Longmire lui avait demandé conseil au sujet du chantage.

— Mais qui mieux que l'intendant général pourrait fournir des armes ? Maintenant, les amis, si tout ceci est vrai : pour quelle autre raison Paddler Bill est-il contrarié par la mort de Venning ?

— Parce que les Fenians achètent des fusils à Cream ? suggéra Ettie.

— Précisément, déclara le patron.

— Mais alors, que fait-on des cambriolages ?

— Je ne sais pas, Barnett. Je ne sais pas.

— Pourquoi ont-ils besoin d'armes, en ce moment ? demanda Ettie. La campagne de la dynamite est finie depuis dix ans.

— Tous n'étaient pas d'accord avec le choix des parnellistes, loin s'en faut, fit Lewis en allumant un cigare. Certains d'entre eux pensent que la solution politique ne mènera jamais à l'indépendance, ils ont vu les projets du *Home Rule* rejetés au Parlement, c'est pourquoi ils ont quitté le mouvement nationaliste de Parnell. Et ce n'est pas la première fois que les Irlandais essayent de s'emparer du matériel de l'armée. Il y a eu la tentative à Chester Barracks.

— Oui, dit le patron. Et l'explosion de Clerkenwell. Nous pouvons supposer que les Fenians ont acheté des fusils à Cream, mais qu'ils en veulent davantage.

— Ils préparent un soulèvement, dit Lewis.

— Et la mort de Venning coupe leur voie de d'approvisionnement, conclut le patron.

L'affaire prenait une ampleur qui nous plongea dans un long silence. Ettie remplit de nouveau nos tasses et demanda :

— Cream, c'est un Fenian ?

— Cream n'a que faire de la politique, répondit le patron. C'est l'argent qui l'intéresse. C'est un triste exemple de l'hérédité du crime. Je me suis renseigné sur lui il y a quatre ans. Son père a tué sa mère quand il était enfant afin de toucher l'assurance-vie, il a été démasqué et on l'a pendu. Cream a été élevé par le frère de sa mère, un pasteur. Mais il a le crime dans le sang.

— Je ne crois pas à cette théorie, dit Ettie. La Bible dit que chaque homme doit choisir son chemin.

— Non, Ettie. Le crime est gravé dans son instinct si profondément qu'il ne peut que le suivre, comme une sorte d'injonction naturelle primaire. Comme la chasse aux lapins pour un faucon.

— Mais cela veut dire qu'il n'est pas responsable de ses actes, protesta Ettie.

— Je ne dis pas qu'il ne mérite pas d'être puni, ma sœur.

Quelqu'un frappa alors à la porte. Je bondis en espérant que ce soit Neddy, mais lorsque j'ouvris, je vis un gamin qui s'éloignait en courant vers la synagogue et, à mes pieds, une enveloppe adressée au patron.

Je sus tout de suite que cela ne présageait rien de bon. Le patron déchira l'enveloppe avec appréhension, et la peur qui apparut sur son visage confirma mes craintes. Il lâcha un râle éperdu et froissa la lettre dans son poing. Je la lui pris des mains et lus :

M. Arrowood,

J'espère que vous vous êtes remis de l'incendie ? Si vous voulez revoir le garçon, amenez le Français demain à minuit à l'entrepôt d'Issler. Sur Park St., à côté de Potts Vinegard. Si vous ne venez pas, ou si vous appelez la police, le garçon mourra.

Respectueusement, votre plus fidèle ami.

La tête me tournait et je me laissai tomber sur la chaise, sans forces.

— Qui t'écrit ? demanda Ettie. Qu'est-ce qui se passe ?

— Ils ont Neddy.

J'entendais leurs voix comme si elles venaient de très loin.

— Qui ? Qui a Neddy ?

— Cream.

Ettie tressaillit.

— Mais comment est-ce possible ?

— Les Fenians ont dû le trouver dans la rue et le livrer à Cream.

C'était ma faute. À quoi avais-je pensé, en le laissant seul là-bas ? Quel pauvre fou ferait une chose pareille ? Étourdi par la bière et le Black Drop, je ne l'avais pas protégé. J'avais failli à mon devoir le plus élémentaire. J'étais faible. C'était ma faute.

La pièce était silencieuse. J'aurais été reconnaissant à la mort si elle m'avait emporté sur-le-champ.

— C'est ma faute, dis-je, la tête entre les mains, sans

oser affronter leurs regards. Il voulait surveiller la maison de Paddler Bill et je l'ai laissé seul là-bas.

— Oh ! Norman ! s'exclama Ettie. Comment avez-vous pu laisser cet enfant courir un tel risque ?

Que répondre à cela ? Je fixai les franges du tapis, terrassé, sentant la rage monter en moi.

— Mais qu'est-ce qu'ils veulent ? demanda Lewis. Pourquoi prendre le garçon ?

— Ils veulent Thierry, dit le patron.

Il décolla le papier imbibé de vinaigre de son front et le mit dans le bol.

— Il faut prévenir l'inspecteur Petleigh, dit Ettie. Il ira perquisitionner le Barrel of Beef.

— Il n'y sera pas, dit le patron. Ni à la tonnellerie ni chez Milky Sal. Cream sait qu'ils risquent d'être fouillés.

— Mais ils n'oseraient pas faire de mal à un enfant !

Le patron ne répondit pas et je me levai, l'esprit hanté par le souvenir du corps vu à la morgue.

— J'ai besoin d'un pistolet, Lewis, demandai-je d'une voix tremblante.

Il hocha la tête et se dirigea vers un placard.

— Non, Norman, intervint le patron. Que croyez-vous que vous réussirez à faire avec un pistolet ?

— Il me dira où est Neddy uniquement si sa vie en dépend.

— Qui ? Cream ? Mais ils vous tueront dès que vous aurez passé le pas de la porte !

— C'est ma faute, c'est à moi de la réparer.

— Lewis, ne lui donne pas ce pistolet.

Lewis nous regarda tour à tour. Mû par le besoin d'agir, je me précipitai dans la cuisine et m'emparai du premier couteau qui me tomba sur la main. Ettie, le patron et Lewis m'attendaient dans le couloir, me barrant le passage.

— Arrêtez-vous, Norman ! dit le patron en tentant de me retenir.

Je le bousculai pour atteindre la porte.

— Norman ! cria Ettie. S'il vous plaît ! Attendez !

Je fis la sourde oreille et m'élançai dans la rue. Tout à coup, j'eus l'impression qu'on m'arrachait le pied et je tombai de tout mon long sur les pavés, sur mon bras blessé. Je me relevai à moitié pour essayer de comprendre et je vis Ettie qui tenait la pointe de son ombrelle, dont le manche était accroché à ma cheville. Je m'en libérai d'un coup de pied pour repartir, mais avant même que je puisse m'accroupir, elle s'était jetée sur moi.

— Cessez, ordonna-t-elle à mon oreille d'un ton sans appel. Vous vous ferez tuer, et cela n'aidera pas le garçon.

Je laissai aller ma tête contre les pavés, vaincu par la douleur et plus encore par la honte.

— Vous avez commis une erreur, Norman, dit-elle, son corps toujours plaqué contre le mien. Mais vous ne la réparerez pas en en commettant une autre encore plus grave.

Une fois qu'elle fut persuadée que je ne chercherais plus à partir, elle se releva. Lewis récupéra le couteau tombé un peu plus loin et m'aida à me remettre debout.

— Je vais aller voir la mère de Neddy, dit Ettie. Elle doit se faire un sang d'encre.

— Merci, ma sœur, fit le patron. Venez, Norman. Marchons un peu, nous devons dresser notre plan d'action.

— Nous devons le retrouver, William, murmurai-je, accablé, incapable de lever les yeux du sol.

— Je sais, Norman.

On était dimanche matin. Les boutiques et les pubs étaient fermés ; les cloches des paroisses voisines emplissaient l'air dans un duel carillonnant qui égayait la brise estivale ; des familles endimanchées revenaient de l'office ou rendaient visite à leurs parents. Nous marchions dans un silence seulement entrecoupé par la respiration sifflante du patron. Je songeai au pauvre innocent qui avait perdu sa jambe par notre faute au cours de l'affaire Betsy, au minois crasseux de Neddy, à son désir de nous aider. Je n'avais jamais éprouvé un tel dégoût de moi-même. Nous regagnâmes Blackfriars et longeâmes le fleuve entre les grues de Bankside, où les péniches et les barges étaient amarrées. C'était aussi leur jour de repos.

Finalement, Arrowood dit :

— Neddy a dû leur dire que nous avions trouvé Thierry.

— S'il a parlé, c'est qu'ils…

Je fus incapable de finir la phrase.

— Nous devons leur livrer Thierry, décréta le patron. Il n'y a pas d'autre moyen.

— Il ne voudra jamais revenir à Londres, ce serait suicidaire.

— Peut-être que si, si nous arrivons à le convaincre qu'il n'a rien à craindre. Nous demanderons à Petleigh de venir avec des renforts. Comment pourrait-il refuser de sauver la vie d'un enfant ?

Je ne répondis pas.

— Mlle Cousture peut nous aider à persuader Thierry, reprit le patron tandis que nous arrivions vers Southwark Bridge. Après tout, ce qu'elle veut, c'est faire traduire Cream en justice. C'est peut-être sa chance.

— Mais nous n'avons aucune preuve contre Cream. Thierry est le seul qui pourrait témoigner, et tout ce qu'il sait, c'est qu'il y avait des caisses d'armes dans la cave du Beef. Nous n'avons rien de plus.

— Cream a séquestré Neddy. Cela donne déjà une raison à Petleigh de l'arrêter. Et l'une des filles qu'on a sauvées des griffes de Milky Sal acceptera peut-être de parler et de raconter ce qu'elle a vécu.

— Ils accuseront Long Lenny, Boots ou Milky. Mais pas Cream. Il s'en sort toujours.

Des enfants jouaient dans le square de Newington Causeway ; des hommes vendaient du pain d'épices et des sorbets ; un gamin devant la station d'Elephant and Castle traînait avec peine une grosse liasse de journaux.

— Dernières nouvelles sur le meurtre Venning ! cria-t-il de sa voix haut perchée. Tout c'que vous voulez savoir !

Le patron lui tendit une pièce et prit un exemplaire.

— Il y a peut-être du nouveau.

L'enfant tourna les talons et reprit sa ritournelle.

— Dernières nouvelles sur le meurtre Venning ! Sherlock Holmes avec la police ! Tout c'que vous voulez savoir !

Le patron se retourna si brusquement que ses lunettes firent un magnifique vol plané et atterrirent sur le trottoir. Il leva sa canne en l'air.

— Arrête ça, garnement ! hurla-t-il.

Son visage, jusqu'à présent encore pâle, était devenu vermeil.

— Pour l'amour du ciel ! Tu crois que tout le monde s'intéresse à Holmes ?

Le garçon s'accroupit derrière la pile de papier en voyant la canne levée vers lui, les bras sur la tête. Le patron fouetta le tas de journaux et quelques feuilles volèrent au milieu de la route. Les cris apeurés d'un bébé montèrent d'un landau qu'une nourrice s'empressa d'éloigner.

— Contrôlez-vous, monsieur ! s'emporta un gentleman qui descendait d'un fiacre. Laissez ce garçon tranquille !

Je trouvai deux pennies dans ma poche et les mis dans celle du pauvre crieur.

— Lève-toi, petit. Nous sommes désolés de t'avoir fait peur. Mon ami s'est levé du mauvais pied aujourd'hui. Il crie sur tout le monde.

Nous étions à peine parvenus à l'autre bout de la rue que le patron se tourna vers moi et explosa.

— Comment osent-ils faire appel à ce charlatan ! Nous suivons l'affaire depuis des semaines ! Quand je verrai Petleigh, je vais l'étrangler ! Je le jure, Barnett, je l'étranglerai de mes propres mains. Mais nous allons devancer Holmes ! Je vous le garantis !

Nous marchions à présent dans les allées du parc.

Le patron se calma peu à peu, la rage cédant la place à la morosité. Sa canne, qu'il faisait courir sur les ferronneries, faisait un bruit de claquoir.

— Qu'est-ce qui s'est passé, avec Isabel, William ? demandai-je enfin.

— Elle veut épouser un avocat qu'elle a rencontré à Cambridge, répondit-il d'une voix ferme et claire. Elle veut demander le divorce et que je vende mes chambres et lui donne la moitié de l'argent.

— Mon Dieu… Ce n'est pas possible ! Vous pensez qu'il y aurait une façon de l'en dissuader ?

— Nous verrons, fit-il, sans cesser de jouer avec sa canne sur les barreaux de la rampe. Nous verrons.

34

Un prêtre marchait devant nous dans la rue qui menait au foyer de Mlle Cousture. Il remonta la petite allée du jardin et, arrivé devant la porte, sortit une clé.

— Bonjour, messieurs, dit-il en souriant lorsqu'il nous vit approcher. Je présume que vous êtes MM. Arrowood et Barnett ?

C'était un jeune homme mince à l'expression sérieuse ; il portait un chapeau noir élimé et un col blanc bien ajusté, et tenait dans sa main une bible avec un fermoir en laiton.

— Oui, monsieur, répondit le patron. Et vous êtes ?

— Je suis le révérend Josiah Jebb. Nous vous attendions.

Il ouvrit la porte et fit un pas de côté pour nous laisser entrer.

— Après vous, je vous prie.

— Mlle Cousture vous a parlé ?

Il nous conduisit dans le même petit salon que la dernière fois et nous invita à nous asseoir.

— En effet. Je vais chercher Caroline. Elle est impatiente de vous parler.

C'était une journée grise et la faible lumière du jour parvenait à peine à percer à travers les lourds rideaux rouges. Rien ne semblait avoir changé depuis notre dernière visite : le piano dans l'angle, le long canapé contre le mur, le Christ sur sa croix en argent.

Nous n'eûmes pas à attendre longtemps l'arrivée de Mlle Cousture. Elle portait une robe noire très simple avec un tablier chasuble blanc par-dessus, et ses cheveux disparaissaient sous une coiffe de la même couleur nouée sur sa nuque.

Le révérend entra derrière elle. Il resta debout devant la cheminée, droit et vertueux, tandis que Mme Cousture venait s'asseoir face à nous sur la bergère orange, les mains sagement croisées sur son tablier.

— Puis-je vous demander le nom de votre église, révérend ? demanda le patron.

— Nous ne sommes pas une église mais une mission, le Christian Sanctuary and Justice. Nous sauvons des femmes qui ont été maltraitées et leur offrons une nouvelle vie dédiée à la gloire du Seigneur.

— Je n'avais jamais entendu parler de vous.

— Notre souhait est de rester les plus discrets possible, monsieur. Certaines de nos ouailles ont échappé à des gens très dangereux qui pourraient essayer de les retrouver.

— Révérend, j'espère que cela ne vous dérange pas, mais nous devons parler de toute urgence avec Mlle Cousture au sujet d'une affaire privée. Auriez-vous l'extrême obligeance de nous laisser seuls quelques instants avec elle ?

— Le révérend Jebb est au courant de tout, dit Mlle Cousture. Vous pouvez parler devant lui.

Je remarquai que son accent français avait pratiquement disparu. Le patron annonça :

— Eh bien, mademoiselle Cousture, nous avons trouvé votre frère.

Elle baissa le regard.

— Je sais. Il est venu hier.

— Mademoiselle Cousture, vous nous avez débité mensonge après mensonge. Pourquoi ne pas nous avoir dit ce que vous vouliez dès le début ? Cela aurait rendu l'enquête beaucoup plus simple.

— Je savais que si je disais la vérité, vous refuseriez l'affaire, répondit-elle posément. Tout le monde sait à quel point Stanley Cream est dangereux. Personne n'ose l'approcher, pas même la police. Oui, monsieur Arrowood, j'avoue que je vous ai utilisé, mais quel autre choix avais-je ?

— Nous avons estimé que c'était mieux ainsi, intervint le révérend Jebb.

— Josiah voulait que je fasse appel à Sherlock Holmes, mais je vous ai choisi, vous.

Cela flatta le patron, et son visage sévère se radoucit. Il me jeta un coup d'œil comme pour s'assurer que j'avais bien entendu, puis se carra dans le siège en croisant ses jarrets courtauds.

— Chère mademoiselle Cousture, je suis honoré de la confiance que vous me portez.

— Je savais que Holmes trouverait Thierry trop rapidement pour que nous en apprenions assez sur Stanley Cream et ses affaires.

Lorsque le patron saisit le sens de ce qu'elle venait de dire, il rougit d'indignation et se leva.

— Vous voulez dire que vous nous avez embauchés parce que vous pensiez que nous ne le retrouverions pas ? s'insurgea-t-il.

— Non, je vous en prie, monsieur Arrowood, dit le prêtre, ne vous méprenez pas. Ce que Caroline veut dire, c'est que, avec les moyens réduits dont vous disposez, vous seriez obligés de rassembler plus d'informations sur les activités de Cream avant de parvenir à retrouver Thierry. Et ce sont ces renseignements qui sont précieux à nos yeux.

Le patron se tourna vers Mlle Cousture avec un regard plein de méfiance.

— C'est la vérité, monsieur Arrowood. S'il vous plaît, restez.

Il croisa les bras sur son ventre et réfléchit avec une moue de bébé sur le point d'éclater en pleurs.

— Pourquoi n'avez-vous pas dit à Thierry que Martha était morte ? demanda-t-il finalement.

— J'avais peur qu'il revienne se venger. Ils l'auraient tué. Mais maintenant, il est en colère contre moi à cause de cela.

322 | Mick Finlay

— Nous avons un problème, mademoiselle, dis-je. Cream a pris le petit Neddy en otage. Il veut l'échanger contre Thierry et exige que nous le lui amenions demain soir. Il a menacé de tuer le garçon si nous ne le faisons pas.

Elle échangea un regard avec le révérend.

— Qui est Neddy ? demanda-t-elle. Votre fils ?

— Un jeune garçon qui surveille parfois les gens pour nous. Nous devons le sauver, mademoiselle. Il n'a que dix ans.

— Vous avez utilisé un enfant pour suivre des criminels ? demanda le révérend.

— Je vous assure que c'est l'usage, expliqua le patron. Holmes en a une bande entière à son service.

— Mais comment avez-vous pu permettre que ces criminels le capturent ?

— C'est arrivé, dis-je sèchement. Cette affaire n'a pas été facile.

— Mais je ne vous ai pas payé pour que vous envoyiez un enfant après ces assassins ! s'écria-t-elle, les yeux agrandis par la colère. Oh ! mon Dieu ! Comment avez-vous pu !

— Écoutez, dis-je, irrité qu'elle monte sur ses grands chevaux alors qu'elle mentait depuis le début. Nous sommes fous d'inquiétude, et il est inutile de nous rappeler notre erreur. Elle est terrible, soit, mais là, ce que nous vous demandons, c'est que vous nous aidiez à le sauver.

— Mademoiselle Cousture, ajouta le patron avec fermeté, nous voulons que vous alliez voir Thierry et que vous le persuadiez de revenir immédiatement. Vous pouvez lui dire qu'il ne court aucun danger, nous allons juste feindre de le livrer à Cream. Il nous attend demain à minuit. L'inspecteur Petleigh sera de la partie, avec ses hommes, et ils interviendront dès que nous aurons le petit. Vous devez absolument le convaincre de revenir à Londres. Dites-lui que nous allons piéger l'assassin de Martha : nous allons forcer Cream à reconnaître qu'il a ordonné sa mort pendant que Petleigh écoute. Ce sera une preuve suffisante pour le compromettre.

— Et s'il ne l'admet pas ? demanda Jebb.

— Alors nous le pousserons à parler des fusils, ou de Sir Herbert, ou du trafic de pucelles. C'est tout ce que nous pouvons faire, mais si des policiers l'entendent admettre ses forfaits, cela aura valeur de preuve devant les tribunaux. Quand bien même il n'en dirait rien, il peut être arrêté pour l'enlèvement de Neddy.

— Je ne peux pas vous aider, le coupa Mlle Cousture

— Comment ça ? La vie d'un enfant en dépend ! Vous devez essayer !

— Thierry a pris le bateau de midi pour retourner en France, expliqua-t-elle d'une petite voix. Il restait ici pour Martha, pas pour moi. Pas après ce que j'ai fait.

Abasourdi, le patron serra les poings et commença à marcher d'un bout à l'autre de la pièce, les traits tirés.

— Nous devons lui envoyer un télégramme immédiatement, décréta-t-il enfin.

— Il n'est pas allé à Rouen. Il comptait aller à Paris, je ne sais pas où.

— Alors vous devez le suivre !

— Je ne le trouverai jamais ! Par où commencerais-je ?

— Enfer et damnation ! jura le patron en tapant du pied sur le plancher.

— Monsieur Arrowood, intervint le révérend. Je vous demande de ne pas blasphémer dans cette sainte maison.

— Mais sans Thierry, Neddy est perdu !

— Ce que je ne comprends pas, c'est pourquoi Cream tient à ce point à mettre la main sur Thierry, dis-je en fixant Mlle Cousture. Ce garçon a simplement vu des armes et a ensuite disparu sans plus causer de problème. Il n'en sait pas assez pour constituer un danger pour eux, je ne vois pas pourquoi Cream se donnerait autant de mal pour le récupérer. À moins, et c'est ce que je crois, qu'il y ait encore quelque chose que vous omettez de nous dire, mademoiselle.

Elle me regardait, bouche bée ; je voyais la dent ébréchée qui lui donnait tant de charme. Mais elle nia.

— Je ne sais rien.

— Cream ne veut rien laisser au hasard, voilà tout, Barnett, dit le patron. Il doit vouloir supprimer quiconque est au courant pour les fusils. Cela expliquerait Martha, l'agent de la SIB et Sir Herbert.

— Thierry est le prochain sur la liste.

Le patron pâlit et hocha lentement la tête

— Et ensuite, ce sera notre tour ? demandai-je.

— Notre tour à tous les trois, oui. C'est pour cela qu'il nous a donné rendez-vous demain.

— Êtes-vous en train de dire que Cream projette de vous tuer demain ? demanda le révérend.

— C'est ce que je pense, répondit le patron.

— Vous ne pouvez courir ce risque.

— Nous devons avant tout essayer de sauver Neddy.

— Mais comment allons-nous faire sans Thierry ? demandai-je.

Le patron, le dos voûté, continuait à faire les cent pas en grommelant dans sa barbe. Il nous regardait, reprenait sa rumination, nous regardait encore. Nous attendions en silence. Finalement, il se redressa et annonça :

— Vous devez venir demain avec nous, mademoiselle. Vous direz que Thierry attend dans les parages, mais qu'il ne se rendra qu'une fois que Neddy sera en sécurité.

— C'est trop dangereux, protesta le révérend.

— Je dois le faire, Josiah. C'est moi qui ai mis tout le monde en danger. C'est mon tour, maintenant.

— Je ferai en sorte que Longmire et Paddler Bill soient présents, dit le patron. Plus la confusion sera grande, plus nous aurons de chances de nous en tirer indemnes, et plus de chances aussi qu'ils se compromettent et nous donnent les preuves que nous cherchons.

— Ou plus de danger pour nous tous, dis-je.

— C'est tout ou rien, désormais, Barnett.

— Oui, fit Mlle Cousture. C'est notre seule chance.

— Comment avez-vous connu le colonel Longmire, mademoiselle ? demanda le patron à brûle-pourpoint.

— Je ne le connais pas.

— À quoi bon nous mentir encore, mademoiselle ? Allons, c'est la fin de la partie. Ne croyez-vous pas que vous nous devez enfin la vérité ?

Elle ne répondit pas pour autant.

— Nous pourrions mourir, murmura-t-il.

Elle s'obstina dans son silence.

— Je vois, dit le patron. Vous ne nous le direz pas.

— Non, monsieur.

Le patron prit sa canne et son chapeau.

— Nous viendrons vous chercher demain soir à 21 heures. Soyez prête.

De retour chez Lewis, le patron m'expliqua ce que nous allions faire et envoya deux messages. Celui pour Longmire était rédigé dans ces termes :

Apportez 25 £ à Issler's Warehouse, Park St., à minuit passé de dix minutes demain. N'en parlez à personne. Venez seul. Si vous ne venez pas, si vous n'êtes pas seul, ou si nous apprenons que vous avez parlé à Cream de ce rendez-vous, les informations que nous détenons arriveront au bureau de la Pall Mall Gazette *avant midi le lendemain.*

Locksher.

À Paddler Bill, il écrivit :

Vous avez un informateur de la SIB dans votre organisation. Soyez à Issler's Warehouse, Park St., à minuit passé de dix minutes demain. Venez avec tous vos hommes mais

ne leur révélez pas vos desseins. Apportez 25 £ et nous vous
donnerons le traître.

Je partis en reconnaissance à Park Street. Les entreprises
étaient fermées et les rues vides en cette journée de repos
dominical. L'entrepôt, situé entre une fabrique de vinaigre et
les conserves Crosse & Blackwell, était abandonné à cause
d'un incendie assez récent, à en juger par les traces noires
qui couraient le long des portes et des fenêtres. Le portail
était cadenassé, les fenêtres clouées par des planches ; à
l'arrière, une ruelle qui partait des cheminées de la brasserie
Barclay Perkins longeait les cours des manufactures. Je
sautai la clôture pour jauger le terrain. Il y avait quelques
dépendances — hangars de stockage, ateliers — et des
portes assez larges pour laisser passer un fourgon attelé.

Je me tenais dans la cour, engourdi, comme si ce qui
m'entourait était en réalité loin de moi. J'avais beau savoir
que j'avais une tâche à accomplir, mon esprit retournait
inlassablement vers Neddy ; je me demandais où il était,
comment il allait, ce qu'ils lui avaient fait. Ces pensées
m'ôtaient mes forces. Je levai les yeux vers le ciel gris et,
faisant appel à toute ma volonté, je me ressaisis.

Grâce à mon passe-partout, je crochetai la serrure en un
clin d'œil. J'allumai ma lanterne dans le grand hangar où
flottait une odeur de bois brûlé : des centaines de tonneaux
étaient rangés contre les murs, des petits quartauts aux
futailles de bière, des feuillettes, des queues, des foudres
de la taille d'une meule de foin ; une galerie en hauteur
faisait le tour des quatre murs, couverte aussi de tonneaux ;
au-dessus, dans un angle, je vis deux bureaux ouverts sur
l'entrepôt. À travers les trous du toit, quelques rayons de lune
éclairaient de leur lumière laiteuse des nids de pigeons ; les
murs étaient noirs de fumée ; le sol, couvert de cendres. Les
tonneaux avaient de toute évidence été entreposés là après
l'incendie car ils ne portaient aucune trace de feu ni de suie.

J'appelai Neddy une ou deux fois, mais la seule réponse que j'obtins fut les battements d'ailes des pigeons. Mes pas résonnaient dans le silence comme je faisais le tour du hangar à la recherche d'une cachette pour Petleigh et ses hommes. Peut-être dans les dépendances, ou bien dans les zones les plus sombres parmi les tonneaux. Sur un côté, séparée du corps principal de l'entrepôt par une rigole d'eau croupie, je trouvai une rangée de grands foudres qui pouvaient chacun contenir deux ou trois hommes debout.

Près des bureaux, je trouvai une trappe dans le sol que je soulevai. Une échelle conduisait à une cave. Il n'y avait rien qui me fasse autant horreur qu'un sous-sol mal éclairé, mais le sort de Neddy en dépendait ; aussi, après une longue inspiration, je me lançai. C'était une pièce tout en longueur, noire comme l'antre du diable, qui empestait le moisi et l'huile rance. Un endroit qui vous flanquait la frousse. Je tendis l'oreille, mais n'entendis que les grattements des rats et le clip-clop d'un tuyau qui gouttait quelque part dans le noir. Quand je fus certain que l'endroit était désert, je vérifiai chaque recoin et chaque trou pour m'assurer que Neddy n'y était pas. Tout portait à croire que personne n'avait mis les pieds dans cet endroit depuis des années.

— Il faudra que Petleigh y soit bien avant leur arrivée, dit le patron lorsque je lui fis mon rapport. Cream arrivera certainement en avance, nous devons être là avant lui. Demandez à Sidney de venir nous chercher à 8 heures. Il devra trouver, lui aussi, un endroit où nous attendre sans être vu. Il est fort possible que nous ayons à nous carapater.

— C'est trop dangereux, s'inquiéta Lewis. Ils sont trop nombreux, William. Vous ne pouvez pas compter sur la police pour vous protéger.

— Nous n'avons pas le choix, Lewis. La police pourrait interroger Cream, mais il jurera ne rien savoir et ils n'ont assurément pas caché Neddy dans leurs repaires habituels.

Ne t'inquiète pas. Petleigh s'est engagé à mobiliser autant d'hommes que possible.

Lewis se leva avec un grognement, sortit un coffret en bois d'un tiroir et l'ouvrit avec la petite clé que j'avais toujours vue pendue à la chaîne de sa montre.

— Vous avez déjà utilisé une arme de poing ? me demanda-t-il.

Je secouai la tête.

Il me tendit un revolver en argent. L'arme était lourde et froide ; le seul fait de la toucher me mettait mal à l'aise. Lewis en donna une autre au patron et nous expliqua comment la charger, comment viser et comment faire feu.

Il nous demanda ensuite de feindre de tirer contre le buste d'Alexandre le Grand qui était sur un socle vers la porte.

— Je n'aime pas ça, William, dit-il après notre petite séance, en essuyant la sueur qui perlait à son front. Tu es mon ami depuis trop longtemps. Je ne veux pas te perdre.

Moi non plus, tout cela ne me disait rien qui vaille, mais je savais que nous n'avions pas le choix.

— Nous devons sauver Neddy, déclara le patron.

Lewis hocha la tête et se tourna vers moi.

— Veillez sur lui, Norman.

Je ne pouvais qu'espérer que mon visage ne trahisse pas la peur qui me tenaillait l'estomac.

35

Les portes étaient toujours verrouillées quand nous arrivâmes à l'entrepôt. À part la brasserie, dont les fenêtres étaient éclairées et dont la cheminée fumait, tous les autres bâtiments étaient fermés pour la nuit. Si jamais il y avait des coups de feu, personne ne les entendrait.

Nous laissâmes Sidney au bout de la rue et gagnâmes la ruelle à l'arrière où le patron avait donné rendez-vous à Petleigh. Mlle Cousture portait un vieux costume pour homme que le révérend lui avait dégoté, estimant qu'elle courrait moins de risques ainsi vêtue. Le révérend avait, de plus, insisté pour venir, persuadé que la présence d'un homme d'église inciterait Cream à une certaine tenue. Je doutais fort de l'effet qu'il produirait sur une telle crapule, mais sa compagnie me convenait. Plus nous serions nombreux, mieux ce serait.

Le patron se déclara incapable de franchir la clôture et je dus arracher quelques planches pour qu'il puisse passer. Une fois à l'intérieur, nous fîmes le tour de l'entrepôt à la lumière des quelques bougies que j'avais allumées ; l'écho de nos pas résonnait dans cet espace immense. Ma main libre revenait sans cesse tâter la froideur du revolver dans ma poche.

— Les policiers se cacheront dans ces barriques, décida le patron en tapotant les grands tonneaux. Ils y tiendront deux par deux. Quand bien même les hommes de Cream fouilleraient les lieux, ils ne pourront pas ouvrir tous les tonneaux. Les autres pourront se dissimuler dans la cave.

L'ambiance ténébreuse de l'entrepôt avait réduit au silence Mlle Cousture et le prêtre, et ils ne décrochèrent pas un mot jusqu'à ce que nous retournions dans la cour.

— Et maintenant ? demanda Mlle Cousture, d'une voix tremblante.

— Vous deux, retournez au fiacre avec Sidney, ordonna le patron. Nous vous rejoindrons lorsque Petleigh arrivera.

Quand ils se furent éloignés, il me demanda :

— Vous avez chargé votre revolver ?

— Oui, chez Lewis.

— Il a chargé le mien. Tenez, voici quelques balles de plus, au cas où.

— Je n'avais jamais pensé que nous aurions à utiliser des armes à feu dans notre travail, William.

— Si seulement nous en avions eu au cours de l'affaire Betsy, murmura-t-il.

— Nous serions tout de même arrivés trop tard pour pouvoir sauver John Spindle.

Il se tourna vers moi. Son chapeau melon était posé sur sa tête comme un gâteau au chocolat sur celle d'un cochon, et au clair de lune ses moustaches semblaient flotter devant son visage comme des panaches de brouillard. Son haleine empestait le vin. Il lâcha un pet.

— Norman, je tenais à vous dire que j'ai en vous une confiance absolue, et aussi à quel point j'ai apprécié de pouvoir compter sur vous durant toutes ces années.

Il marqua une pause.

— Nous formons une belle équipe, vous et moi.

Je posai la main sur son épaule dodue.

— Je sais, William. N'en dites pas plus.

Il m'offrit un cigare ; nous fumâmes pour tromper l'attente. Un chien errant s'approcha et nous renifla les pieds. 10 heures sonnèrent.

— Où diable est-il passé ? grogna le patron.

— Êtes-vous sûr de lui avoir dit 10 heures ?

— Bien sûr.

Nous entendîmes sonner le quart, puis la demie. Petleigh n'arrivait pas. Le patron trépignait d'impatience.

— À quoi diable joue-t-il ? s'écria-t-il avant de se reprendre et de baisser la voix. S'ils n'arrivent pas bientôt, ils ne pourront pas se cacher à l'intérieur !

Le révérend Jebb s'approcha en tordant son chapeau entre ses doigts.

— Y a-t-il un problème ? demanda-t-il, le souffle court.

— Les policiers ne sont pas encore là.

— Seigneur. Et que ferons-nous s'ils n'arrivent pas à temps ?

— Ils viendront, affirma le patron. Petleigh me l'a promis. Je vous en prie, révérend, retournez au fiacre avec Mlle Cousture.

À 10 h 45, la rue était toujours déserte.

— Il s'est passé quelque chose, Norman. Autrement, ils seraient déjà là.

— Ils ont peut-être eu un accident.

— Il m'avait pourtant donné sa parole…

— Que ferons-nous s'ils ne viennent pas ? Nous n'aurons aucune preuve contre Cream.

— Et nous n'aurons personne pour surveiller nos arrières, ce qui est encore plus grave.

— Je crains qu'avec ces revolvers nous soyons bien mal lotis. Ils seront beaucoup trop nombreux.

— Nom d'une pipe, Barnett ! Nous allons devoir faire sans Petleigh.

— Mais que fera Cream lorsqu'il découvrira que nous ne sommes pas avec Thierry ?

Le patron alluma un autre cigare avec la braise du précédent et souffla longuement la fumée.

— Au pire, ils nous travailleront au corps pour nous faire dire où il est. Puis ils nous tueront.

J'étais déjà effrayé mais, à ces mots, ma peur se transforma en panique. Le patron me tendit la flasque qu'il portait toujours sur lui ; je bus deux bonnes goulées et la lui rendis d'une main tremblante. Sa main tremblait aussi quand il la reprit.

— Ce n'est pas Dieu possible ! dit-il.

Le juron résonna dans la ruelle sombre. Le chien revint, levant vers moi son museau triste.

— Nous allons trouver une solution, dis-je.

— Et dans le cas contraire, répondit-il, il nous faudra nous servir de ces revolvers.

Juste avant 11 heures, nous entendîmes des pas et le portail de l'entrepôt grincer. Cream et ses hommes étaient déjà là. Le patron me prit par le bras et nous allâmes nous cacher un peu plus loin derrière une pile de caisses. Une demi-heure plus tard, j'abandonnai tout espoir que Petleigh arrive. Le patron et moi attendions en silence. Je pensais à la mort ; lui aussi, sans doute. Si cela devait arriver, je me sentais prêt. Après tout, me disais-je, on ne sait pas qu'on est mort une fois qu'on l'est. Et qu'est-ce que la vie avait encore à m'offrir ? Un corps qui encaissait de moins en moins bien les coups et une chambre tellement froide et vide que je n'avais aucune envie d'y retourner le soir. C'était tout ce que j'avais. Mais au fond, je ne voulais pas mourir ce soir-là. Pas dans cet entrepôt-là, pas aux mains des hommes de Cream.

Quand l'air frais de la nuit vibra sous les coups de minuit, nous nous résignâmes pour de bon à affronter notre destin sans Petleigh. Nous prîmes des lanternes dans le fiacre et descendîmes Park Street avec Mlle Cousture et le révérend. Le patron leur avait proposé de rester avec Sidney, le danger étant trop grand sans le concours de la police, mais Mlle Cousture avait refusé fermement. Elle voulait aider à sauver Neddy et le révérend la secondait, même s'il n'en menait pas large. Il insista pour que nous prenions le temps de prier ensemble, puis nous demanda ce que nous comptions faire. Nous n'avions rien à lui répondre.

— Prions le Seigneur alors, soyons forts, et reprenons courage, murmura-t-il.

L'autorité dans sa voix, patente la veille, avait disparu. Le jeune prêtre avait perdu pied.

Mlle Cousture marchait à nos côtés comme si elle était déjà morte. Elle ne disait rien, et son visage était impassible sous sa casquette en toile. J'avais même l'impression qu'elle ne respirait plus.

Les fenêtres des ateliers et des manufactures qui bordaient la rue étaient éteintes, mais la lune haute dans le ciel faisait briller les pavés d'une lueur satinée. Une grande voiture attendait devant l'entrepôt. Le patron me donna un discret coup de coude : un homme faisait le guet un peu plus loin, un autre se tenait contre une porte, de l'autre côté de la route.

Je cognai à la grande porte de l'entrepôt. Ce fut Piser, la casquette basse sur le visage, qui vint ouvrir. Une lampe dans une main et un revolver dans l'autre, il balaya la rue du regard avant de nous laisser entrer. Au centre du grand hangar se tenait Cream. Sa lanterne éclairait son pardessus blanc et son chapeau melon brun et faisait scintiller le pommeau en argent de sa canne d'ébène. Il était flanqué de Boots et de Long Lenny. Boots jouait avec un revolver, tandis que Lenny serrait dans son poing un grand tisonnier.

— Qui sont ces gens, Arrowood ? demanda Cream.

— Voici la sœur de Thierry, dit le patron d'une voix rauque. Et voici notre collègue, le révérend Jebb.

— Vous devriez peut-être partir, révérend, dit Cream.

— Non…, bafouilla le prêtre. J'ai… j'aimerais autant rester.

— Lenny ?

Long Lenny s'avança, ses bottes crissant sur le sol.

— Allons-y, mon père, fit-il, le tisonnier en l'air.

Jebb, bien qu'assez grand, ne l'était pas autant que Lenny. Il recula doucement en refusant de partir jusqu'à ce que le lascar l'attrape par la manche et le pousse dehors. Piser claqua la porte derrière lui.

— Maintenant, à nous, dit Cream. Où est Thierry ?

— Il attend non loin d'ici, fit le patron. Où est le garçon ?

Cream fit un geste à Boots, qui se dirigea avec la lanterne vers la rigole crasseuse au fond de l'entrepôt. Quand il posa la lampe par terre, elle éclaira Neddy, roulé en boule, les bras repliés sur la tête. Même à cette distance, quelque cinquante yards, je pouvais voir qu'il tremblait.

Je courus vers lui. Il gémit lorsque je touchai sa jambe, et dès que je le pris dans mes bras, il se blottit contre ma poitrine.

— C'est bon, mon garçon, murmurai-je en lui caressant les cheveux. Je suis là.

Je sentis un frémissement traverser son petit corps. Il enfouit son visage dans ma chemise, mais ne dit rien. Je regardai sa jambe, qui formait un angle étrange.

— Qu'est-ce que vous lui avez fait ? dit le patron.

— Où est Terry ? rétorqua Cream.

— Dès que nous aurons sorti le garçon d'ici, nous vous l'apporterons. Barnett, amenez Neddy au fiacre.

— Ne bougez pas ! hurla Cream. C'est moi qui commande ici, pas vous. La fille ira avec Boots chercher son frère. Nous attendrons ici.

— C'est mieux si c'est moi qui y vais, dit le patron. Thierry aura peut-être besoin d'être encouragé.

— Boots s'en chargera, fit Cream avec un ricanement. Les encouragements sont sa spécialité.

Boots s'approcha de Mlle Couture, le revolver braqué sur elle. Elle se tourna vers le patron.

— Je ne comprends pas pourquoi vous tenez autant à retrouver Thierry, monsieur, dit le patron en s'interposant entre Mlle Couture et Boots. Il ne vous a pas causé de tracas, sa seule faute est d'avoir vu une caisse d'armes. Il a trop peur de parler, je vous assure. Alors que si vous lui faites du mal, vous prenez des risques inutiles.

Cream se mit à ricaner.

— C'est ce qu'il vous a dit ?

— En effet.

— Il ne vous a pas parlé de la valise qu'il m'a volée avant de partir ?

Le patron se tourna vers Mlle Cousture, qui secoua la tête. Cream fit tournoyer sa canne.

— Il n'a pas mentionné une valise contenant plus de mille livres en obligations ferroviaires canadiennes ?

— Seigneur, s'exclama Mlle Cousture. C'est une folie !

— Vous étiez au courant ? lui demanda le patron.

— Non ! Je vous le jure, monsieur Arrowood. Il ne me l'avait pas dit !

Le patron et moi échangeâmes un regard. Comment savoir si nous pouvions la croire ?

— Emmenez-la, Boots, ordonna Cream.

Boots l'entraîna sans façons vers la sortie. Je posai Neddy à terre et leur emboîtai le pas, ne sachant pas comment les arrêter mais estimant tout de même qu'il ne fallait pas les laisser partir de l'entrepôt. Boots se retourna, le revolver pointé sur moi.

Quelqu'un frappa alors à la porte.

Nous nous figeâmes tous sur place.

Cream fit un geste à Piser qui entrebâilla un battant et se mit à chuchoter. Je tendis l'oreille, espérant entendre la voix de Petleigh, mais ils étaient trop loin.

Piser ouvrit pour de bon et Paddler Bill entra, une lanterne à la main, suivi de l'Américain chauve et du gringalet aux cheveux jaunes. Derrière eux se trouvait Gaunt, l'homme qui avait tué Martha, sans chapeau, son long manteau ouvert. Il se tint à l'écart du halo de lumière. Je profitai de la distraction et m'accroupis prestement pour parler à Neddy.

— Va derrière ces tonneaux, Neddy. Cache-toi bien. Vite.

Mon cœur se serra tandis que je détaillais son visage, sa lèvre ouverte et enflée, et la croûte qui lui barrait le menton. J'aperçus des marques rouges, comme des brûlures, sur le dos de sa main. Il me regardait, immobile.

— Bill ? s'exclama Cream. Qu'est-ce que tu fais ici ?

— J'ai reçu un message, dit très vite le Fenian — si vite que j'eus du mal à comprendre.

Il était bien plus grand que ses hommes, et son chapeau américain accentuait encore sa taille. Son costume trois pièces était raffiné et parfaitement coupé.

— Je ne sais pas qui me l'a envoyé, poursuivit-il. J'ai cru que c'était toi, *partner.*

— Ah, le message, intervint le patron. Je dois avouer que c'était moi.

— Et qui diable êtes-vous ? fit Bill.

— C'est un détective privé, Bill, expliqua Cream. Il cherche le garçon qui a volé les obligations ferroviaires, mais j'ignore pourquoi il t'a demandé de venir ici. Cette affaire n'a aucun rapport avec toi. Je maîtrise la situation.

— Je veux entendre ce qu'il a à dire, répondit Bill.

De nouveau, quelqu'un frappa à la porte.

— Quoi encore ? gronda Cream.

Piser entrouvrit la porte encore une fois, puis se retourna vers Cream d'un air perplexe.

— C'est le colonel Longmire, monsieur Cream.

— Laisse-le entrer !

Longmire apparut sur le seuil. À en juger par son habit de soirée, sa cape et son chapeau en velours, il sortait du théâtre. Il s'écarta de la lumière que projetait la lanterne de Piser, visiblement étonné de nous trouver aussi nombreux.

— Qu'est-ce que c'est que ça ? s'exclama-t-il. Stanley, qu'est-ce qui se passe ?

— Alors, vous avez invité Longmire aussi, Arrowood, dit Cream. Bravo, vous avez réussi à m'étonner, ce qui n'arrive pas souvent. Cela ne vous aidera pas, cependant.

Profitant de l'échange, Mlle Cousture s'écarta de Boots. Je la vis tirer de sa manche ce qui me sembla être un tranchet de cordonnier. Elle hésita un instant, se tourna vers Cream comme si elle allait se jeter sur lui, puis, avec un grondement sauvage, elle bondit sur Longmire. Tout se passa à la vitesse de l'éclair. Le colonel cria, porta les mains à son cou puis s'écroula, le sang jaillissant entre ses doigts.

— Arrêtez-la ! hurla Cream.

Piser, incapable de réagir, regardait la scène comme s'il ne pouvait pas en croire ses yeux.

— *Piser !*

Mlle Cousture se laissa tomber à genoux et par deux fois elle plongea la lame dans la poitrine de Longmire. Il convulsa sous les coups, ses cris noyés dans un flot de sang. Recouvrant enfin ses esprits, Piser attrapa la main de Caroline et lui arracha le tranchet. Boots la tira violemment par l'autre bras pour l'obliger à se relever.

La respiration haletante, elle fixait Longmire, qui se tordait à ses pieds. Le colonel gémit comme un animal, la main tendue vers quelque chose que lui seul voyait. Le sang lui coulait de la bouche, sur sa joue et jusqu'au sol, il luttait à chaque inspiration.

— Va en enfer ! fit Mlle Cousture en lui crachant au visage.

Son cou et son visage étaient couverts de sang ; le rouge teintait sa chemise blanche sous sa jaquette noire.

Dans un ultime râle sifflant, Longmire cessa de bouger.

Piser et Boots écartèrent Mlle Cousture du cadavre de Longmire qu'elle semblait ne pas pouvoir quitter des yeux.

— Qu'est-ce que c'est que ce bordel ? tonna Paddler Bill. Qui est cette femme ?

— C'est la sœur de Terry, expliqua Cream.

— Terry ?

— Le pâtissier qui a volé les actions ferroviaires.

Cream se tourna vers le patron.

— Vous avez dix secondes pour nous dire ce qui se passe, Arrowood, pesta-t-il, ou nous allons vous briser les doigts. Et ce ne sera qu'un début.

Le patron, abasourdi, regardait tour à tour Longmire et Mlle Cousture.

— Cinq secondes.

— Je ne sais pas, avoua le patron en secouant la tête.

Je cherchai son regard, essayant de lui faire comprendre qu'il fallait agir vite ou nous préparer à rendre l'âme. Il glissa la main dans la poche où était son revolver, j'engageai mon doigt sur la détente du mien. Mon cœur cognait fort dans ma poitrine, le sang battait dans mes tempes. Les coups de feu allaient fuser et je ne voyais pas comment nous pourrions nous en sortir vivants. Je maudis Petleigh, priant en même temps pour qu'il arrive.

— Vous ne me reconnaissez pas, monsieur Cream ? intervint Mlle Cousture, toujours très calme en dépit de la façon dont Piser lui tordait le bras.

Cream releva la lanterne pour mieux la voir.

— Vous pensez que je le devrais ?

— Oui, mais je me doutais que vous ne vous souviendriez pas de moi.

— Pourquoi avez-vous tué Longmire ?

— Parce qu'il le méritait.

Cream la gifla.

— Parle, femme ! aboya-t-il. Comment connais-tu Longmire ?

Elle prit une longue inspiration et ferma les yeux.

— Il m'a violée, dit-elle enfin.

Pendant un moment, personne ne parla.

— Pour l'amour de Dieu, fit Cream. C'est tout ? Vous avez tué un homme pour cela ? Regardez-vous. Vous êtes jeune et en bonne santé. Vous avez survécu.

— Laisse la jeune fille parler, fit Paddler Bill entre ses dents. Continuez, mademoiselle.

— Merci, monsieur, dit-elle doucement. Quand...
Quand j'avais treize ans, ma mère a entendu dire qu'il y
avait du travail comme servante pour des filles comme moi
en France. Il y avait un avis dans le journal. J'avais quatre
frères plus jeunes que moi et elle ne pouvait pas tous nous
garder, elle ne gagnait pas assez pour nous nourrir.

— Votre histoire ne nous intéresse pas, coupa Cream.
Elle sait où sont nos obligations ferroviaires, Bill. C'est
pour ça que nous sommes ici.

— Laisse-la parler ! dit le Fenian d'une voix qui résonna
dans le grand entrepôt.

— Donc, elle m'a emmenée voir une femme, Mme Sal,
continua-t-elle en se tournant vers Cream. Vous la connaissez,
elle travaille pour vous. Elle nous a dit qu'elle avait une
place pour moi dans une bonne maison en France, sauf que,
quand je suis arrivée à Rouen, il n'y avait pas de maison.
Ni bonne ni mauvaise.

— Tu vas me faire pleurer, poulette, fit Cream avec
une grimace hideuse. Bon Dieu, mais vous avez quel âge ?
C'était il y a belle lurette !

— Laisse-la parler, répéta Bill.

— On m'a emmenée le jour même de mon arrivée chez
l'accoucheuse pour qu'elle dise si j'étais pucelle.

Elle parlait comme un automate.

— Et ensuite on m'a conduite dans une maison où j'ai été
prisonnière pendant plus de dix ans, où j'ai été maltraitée
nuit après nuit, homme après homme. On a fait de moi une
prostituée. Vous m'avez vendue à un bordel, monsieur Cream.

— Il semblerait que c'est lui que vous auriez dû égorger,
mademoiselle, dit Paddler Bill.

Ses trois hommes rirent grassement.

Cream, le revolver pointé sur elle, ordonna d'un geste à
Piser de lui serrer encore le bras. Elle poussa un cri étouffé.
La lumière de la lanterne donnait à sa figure baignée de
sang des allures fantomatiques.

— Le lendemain de mon arrivée, ils m'ont baignée et coiffée, ils ont mis de la poudre sur mon visage et du rouge sur mes lèvres. Après, ils m'ont mise dans un lit et m'ont donné du chloroforme pour m'étourdir. Un homme est entré dans la chambre, un homme riche de Londres. Je n'avais pas encore compris ce qui m'attendait.

— Longmire, dit le patron.

Elle acquiesça.

— Et c'est alors qu'il... que ça s'est passé. Et après, il a commencé à me donner des coups de poing comme si c'était moi qui l'avais violenté. Il m'a d'abord frappée au visage.

Elle montra sa dent ébréchée et sa voix devint un murmure.

— Il me frappait encore et encore, les bras, le ventre... Puis il m'a écrasé les jambes. J'ai été alitée pendant un mois, dit-elle, les yeux brûlants de haine. Il était comme fou, je n'avais jamais vu un homme dans un tel état, et ça, à cause de ce que lui m'avait fait.

— C'était donc cela, le fond de l'affaire, murmura le patron.

— Je le cherche depuis que j'ai débarqué du bateau, dit-elle d'une voix plate.

Paddle Bill semblait interloqué.

— Laissez-moi voir si j'ai bien compris, dit-il. Cream vend des filles ? Des pucelles ?

— Il y en a eu plein d'autres après moi, confirma Mlle Cousture. Aussi jeunes. De Londres.

— Assez ! s'insurgea Cream. Je ne suis pas le diable. Rappelez-vous, l'âge du consentement n'a été porté à seize ans qu'il y a dix ans !

— Je n'ai pas donné mon consentement.

— Allons, allons, poulette, dit-il avec un sourire aussi écœurant que sa voix mielleuse. Je ne suis qu'un homme d'affaires. Le péché est dans les hommes qui ont ces désirs. La demoiselle a tué Longmire, Bill. Elle a eu sa vengeance. Moi, je ne suis qu'un simple intermédiaire.

— C'est un piètre argument, Cream, dis-je.

Il se tourna rageusement vers moi et se mit à parler de plus en plus vite, la voix vibrante de colère.

— Écoute-moi, pauvre imbécile. Les hommes puissants sont comme des pur-sang. Ils dirigent le pays parce qu'ils sont supérieurs. Si leurs besoins ne sont pas satisfaits, ils ne peuvent pas remplir leur rôle dans la société. Je ne m'attends pas à ce qu'un homme de basse extraction comme vous comprenne. Ce sont les descendants des plus nobles lignées, mais ils portent en eux un labyrinthe de besoins et de désirs, des plus civilisés aux plus sauvages. Ils ont besoin de whisky et de vin pour les aider à penser — quelqu'un leur en fournit. Ils ont besoin de laudanum — quelqu'un leur en fournit. Ils ont besoin d'une épouse et d'une maison. Ils ont besoin de sport.

Il fit quelques pas, s'approcha de Mlle Cousture, encore aux mains de Boots et Piser. Je ne le quittais pas des yeux, prêt à sortir mon revolver, mais je sentais que le patron manigançait quelque chose.

— Ils ont besoin de mets fins, de parures, de beaux meubles. On fait tout pour que rien ne leur manque. Les bonnes, les majordomes, les valets — on prend soin d'eux pour qu'ils puissent prendre soin du pays. Je comprends ces gens, je les connais bien. J'étais à l'école avec le colonel Longmire, nous partagions la même chambre à Marlborough. Il est entré dans l'armée, alors que moi, j'étais fait pour les affaires. Il désapprouvait ma façon de vivre, mais je lui étais très utile lorsqu'il avait besoin de certaines choses. Je l'ai aidé à bien servir le pays, c'est tout. Ce n'est pas moi qui ai créé ses désirs, c'est la nature qui l'a fait.

Il chercha le soutien de ses larbins, qui approuvèrent servilement, puis celui des Fenians, qui lui opposèrent des visages fermés, sans trace de sympathie.

— Comment crois-tu que j'ai su pour les photographies

de Sir Herbert, Bill ? demanda-t-il. Par Longmire. Ils partageaient les mêmes intérêts, ils s'échangeaient les images.

— Tu ne me l'avais pas dit.

— Tu es autant impliqué que moi, Bill. C'est toi qui
as volé les photographies pour faire pression sur Venning.

— Je croyais que je t'achetais des armes. Je n'aurais jamais
fait affaire avec Longmire si j'avais su ce qu'il faisait.

— Longmire n'a pas touché un penny de ton argent,
Bill. Pas un penny. Je me suis adressé à lui car il pouvait
obtenir les armes, et il savait que je pouvais provoquer un
scandale dont il ne se serait pas remis. S'il nous a aidés,
c'est parce qu'il avait peur que tout le pays sache qui il était.
C'est pour ça qu'il a tué Venning.

— C'est toi qui lui as dit de tuer Venning ?

— Non ! Quand ces deux bouffons ont commencé à poser
des questions sur les fusils, Venning s'est affolé. Il était prêt
à nous vendre à la justice pour sauver sa peau. Longmire ne
pouvait pas rester les bras croisés, cela aurait entraîné aussi
sa chute. Je lui ai dit que c'était à lui de régler la question.
Le reste, c'est de son fait.

— Monsieur Cream, je vous prie, intervint le patron.
Vous dites que vous n'êtes pas à blâmer car vous n'êtes qu'un
simple homme d'affaires ?

Cream se tourna, à la fois soulagé de ne pas avoir à
continuer à se confronter à Bill et agacé par le patron.

— Oui, dit-il sèchement.

— Et vous appliquez le même raisonnement à la provi-
sion d'armes ?

Tout en parlant, le patron s'écartait de moi pour s'approcher des Fenians.

— Bien sûr, répondit Cream. La responsabilité appartient
à celui qui décharge le fusil, pas à moi. Je n'ai tué personne.
Cette guerre n'est pas la mienne.

Le Fenian aux cheveux jaunes fit un pas en avant, l'air

menaçant. Paddler Bill l'arrêta d'un simple regard. Le visage de Cream se crispa.

— J'en ai plus qu'assez, Arrowood. J'ai…

— Vous n'êtes qu'une misérable raclure, Cream ! s'emporta soudainement le patron. Vous êtes aussi impliqué que ceux qui tirent les coups de fusil, mais en plus, vous êtes vénal et vous niez vos propres responsabilités. Ils luttent pour un idéal, mais vous, que faites-vous ?

— Je ne tue ni femmes ni enfants ! rétorqua Cream. Ne me mettez pas ces crimes sur le dos. Je ne suis qu'un agent commercial. Je vends, j'achète, c'est tout. Le péché est dans les passions. Je ne suis pas mû par mes passions, je n'ai pas de haine. Vous vous croyez mieux que moi, je le vois à votre visage, mais vous n'avez pas le droit de me juger. J'ai vingt hommes à mon service, que je paie. Combien de gens gagnent leur vie grâce à vous ? Vingt bouches à nourrir, que dis-je, vingt familles ! Regardez Lenny. C'est mon employé, je nourris sa femme et ses trois enfants. Il dépense ses sous à la boulangerie, au marché, chez le chandelier, au pub. L'argent que je lui donne circule. Les biens se multiplient. Ce sont les hommes d'affaires comme moi qui font tourner ce pays. Je ne suis pas tout blanc, je le sais, ça, mais vous devez mettre dans la balance le bien et le mal que je fais.

— Tu te vois vraiment comme ça, Cream ? demanda Paddler Bill en croisant les bras.

Enivré par sa propre éloquence, Cream parut pris au dépourvu par l'intervention de l'Américain.

— Qu'est-ce que tu veux dire ?

— Tu te crois meilleur que nous ?

— Oh ! non, non, s'empressa de répondre Cream avec un sourire obséquieux. Vous savez que j'ai le plus grand respect pour vous et votre cause. Je dis juste que je suis un simple intermédiaire. C'est tout. Les gens comme moi doivent rester neutres, autrement, comment pourrions-nous nous rendre utiles ?

— Mais tu penses que nous sommes seulement mus par la haine ?

— Oh ! non, Bill, non. Arrowood m'a provoqué. Je ne voulais pas dire ça.

Paddler Bill se tourna vers le gars aux cheveux filasse.

— Puisque Sir Herbert et Longmire sont morts, il semblerait que nous n'ayons plus à traiter avec M. Cream. Qu'en penses-tu, Declan ?

— Comme toi, Bill.

— Et tu dirais que cette femme a été vengée ?

Declan regarda Cream.

— Pas complètement, Bill, non. Je ne dirais pas ça.

Un revolver apparut soudain dans la main de Paddler Bill.

— Non ! s'écria Cream.

Le coup retentit. Cream trébucha et tomba à la renverse. Boots et Piser levèrent leurs armes, mais Declan et le chauve les tenaient en joue. Long Lenny se tenait gauchement, le tisonnier pendant mollement de sa main.

— Nous n'avons rien contre vous, les gars, fit Bill. Lâchez vos armes.

Ils obtempérèrent.

— Maintenant, allez-vous en. Et ne songez pas à vous venger. Nous avons des yeux partout, et votre patron est mort, vous ne lui devez rien.

Long Lenny, Boots et Piser quittèrent l'entrepôt sans demander leur reste.

Paddler Bill se tourna vers nous.

— Vous deux, maintenant. Vous aviez quelque chose à me dire. Je veux le savoir.

Je pointai ma main vers Gaunt, qui se tenait un peu en retrait, un couteau à la main. Il était le seul des quatre à ne pas avoir d'arme à feu.

— Cet homme travaille pour la SIB, déclarai-je.

— Il ment, Bill ! Ne l'écoute pas, dit Gaunt d'une voix

rauque avant de se tourner vers moi. Je vais te tuer, enfant de salaud !

Il bondit vers moi, le couteau levé, mais le chauve, plus rapide, le tira brusquement en arrière et le lui fit lâcher. Je sortis mon revolver.

— Non, Bill ! gémit Gaunt. C'est faux ! Je le jure ! Il ment !

Paddler Bill l'ignora.

— D'où tenez-vous ça ? demanda-t-il, les yeux sur mon revolver.

— La SIB m'a arrêté la semaine dernière. En sortant de Scotland Yard, j'ai vu votre homme retrouver le détective Coyle dans un café. Ce Coyle travaille avec l'inspecteur Lafferty, ce sont des agents de la SIB. Coyle et votre ami semblaient s'entendre à merveille.

— Non, non, Bill, dit Gaunt. Je n'ai jamais entendu parler de ce Coyle ! Cette ordure m'accuse pour sauver sa peau !

Bill caressait pensivement sa barbe flamboyante tout en échangeant des regards avec Declan, comme s'ils se parlaient par la pensée.

— Bill ! Il ment ! Je le jure !

— Tu avais raison, Declan, dit Bill au bout d'un moment.

— Declan ? s'écria Gaunt. Qu'est-ce que tu as dit ?

Bill s'approcha de lui et lui flanqua un coup de poing dans le ventre. Comme Gaunt se pliait de douleur, il le fouilla et trouva une clé qu'il rangea dans la poche de son propre gilet.

— Non, Bill, supplia le libraire, haletant. C'est pas vrai. Je le jure.

— Amenez-le au fourgon, dit l'Américain en leur tournant le dos.

Declan et le chauve traînèrent Gaunt dehors ; il se débattait comme un diable en jurant qu'il n'avait rien fait. C'était la voix désespérée d'un homme qui se sait condamné au gibet et elle me fit frissonner.

Bill attendit qu'ils soient hors de vue pour reprendre.

— Nous avions des soupçons depuis quelques mois. Certaines de ses histoires ne collaient pas, nous l'avions à l'œil. Declan se méfiait de lui depuis le départ.

— Le prix était 25 £, lui rappelai-je.

— On verra.

Son revolver était braqué sur moi, le mien sur lui. J'attendais que le patron sorte le sien, mais il ne bougea pas.

L'instant d'après, le chauve était de retour. Il mit le patron en joue avec son fusil.

— Vous, le gros, dit-il. Les mains sur la tête.

Le patron leva lentement les mains.

— Lâche ton revolver, m'ordonna Paddler Bill.

Un court instant, je songeai à faire feu, mais je compris que je n'avais pas le choix. Le revolver tomba avec un bruit métallique et je maudis le patron qui n'avait pas sorti le sien quand il le pouvait.

— Il y a quelque chose qui nous échappe, dit le patron. Pourquoi Gaunt a-t-il tué la serveuse ?

— Je ne vois pas de quoi vous parlez.

— Lui avez-vous demandé de le faire ?

— Je viens de vous dire que je n'en savais rien.

— Et le détective en civil. C'est vous qui l'avez tué ?

Paddler Bill haussa les épaules.

Un étrange silence s'abattit sur nous. Je regardai le revolver à terre en songeant que si le patron dégainait en même temps que je me jetais au sol pour le prendre, nous aurions encore une chance de nous en tirer.

— Vous allez nous tuer ? demandai-je enfin.

Paddler Bill soupira.

— Permettez-moi de vous expliquer quelque chose, détective. L'objectif de mon mouvement est de libérer l'Irlande de l'esclavage. L'indépendance viendra, c'est sûr, mais le sang semble être la seule langue que votre gouvernement comprenne. Parnell n'est jamais parvenu à les convaincre avec ses arguments politiques.

— Je suis pour une Irlande libre, dit le patron. Nous sommes nombreux en Angleterre à souhaiter cette autonomie.

— Eh bien, ceux qui vous gouvernent n'en font pas partie. Écoutez, nous n'avons pas inventé la violence, c'est vous autres, Anglais, qui nous avez tout appris. Nous ne tuons que pour aider la cause.

— Mais vous tuez des innocents.

— Comme dans toute guerre, répondit Paddler Bill. Comme dans toute guerre.

Il ramassa le couteau de Mlle Cousture, puis fit rouler le cadavre de Cream vers celui de Longmire, le traînant par terre jusqu'à ce que le pardessus blanc soit rouge de sang. Ensuite, il laissa tomber le tranchet près de la main du premier et mit son propre revolver dans celle de Longmire. Finalement, il prit mon revolver et se dirigea vers la porte. Le chauve avait toujours le fusil pointé sur nous.

— Vous tuer n'aiderait pas notre cause, dit-il. Vos morts seraient liées aux opérations de Cream, pas à notre mouvement. De toute façon, nous ne cherchons pas à faire régner la terreur ici, à Londres. Il y aura un soulèvement et ce sera en Irlande. Tout le monde sait que ça viendra.

Il ouvrit la porte et se retourna. Je compris enfin qu'il n'allait pas nous abattre. Alors seulement, je me mis à trembler de tous mes membres.

— Vous ne direz rien à la police de ce qui s'est passé ici car vous devriez alors leur expliquer que c'est votre amie qui a tué Longmire. Elle serait condamnée à la potence, et je pense que personne parmi nous ne croit qu'elle le mérite. Je sais que vous tiendrez votre langue, mais je vous préviens : ne vous mêlez plus de nos affaires. Si jamais l'un de vous croise à nouveau mon chemin, je ne serai pas aussi charitable.

36

Je pris Neddy dans mes bras tandis que le patron fouillait les poches de Longmire à la recherche des vingt-cinq livres qu'il était censé nous donner. À l'extérieur, la rue était calme : les Fenians étaient partis. Je regardais le ciel, la lune, les étoiles. Les manufactures, les entrepôts. Le monde était encore là. Le révérend Jebb sortit de sa cachette et nous retournâmes tous au fiacre de Sidney. Le patron lui demanda de déposer d'abord Mlle Cousture et le prêtre.

Neddy était assis sur mes genoux, le visage enfoui au creux de mon épaule.

— Tu es en sécurité maintenant, Neddy, dit le patron. Tu es un garçon très courageux, tu sais ? Est-ce qu'ils t'ont fait du mal ?

— Je suis désolé, dit Neddy d'une toute petite voix.

— Mais tu n'as pas à t'excuser, dis-je. Au contraire, mon petit gars.

Sans relever le visage, il avoua :

— Je leur ai dit où vous habitiez, monsieur Arrowood, j'ai dit aussi que vous aviez retrouvé Terry.

— Mais personne ne t'en veut pour ça, fiston. Ce sont de méchants hommes. Tu as été très courageux.

Il voulut poser la main sur le genou du petit, mais à peine l'avait-il frôlé que Neddy se recroquevilla avec un grognement soudain. C'était un râle profond, presque comme celui d'un homme déjà adulte, et cela me creva le cœur.

— Qu'est-ce que tu as à la jambe ? demandai-je.

Il renifla contre ma veste, ses mots étaient à peine audibles.

— Ils m'ont écrasé le pied, fit-il dans un sanglot qu'il ne put contenir. Ils avaient un marteau.

— Je crois qu'ils lui ont aussi brûlé les mains, dis-je.

— Tu es un héros, mon petit.

La voix du patron tremblait.

— Nous appellerons le médecin dès notre arrivée à la maison. Il te donnera quelque chose contre la douleur.

Le prêtre, serré dans un coin, regardait le garçon en silence. Mlle Cousture, à mes côtés, caressa doucement les cheveux de Neddy. Je me demandai si ce qu'elle avait fait la guérirait de son passé. Rien n'était moins sûr. Quand la lumière d'un bec de gaz éclaira son visage, je vis encore de la rage dans ses yeux ; pourtant la force qui la portait le premier jour où elle était venue nous voir avait disparu. Le patron regardait aussi par la fenêtre, une larme roulait doucement sur sa joue. Nous roulions dans un silence hébété et solennel.

Aux abords de la mission, le patron dit :

— Mademoiselle Cousture, il y a quelque chose que je voudrais savoir. Comment en êtes-vous venue à travailler pour Fontaine, réellement ?

— Eric n'a rien à voir avec tout ça, dit-elle. Thierry a d'abord trouvé du travail au Beef et il livrait des colis pour Cream. Il ouvrait tout, il savait comment les refermer après, personne ne s'en est aperçu. Certains de ces paquets venaient du studio d'Eric. Vous n'imaginez pas quelles photographies il a trouvées. Elles étaient...

Elle regarda Neddy et baissa la voix.

— Je n'ai pas les mots. Des hommes avec des hommes, des groupes de gens, des fillettes... Cream les vendait ou s'en servait pour faire du chantage. Nous avons pensé que l'homme que je cherchais achetait probablement ce type de photographies, qu'il avait encore les mêmes vices. Mais nous ne pouvions pas en être sûrs, alors Josiah m'a aidé à trouver ce travail chez Fontaine. Il a demandé pour moi un salaire si bas qu'Eric a congédié sons assistant pour me prendre. Mais Longmire et Venning n'étaient pas des clients d'Eric.

— Donc, vous étiez au courant depuis le début, révérend ? demanda le patron.

— Cela fait partie de notre mission, répondit Jebb. Nous œuvrons pour le salut de ces femmes, mais nous voulons aussi que la justice punisse les hommes qui ont abusé d'elles. Œil pour œil, monsieur Arrowood.

— Sauf votre respect, révérend, je ne crois pas que vous soyez fait pour ce genre de travail.

— J'apprends tous les jours, monsieur.

La voiture s'arrêta devant le foyer.

— Qu'allez-vous faire à présent, mademoiselle Cousture ? demandai-je.

— Je pense que j'irai à Paris pour tenter de retrouver Thierry. Je crois qu'il me doit la moitié de ces actions canadiennes.

— Bien, je ne peux que vous conseiller de partir demain à la première heure, dit le patron. La police ne tardera pas à enquêter sur les meurtres. Mais vous pouvez compter sur notre silence, bien entendu.

— Merci, monsieur Arrowood.

— Vous ne saviez donc pas que Thierry les avait volées ? Elle secoua la tête.

— Alors, bonne chance, mademoiselle, dis-je.

— Si vous avez besoin d'aide pour le trouver..., commença le patron.

Elle lui lança un regard surpris.

— ... ne venez pas nous voir. De grâce.

Ce fut la première fois que j'entendis rire Caroline Cousture.

Ettie et Lewis nous attendaient. Nous envoyâmes chercher le médecin, et Ettie coucha Neddy. Le patron sortit une bouteille de brandy, Lewis posa sur la table du salon un plateau avec du pain et du jambon et nous parlâmes longuement du dénouement de l'affaire.

— Alors Longmire ne touchait pas d'argent ? demanda Lewis.

— Il semble que non, répondit le patron. Je pensais qu'il était l'associé de Cream dans le trafic d'armes, mais il a agi sous la contrainte, comme Venning. Cream leur faisait du chantage à tous les deux pour qu'ils livrent les armes. Sans doute Cream et Milky Sal aidaient-ils Longmire à assouvir ses vices depuis des années.

Je me levai pour aider Lewis, qui peinait à couper le pain avec une seule main.

— Longmire s'est montré très imprudent en leur faisant confiance, dit Ettie.

— Longmire et Cream étaient à Marlborough ensemble, expliqua le patron. Je suppose qu'il a fait confiance à leur vieille amitié.

— Et Sir Herbert ?

— Longmire ne pouvait pas trouver les armes lui-même, il avait besoin pour cela de Sir Herbert, et puisqu'ils partageaient les mêmes goûts...

Le patron se tourna vers sa sœur.

— Je veux dire par là, leurs appétits sexuels.

— Enfin, je ne suis pas née de la dernière pluie, William ! Surpris, le patron continua :

— Eh bien, de toute façon, il savait parfaitement comment faire pression sur lui.

— Les pucelles à vendre, dit-elle.

— En effet. Et des photographies de filles en dessous de l'âge légal. Sans doute, le même genre de pauvres filles que vous aidez, Ettie. Il y a vingt ans, le scandale aurait été moindre, mais de nos jours la justice est moins indulgente avec les hommes comme Longmire et Sir Herbert. Lorsque nous avons commencé à poser des questions, Venning a pris peur, il était prêt à accuser ses complices afin de réduire sa propre peine. Longmire ne pouvait pas permettre que cela arrive, et il a mis en scène le suicide de Sir Herbert. Sauf qu'il a oublié la main déformée de son vieil ami.

— Vous avez eu de la chance de vous en sortir vivants, fit Lewis, la bouche pleine de jambon. Je n'en reviens pas.

— Ce n'est pas grâce à ce crétin de Petleigh, assurément, dit le patron. Je savais que nous n'avions aucune chance à moins de faire régner la confusion. C'est la raison qui m'a poussé à attirer les Fenians et Longmire à l'entrepôt, et c'est aussi pour cela que je tenais à ce que Mlle Cousture nous accompagne. Mais si la chance nous a souri, cher ami, c'est aussi parce que nous avions fait une bonne partie du travail. C'était une affaire complexe, et les affaires comme celle-ci ne sont jamais vraiment résolues, seulement closes.

— Et tu es satisfait de la conclusion ? demanda Lewis.

— En ce qui concerne Mlle Cousture, l'affaire est certainement réglée : elle a obtenu ce qu'elle voulait. Et nous avons trouvé l'assassin de Martha, ce qui était essentiel pour nous. Sa mort serait autrement tombée dans l'oubli. J'espère que nous avons au moins en partie expié notre faute.

— Mais tu n'aurais pu livrer cet homme à la police ? demanda Ettie.

— Mais comment, ma sœur ?

— Norman aurait pu témoigner et ce Gaunt aurait été condamné.

— Gaunt avait des amis dans la SIB qui l'auraient protégé.

Ettie secoua la tête.

— C'est ce que tu présumes, mais désormais, nous ne le saurons jamais. En revanche, en le dénonçant à Paddler Bill, tu l'as condamné à mort. Cela ne te pose pas un problème de conscience ?

— Ce n'est pas moi qui ai dicté les lois de leur monde,

Ettie. Ces hommes vivent et meurent selon d'autres principes. Ils comprennent.

Nous restâmes en silence un long moment, chacun abîmé dans ses réflexions. Lorsque la pendule tinta, Ettie se tourna vers moi.

— Avez-vous eu peur, Norman ? demanda-t-elle en penchant la tête.

Elle avait une expression douce, mais je pouvais voir à quel point l'attente l'avait éprouvée.

— Je n'ai jamais été aussi effrayé de ma vie, répondis-je. Ils étaient si nombreux ! Et quand William s'est mis à crier sur Cream, j'ai cru que notre dernière heure était arrivée. Si Bill n'avait pas tué Cream, nous serions dans le fleuve à l'heure qu'il est.

— Oh ! William, soupira Ettie. Quand apprendras-tu à te maîtriser ?

— Ce n'était qu'un leurre, Ettie.

Il posa l'assiette et se redressa dans son fauteuil.

— Cream allait nous tuer. J'ai réfléchi à la meilleure façon de jouer les mauvaises cartes que nous avions. Bill n'a pas apprécié que Cream utilise la traite de jeunes filles pour se procurer les fusils. Et il était aussi en colère parce que la mort de Venning coupait leur voie d'approvisionnement. Ce n'était pas grand-chose, mais je pouvais travailler à partir de là. J'ai observé les Fenians pendant que Cream parlait et, lorsqu'il a soutenu qu'il n'avait rien à se reprocher alors que les Fenians étaient des meurtriers, j'ai vu la colère s'emparer de Declan. Au sein des mouvements tels que les Fenians, il y a plusieurs sortes d'hommes : d'aucuns aiment la violence ou cherchent la vengeance, d'autres sont mus par le goût de l'aventure ; mais d'autres encore, et Bill et Declan font partie de ceux-là sans l'ombre d'un doute, d'autres prennent les armes parce qu'ils pensent que c'est le seul moyen d'obtenir l'indépendance de leur pays. C'est ce que Cream n'avait pas compris et c'est la raison pour laquelle je l'ai provoqué. Entendre Cream affirmer qu'il était meilleur qu'eux ne pouvait que mettre en colère ces hommes qui luttent pour un idéal. Les amis de Bill ont été exécutés lors du procès des Invincibles, ils sont morts pour la cause. Il a été le seul à ne pas être condamné. L'accuser de manquer de morale, surtout venant d'une raclure comme Cream, revenait à se mettre une charge de dynamite dans le cœur. J'ai vu la mèche, je l'ai allumée.

Il prit sa pipe sur la table et la bourra.

— Mais pourquoi Cream n'a-t-il pas vu ce qu'il était en train de faire ? demanda Ettie.

— Il est des gens qui perdent de vue le bon sens lorsqu'ils font un grand discours, ma sœur. L'attention du public agit comme un brandy : ils se sentent puissants, grands. Et, bien sûr, parfois les hommes les plus vils sont persuadés qu'ils sont bons.

— Mais cela veut dire que tu voulais faire en sorte qu'ils tuent Cream, dit Ettie tout doucement.

Le patron ne répondit pas.

— Oh ! William. C'est une responsabilité trop lourde pour...

— Ettie, ce n'est que justice. Pour toutes ces jeunes filles. Pour Mlle Cousture. Pour l'agent torturé. Mais même si tu n'approuves pas, tu dois comprendre que je n'avais pas le choix. Ils nous auraient tués. Neddy serait mort.

Sur ces entrefaites, on frappa à la porte d'entrée. J'entrebâillai les rideaux avant d'ouvrir, craignant qu'il s'agisse de Boots et Piser, mais ce n'était que Petleigh.

— Je viens de l'entrepôt d'Issler, dit-il. Que diable s'est-il passé là-bas ?

Bien qu'il fût une heure avancée de la nuit, il sentait le parfum, et j'aurais juré qu'il venait de cirer sa moustache d'un noir de jais.

— Et vous, où diable étiez-vous fourré ? cria le patron depuis son fauteuil. Nous avons failli être tués !

Petleigh entra dans le salon avant de répondre.

— Ce n'est pas ma faute, William. À la dernière minute, alors que nous nous apprêtions à partir, le commissaire adjoint nous a ordonné de couvrir Sherlock Holmes lors d'une descente. Je vous ai dit qu'on lui a demandé d'enquêter sur la mort de Lord Venning ?

— Tout Londres est au courant, répondit le patron en tirant si rageusement sur sa pipe qu'un grand nuage de fumée l'enveloppa.

— Le ministre lui-même a exigé que nous prêtions main-forte à Holmes, et ce par tous les moyens. Il semble que le Bureau de la Guerre était au courant du vol des fusils et que de lourds soupçons pesaient sur Venning. Il avait été interrogé à ce sujet le jour même de sa mort. Tous les efforts doivent être faits pour trouver ces armes avant qu'elles ne tombent dans les mauvaises mains.

— Vous saviez que nous étions en danger ! s'écria Arrowood. Le garçon ! Vous aviez oublié Neddy ?

— Où est-il ? L'avez-vous trouvé ?

— Il est sain et sauf, mais s'il avait été tué, je vous aurais tenu responsable de sa mort.

— J'ai essayé de partir, William ! se défendit Petleigh, piqué au vif. Je n'avais pas le choix ! Le commissaire adjoint m'a envoyé avec vingt constables pour aider Holmes ! Il était trop tard pour vous prévenir, et mon grade ne me donne pas assez d'autorité pour contrecarrer les ordres du commissaire. J'obéis aux ordres, c'est mon devoir. Mais regardez, vous êtes en sécurité.

Le patron ricana et avala d'un trait son brandy.

Ettie revint alors au salon. Petleigh s'inclina cérémonieusement et lui fit un baisemain.

— Enchanté de vous revoir, Ettie, dit-il. Vous veillez tard. Vous attendiez William, je suppose ?

— Pourquoi n'êtes-vous pas allé les aider, inspecteur ? demanda-t-elle. Vous vous y étiez engagé.

— Le commissaire adjoint m'a ordonné de prêter main-forte à Holmes ce soir. En dépit de mes efforts, il m'a été complètement impossible de faire autrement.

Avec une moue quelque peu sceptique, elle vint s'asseoir près de moi sur le canapé.

— Je suppose que Holmes a résolu l'affaire ? demanda le patron.

— Il s'est montré brillant, répond Petleigh en s'accoudant à la cheminée, le regard sur la carafe de brandy. Heureusement pour nous, il a conservé des informations sur les Fenians depuis la campagne de la dynamite. Il a un système d'information des plus exhaustifs, vous savez. J'ai cru comprendre qu'il a dans ses archives tout ce qui concerne les crimes les plus importants commis dans cette ville ces vingt dernières années. Je ne comprends pas comment il a réussi, c'est un génie, ce Holmes. Il a été capable de nous indiquer l'endroit précis où les armes étaient cachées, ici, à Londres.

— Je suppose qu'elles étaient stockées parmi les livres ? murmura le patron.

— Pardon ?

— Dans la librairie ?

Petleigh se raidit.

— Mais comment savez-vous que les fusils étaient dans une librairie ?

— La librairie d'un dénommé Gaunt, à moins que je ne me trompe, Petleigh ?

— Vous saviez où se trouvaient les fusils ?

— Nous enquêtons sur cette affaire depuis des semaines, répondit le patron avec suffisance.

— Alors pourquoi ne me l'avez-vous pas dit, nom de nom ?

— Je me permets de vous rappeler que nous étions fort occupés, inspecteur.

— Ces armes auraient pu servir à tuer des soldats britanniques !

— Nous venons de sauver la vie d'un garçon, rétorqua le patron. Et de toute façon, n'utilisons-nous pas, nous aussi, ces fusils...

— Tais-toi, William, dit Ettie. Ou tu finiras en prison.

N'ayant pas saisi l'enjeu de l'échange entre eux, Petleigh attendit une explication, mais comme personne ne parlait, il reprit :

— Eh bien, vous serez heureux d'entendre que nous avons récupéré tous les fusils volés, soixante en tout, ainsi qu'une douzaine de caisses de munitions et une bonne quantité de nitroglycérine. Le ministre est enchanté. Malheureusement, le propriétaire du magasin n'était pas sur place, mais nous l'arrêterons demain sans aucun doute.

Le patron renifla.

— Vous vouliez dire quelque chose ? demanda Petleigh.

— Vous feriez mieux de le chercher dans le fleuve.

— Dites-moi ce qui s'est passé à l'entrepôt d'Issler, supplia Petleigh. Nous y avons trouvé deux cadavres.

— Demandez à Holmes de résoudre le mystère.

— William, dois-je vous reposer la question ? Deux hommes ont été tués ! Des hommes très haut placés !

— Je me rendrai demain à votre bureau pour tout vous expliquer, dit le patron d'une voix lasse. Barnett et moi avons passé une rude soirée. Nous sommes trop fatigués pour réfléchir.

Il était si évident que nous étions harassés que malgré sa colère Petleigh le crut. Déjà sur le pas de la porte, il demanda :

— Pouvons-nous convenir d'une date pour le déjeuner dont nous avions parlé ?

— Il faudra attendre jusqu'à ce que nous soyons de retour chez nous, Petleigh.

— Oh. Bien entendu, répondit l'inspecteur avec un regard triste.

À cette heure tardive de la nuit, il avait l'air plus vieux. Après avoir présenté ses respects à Ettie et salué Lewis, il s'en alla avec une petite inclination de la tête.

— Comment avez-vous su que les armes étaient chez Gaunt ? demandai-je au patron.

— Bill a retiré une clé de la poche de Gaunt avant de l'emmener, rappelez-vous. C'était forcément celle de la librairie.

— Cela aurait pu être celle d'un garde-meuble.

— S'ils en avaient loué un, ils n'auraient pas confié la seule clé à un homme sur lequel pesaient des soupçons. Ce ne pouvait être que celle du magasin de Gaunt. La réserve d'une librairie est l'endroit idéal pour entreposer des objets volés. Je soupçonnais que les armes étaient là-bas depuis que vous m'en aviez parlé.

Avec un grognement, il se releva et traversa le salon.

— Je vais faire un passage par le cabinet d'aisance et après, au lit !

— William, dit Ettie. Sherlock Holmes est un grand détective. Personne d'autre n'aurait pu trouver ces fusils en seulement deux jours. Quand voudras-tu l'admettre ?

Le patron, qui était déjà sur le pas de la porte, se retourna, et ce fut soudain comme si toute la tension de la nuit s'était évanouie. Il relâcha les épaules, son visage se détendit en un sourire, et je crus un instant qu'il allait enfin reconnaître les mérites de Holmes. Il ouvrit la bouche pour parler, puis, se ravisant, secoua la tête et prit la lampe pour sortir dans la cour.

Je partis peu de temps après. Le patron me raccompagna et, devant la porte, me tendit un billet de cinq livres, taché et encore humide du sang de Longmire.

— Votre part, Norman.

Je regardai successivement la coupure, puis lui, l'air aussi sceptique que je le pus.

— Oh ! pour l'amour du ciel ! grommela-t-il, se déclarant vaincu.

Il sortit un autre billet de cinq et me fourra les deux
dans la main.

— Il est trop tard pour discuter.

37

Je dormis d'un sommeil de plomb et ne me réveillai que le lendemain en fin d'après-midi. Il me restait encore une chose à faire. Je pris l'omnibus qui traversait la ville jusqu'à Scotland Yard et surveillai l'entrée depuis l'extérieur du pub en regardant les allées et venues des agents. La nuit tomba bientôt, et un froid humide réveilla la douleur dans mon bras. Il faisait déjà sombre lorsque Coyle finit par sortir. Je le suivis le long des quais jusqu'à Victoria Embankment, où il mit le cap vers le nord. Je marchai derrière lui encore dix minutes et ce fut dans les allées d'un parc désert que je décidai de tenter ma chance. Il était le genre d'homme à ne douter de rien, et il ne se retourna même pas quand mes pas crissèrent sur le gravier. Cela me facilita la tâche. Je lui flanquai un premier coup de tisonnier bien senti qui me fit le plus grand bien. Il tomba à genoux avec un cri rauque comme le rot d'un cheval. Je sautai sur lui, lui enfonçai un genou entre les côtés et serrai son cou de mes deux mains. Il étouffait, ses bras cherchaient à m'attraper et ses jambes battaient l'air, mais j'étais bien trop lourd et bien trop en colère. La bave moussa sur ses lèvres, je resserrai l'étau de mes mains. Je fixais ses yeux exorbités, les larmes qui glissaient sur ses tempes.

Dès que je relâchai ma prise, il commença à tousser et à cracher, tentant de reprendre son souffle. Je me relevai, écrasai d'une botte son poignet, de l'autre son épaule et, de nouveau, je levai haut le tisonnier et l'abattis sur son bras, à l'endroit où il m'avait frappé avec sa matraque.

Il hurla.

Je me laissai tomber sur lui de nouveau, le genou sur son ventre.

— Ça fait mal, n'est-ce pas, Coyle ?

Il toussait toujours, essayait faiblement de me chasser. L'air lui manquait.

— Je te rends la pareille. Maintenant, je veux juste savoir une chose, et tu vas me la dire si tu ne veux pas que je recommence. Pourquoi votre agent a-t-il tué la serveuse ?

— Va te faire foutre, fit-il d'une voix sifflante.

— Bien.

Je me relevai, le tisonnier en l'air.

— Non ! cria-t-il. Non ! Je parlerai !

Une nouvelle quinte de toux le secoua, et j'attendis qu'il soit en état de parler. Il se redressa à moitié en se tenant la gorge du bras que je n'avais pas touché.

— Il se doutait que les Fenians avaient compris, dit-il d'une voix éraillée. Il devait prouver sa loyauté. Ils étaient inquiets concernant ce que votre Français avait vu et ce qu'il avait pu confier à la fille. Ils avaient appris que vous deux étiez passés la voir et que vous posiez beaucoup de questions, et il a pris sur lui de la tuer. Il a cru que ça prouverait qu'il n'était pas un agent double.

— C'est vous qui lui avez dit de le faire, dis-je.

Il secoua la tête.

— Nous ne l'avons su qu'après coup. Je le jure. C'est la façon de travailler de nos agents. Ils prennent des décisions. Parfois, ils se trompent.

— Mais vous ne l'avez pas arrêté. Vous saviez ce qu'il avait fait et vous ne l'avez pas arrêté.

Il me regarda, sa face de gargouille sombre et défaite.

— Il est trop important. Il nous a fourni beaucoup d'informations ces dernières années. Si les Fenians préparent de nouveau une attaque à la dynamite, nous le saurons grâce à lui.

— Je ne crois pas, dis-je.

— Tu ne sais pas de quoi tu parles.

Je sortis un souverain de ma poche et le lui jetai sur le ventre.

— Bonne nuit, Coyle.

Je traversai la ville dans l'autre sens, franchis le Waterloo Bridge, où les barges et les bachots étaient amarrés pour la nuit. Il y avait non loin de là un pub qui restait ouvert tard et où personne ne me connaissait. Je ne voulais pas retourner dans ma chambre. Je ne voulais pas m'y retrouver seul, dans le froid, au beau milieu des ruines de ma vie, comme chaque nuit depuis la mort de Mme Barnett. Les deux silhouettes que nous avions fait faire pour notre mariage se feraient face dans leur petit cadre près de la fenêtre, leurs visages effacés et sans vie comme ceux de fantômes. Le chagrin m'étouffait dans la pièce vide.

J'en parlerai au patron lorsque je serai prêt. Pour l'instant, j'avais seulement besoin de m'occuper et de passer autant de temps que possible loin de ma chambre. Arrowood et moi, nous avions tous les deux besoin d'une nouvelle affaire.

Remerciements

Merci à Vince de m'avoir lu et relu au-delà du raisonnable au fil des ans, à Jo, Sally et Lizzie d'avoir insufflé de la vie dans ce livre, et à mes amis pour toutes les discussions que nous avons eues. J'ai eu recours à beaucoup d'ouvrages et de ressources en ligne pour mes recherches historiques. Entre autres : *The Invention of Murder* et *The Victorian City* (Judith Flanders), *War in the Shadows* (Shane Kenna), *The Suspicions of Mr Whicher* (Kate Summerscale), *London's Shadows* (Drew D. Gray), *How to be a Victorian* (Ruth Goodman), les cartes géoréférencées de la National Library of Scotland (maps.nls.uk/geo), le *Dictionary of Victorian London* de Lee Jackson (victorianlondon.org) et les *Poverty Maps* de Charles Booth (booth.lse.ac.uk/map).